D0544678

VOCÊS NÃO ME CONHECEM

IMRAN MAHMOOD

VOCÊS NÃO ME CONHECEM

Tradução de
Fernanda Oliveira

BERTRAND EDITORA
Lisboa 2018

Título original: *You Don't Know Me*
Autor: Imran Mahmood

Rua Professor Jorge da Silva Horta, n.º 1
1500-499 Lisboa
Telefone: 217 626 000
Correio eletrónico: editora@bertrand.pt
www.bertrandeditora.pt

Design da capa: Rui Rodrigues
Revisão: João Pedro Tapada

Pré-impressão: Bertrand Editora
Execução gráfica: Bloco Gráfico
Unidade Industrial da Maia

1.ª edição: maio de 2018
Depósito legal n.º 439 009/18
ISBN: 978-972-25-3535-9
Código Círculo de Leitores: 1091190

Para Shahida, que me deu vida
Para Sadia, que mudou a minha vida
Para Zoha, que deu sentido à minha vida

Para todos os meus irmãos e irmãs na Associação dos Advogados Criminais, que proferem as verdadeiras alegações e lutam pelos casos difíceis todos os dias, em troca de tão pouco reconhecimento ou recompensa.

NO TRIBUNAL CRIMINAL CENTRAL T2017229

Perante: MERITÍSSIMO JUIZ SALMON QC

Alegações Finais:

Julgamento: 29.º dia

Terça-feira, 4 de julho de 2017

COMPARÊNCIAS

Pela Acusação:	C. Salfred QC
Pelo Arguido:	O próprio

Transcrito de um registo áudio digital por
T. J. Nazarene Limited
Estenógrafos Judiciais e Transcritores Certificados

1

10:05

ARGUIDO:

— Em 1850, Henry John Temple, terceiro visconde de Palmerston, fez um discurso ao Parlamento que durou cinco horas. Um judeu português chamado Don Pacifico, que vivia na Grécia, mas nascera em Gibraltar, tinha sido atacado por um bando racista. Tinha sido espancado. A sua casa fora vandalizada e os seus bens roubados. A polícia grega assistira a tudo, sem fazer nada. Don Pacifico pediu ao governo grego que o indemnizasse. O governo grego recusou dar-lhe o que quer que fosse. Por isso, ele apelou para os britânicos.

»E o que fez Palmerston? Palmerston considerou que aquele judeu de Gibraltar era um súbdito britânico. Assim, enviou uma esquadra de navios da Royal Navy rumo a Atenas, para bloquear o seu porto. Passadas oito semanas, o governo grego pagou o que era devido. Quando a ação de Palmerston foi contestada no Parlamento por uma multidão hostil, ele reagiu com um discurso de cinco horas. Nele, disse: «Um súbdito britânico deve ser protegido em toda a parte pelo braço forte do governo britânico contra a injustiça e adversidade.»

»Era isso que significava ser britânico, então. Nesse tempo, quero eu dizer. Desculpem, estou um bocadinho nervoso. Nesse tempo, se fossem cidadãos britânicos, não importava se eram judeus, portugueses, gibraltinos ou o que quer que fosse. Bastava ser cidadão britânico. Bastava saber que, onde quer que a pessoa estivesse, se lhe acontecesse algo de mal, podia contar com o poder de toda a Inglaterra para vir em seu socorro. Este Palmerston enviou uma frota de navios por causa de um homem!

»Isto era o que a Inglaterra fazia por um único dos seus homens, mesmo que ele fosse um zé-ninguém de um judeu como Don Pacifico: toda a Inglaterra por um homem! Cento e sessenta anos depois, este inglês negro não pode contar com a Inglaterra para nada. Nada. Não posso contar com nada, a não ser com a pequena amostra de nação que está presente nesta sala. Para mim, isto é a Inglaterra inteira, aqui mesmo. Vocês são toda a Inglaterra e eu preciso de vocês, agora. Preciso do braço forte da vossa proteção contra a injustiça e adversidade. Preciso de vocês. Preciso de vocês. Preciso de vocês. E vocês precisam de mim. Precisam de mim, para poderem ser toda a Inglaterra.

Basicamente, foi até onde fui. A seguir, pensei para comigo *De que serve isto?* Não sou Lord Palmerston e nenhum discurso de cinco horas vai fazer com que me aplaudam. Não sou estúpido. Sei que nenhum discurso me vai safar disto. Mas sabem que mais? Valeu a pena ler aquele excerto, só para ver as vossas caras. Não com o intuito de brincar convosco, mas antes de os abanar. Não imaginavam que eu era capaz de falar como um professor, pois não? Mas eu queria que vocês soubessem que há mais em mim do que aquele lado que viram quando prestei depoimento. Não sei, talvez quisesse surpreendê-los. E deixem-me que lhes diga que ainda vão ter mais algumas surpresas.

Portanto, talvez esta seja a primeira surpresa. Porque estou eu aqui, a fazer as alegações, em vez do meu advogado? Porque decidi comparecer diante de vocês todos e dizer as coisas pelas minhas próprias palavras? Não me interpretem mal, não me zanguei com ele nem nada disso. Foi mais porque tínhamos opiniões diferentes sobre determinados assuntos e eu tinha alguma informação extra que ele desconhece.

Vou dar-lhes um exemplo. Lembram-se quando prestei depoimento há dois dias? Bem, essa foi uma das coisas sobre as quais discordámos. Ele queria que eu lhes contasse aquilo que designava por uma «história plausível». «Dê-lhes o que eles precisam de ouvir», disse-me. E eu respondo: «Não, mano, eu quero dar-lhes o que eles não querem ouvir de mim: a verdade.» Mas ele não gostou muito da ideia.

«É demasiado forte para eles, demasiado forte para o seu sangue», replicou.

Não me interpretem mal, o meu advogado era bom. Mas ele não sou eu. Não sabe o que eu sei. O meu problema era que, embora saiba o que sei, não sei o que ele sabe. Será que é melhor deixá-lo falar convosco na vossa língua, contando apenas metade da história, ou fazê-lo eu mesmo e contar a história toda, correndo o risco de não perceberem nada? Conseguirei sequer contar a história toda? Irão acreditar nela? Não sei, meu. Não sei. Mas o que sei é que não vou arriscar a vida por este homicídio e não lhes contar a verdade. Mesmo que o meu advogado não queira que eu o faça.

Por isso, aqui está a minha confissão. Já testemunhei sob juramento. Sobre a Bíblia Sagrada. Mas Deus sabe que o que lhes disse no banco das testemunhas não foi exatamente toda a verdade. Tinha algumas verdades, não me interpretem mal, muitas verdades, mas também tinha algumas coisas que talvez não fossem verdade. Mas era assim que o meu advogado queria. «Não importa a verdade», dizia, «mas sim aquilo em que conseguem acreditar.»

Isto deixou-me aborrecido. Como posso jurar dizer a verdade e depois contar mentiras? Por isso, ontem à noite, enquanto tentava adormecer, pensei no assunto. Pensei muito. E quando acordei, não estava nada satisfeito, acreditem. Por isso, esta manhã, disse-lhe: «Mano, preciso de começar a dizer as coisas como são. Estas alegações finais são a minha última oportunidade.» E ele: «Bem, acabou-se.» Diz que não pode continuar a representar-me por razões *éticas*. Razões éticas? Pensava que a ética tinha que ver com verdade, mas, aparentemente, não tem. Tem tudo que ver com *impressões*. «Que impressão pensa que vai dar se for agora a tribunal contar uma história diferente? Que imagem acha que vai passar se lhes contar *esta nova informação*?» «Bem, talvez não precise de lhes contar *essa coisa*», digo-lhe. E, verdade seja dita, nem sequer tenho a certeza de conseguir contar-lhes essa coisa. Porque, se a contar, nem sequer tenho a certeza de lhe sobreviver, percebem?

Não me interpretem mal. Quero contar-lhes, mas não sei se sou capaz, neste momento. Não sei o que pensariam de mim se a ouvissem. Talvez precisem de me conhecer um bocadinho melhor, primeiro. O meu verdadeiro eu.

Neste momento, olham para mim e pensam que sou apenas um palerma qualquer que anda para aí a disparar sobre as pessoas sem motivo nenhum. Eu sei que é isso que pensam porque não sou estúpido e vocês não são estúpidos. Sei que o meu testemunho, aquilo que lhes disse no banco das testemunhas, não foi grande coisa. Eu sei disso. Sei que foi suspeito. Por isso, sei que pensam que disparei simplesmente sobre aquele rapaz, mas não foi assim. Isso é apenas o que eles querem levá-los a crer. Querem que pensem que sou um rapaz mandrião e desmiolado que entra ao acaso numa rua e mata outro rapaz a troco de nada. Não se deixem enganar. Eles são bons nisso, a enganá-los. É assim que aqui o senhor procurador ganha a vida. Faz isto dia sim, dia não e, quando acabar de falar convosco, vão ficar a ver o branco como preto e o preto como branco. Tiro-lhe o chapéu. Ele é bom! É manhoso, mas é bom! Mas vocês têm de ver para lá de todo este fumo que ele tem estado a criar e distinguir o que está por trás disso. Acreditem que vão ficar surpreendidos. Não têm de fazê-lo por mim. Façam-no como se fosse uma experiência. Se estiver enganado, estou enganado, e fazem o que têm que fazer. Mas se tiver razão...

Vamos começar pelas provas. Está bem, as provas não jogam a meu favor, mas na verdade não são assim tantas. Porém, antes de entrar nesse campo, quero apenas dizer o seguinte. Ignorem tudo o que disse no meu depoimento, quando estive no banco das testemunhas, no outro dia. Na verdade, se não houver provas efetivas que me liguem a este homicídio, o que disse não importa, pois não? Se as provas não valerem nada, o que importa o que contei ou deixei de contar?

Muito bem, aqui vai. Foi assim que as anotei:

1. Foi abatido a tiro um rapaz que é da mesma área onde vivo;
2. Três meses antes do sucedido, ao que parece, alguém me viu passar por ele e dizer-lhe: «És um lixo!»;
3. Dois meses antes do sucedido, uma testemunha viu Jamil, o rapaz que morreu, a discutir com um rapaz negro mais

ou menos da minha idade, que usava uma camisola preta com capuz e caracteres chineses brancos nas costas;

4. Prova baseada na localização da célula do telemóvel. O especialista em telecomunicações disse que o meu telefone estava na mesma célula que o do falecido no exato momento em que foi disparado o tiro. O meu telemóvel também estava na mesma célula que o dele no dia em que alegadamente discuti com o rapaz. E o mesmo aconteceu no dia em que supostamente lhe disse: «És um lixo!» Tudo dentro da área de uma mesma célula. O que disse esse especialista? Cinquenta ou sessenta metros?

5. A busca realizada ao meu apartamento. A polícia prendeu-me porque constou que eu estava envolvido no tiroteio. Revistaram o meu apartamento e encontraram uma pistola *Baikal*. Encontraram uma camisola com capuz preta com caracteres chineses brancos nas costas. Encontraram o meu telemóvel, que condizia com as provas que tinham relativamente às células. Encontraram o meu passaporte. Encontraram um bilhete eletrónico de um voo para Espanha. Encontraram dinheiro, trinta mil libras na minha mochila. Encontraram os resíduos de pólvora de que a acusação não para de falar, tanto no meu carro como na camisola com capuz. E encontraram-me a mim;

6. A polícia diz que a bala que matou o rapaz, Jamil, deve ter saído da minha arma. Balística. Lembram-se do tipo que apareceu com aqueles gráficos todos, e não sei mais o quê? Ele diz que a bala saiu daquela arma;

7. Encontraram uma minúscula partícula do sangue do rapaz morto debaixo das minhas unhas;

8. Encontraram alguns cabelos meus no carro dele.

Caso encerrado, certo? Já ouviram o suficiente. Podem ir para casa agora, muito obrigado pela vossa atenção. E se me condenassem com base nisto, provavelmente iam para casa e dormiam muito bem toda a noite. Eu sei disso. Mas estão aqui sentados há quatro semanas, a apreciar este caso. A minha esperança é que estejam dispostos a fazer com que essas semanas contem para alguma coisa. Mas depois pensei, não tenho assim tanta certeza.

Talvez para vocês isto seja apenas uma coisa que têm de fazer, né? Uma pausa agradável nas vossas vidas. Podem levantar-se todos os dias, vestir uma camisa lavada e vir até aqui, olhar para documentos ou o que quer que seja e fazer que sim ou abanar a cabeça. Podem ouvir a acusação. Podem ouvir este juiz e sentir que estão a fazer alguma coisa. Podem sentir-se muito respeitáveis. E quando saírem daqui, depois de terminado o caso, podem voltar às vossas vidas para fazer o que quer que façam. Mas eu não desapareço quando vocês forem para casa, sabem? Vou continuar aqui. Continuo a ser uma pessoa, né? Quando o vosso filhinho que talvez tenha agora quatro ou cinco anos e acabou de entrar para a escola crescer, continuarei numa cela de prisão. Quando ele fizer dez anos e começar a frequentar a escola dos crescidos, ainda estarei a cumprir a minha pena. Quando ele acabar o secundário e arranjar emprego ou for para a universidade, eu continuarei aqui. A cumprir a minha pena perpétua. Porque vocês não estiveram suficientemente atentos. Porque não fizeram o vosso trabalho. É só o que lhes peço. Escutem simplesmente a minha história. Eu estou inocente. Garanto-lhes que, se analisarem as coisas com atenção, vão conseguir perceber isso.

Examinem as provas. Isso dir-lhes-á tudo o que precisam de saber. E, acreditem, há aí matéria suficiente para os fazer ver que estou a dizer a verdade.

Pausa: 11:15

2

11:28

Antes de ser preso por este homicídio, eu tinha um trabalho. Bem, não era um trabalho a sério, com salário e tudo isso, mas era uma coisa que fazia para ir ganhando umas massas. Também não era nenhum bandido. O que eu fazia era vender chaços. Carros. Adoro-os. Não há nada que me possam ensinar sobre carros. Gosto dos velhos. Gosto dos novos. Gosto dos *V8*, gosto dos que têm motores naturalmente aspirados, gosto dos que têm motores turbo.

De qualquer forma, o que percebi foi que há muita gente que nem sempre sabe o que tem quando vai vender o carro. Houve uma rapariga que estava a vender o que pensava ser um velho *Vauxhall Carlton* que era do namorado. Mas o que ela não sabia é que não era um *Carlton* qualquer, que talvez valesse umas trezentas libras. Era um *Lotus Carlton.* Um *Carlton* com um motor *twin-turbo* de 3,6 litros, com 377 cavalos de potência. Vai dos zero aos cem em cinco segundos. Vinte milenas, mesmo com vinte anos. É que eu verifico o produto antes de comprar. E digo-lhes mais: a maior parte das pessoas, quando me compra um carro, também faz o mesmo. Impossível vender latas velhas ao pessoal da zona onde eu moro. Querem ver tudo à lupa. Cada mossa dá direito a um desconto. Cada extra opcional é mais um dinheirito, estão a perceber?

Por isso, deve funcionar da mesma maneira aqui, né? Vão aceitar simplesmente aquilo que a acusação diz ou vão olhar para isso atentamente e verificar debaixo do capô? Aquilo que a acusação lhes está a vender é de boa qualidade? Ou será uma porcaria qualquer feita em Taiwan?

Portanto, olhem para a primeira prova. O rapaz morto foi abatido na mesma área onde eu moro. O que tenho a dizer sobre isso é: e depois? Foi abatido na mesma área onde todas as pessoas que moram nessa área residem. É apenas um não argumento e uma não prova. Será que preciso de dizer mais alguma coisa sequer sobre isto?

Se ele tivesse sido abatido nas vossas áreas, será que isso significava que tinham sido vocês? Não, meu! Isso é pura estupidez. Mas o senhor procurador pensa que sim e faz grande alarde disso. Mas isso é só uma coisa que ele atirou para cima de mim. Ele pode dizer o que quiser, e tudo parece mau. Mas quando analisamos, não passam de tretas! Peço desculpa, meritíssimo, escapou-me. A questão é que se eu pudesse dizer as coisas da mesma forma que a acusação, vocês diriam: «isto é uma prova da tanga». O quê? Eu morava lá e o rapaz que morreu também? Isso é uma prova com algum significado? Isso não significa nada. Vá lá!

A seguir, olhem para a segunda prova. Fui visto a passar pela vítima e a dizer-lhe «És um lixo!» Para a acusação e para toda a gente que anda a ver demasiados filmes, isso constitui uma prova. Supostamente, sou eu a dizer que a vítima é um homem morto. Como se eu fosse um mafioso qualquer num filme americano. Ah! Ah! Peço desculpa ao júri. Desculpem, mas se soubessem o que eu sei e tivessem crescido onde eu cresci também se estariam a rir. Nas ruas, em Londres, isso significa outra coisa. O senhor procurador não sabe disso porque não é das ruas. Não é das ruas a sério, do tipo de ruas que eu conheço, do tipo de ruas onde as pessoas disparam umas sobre as outras. Na verdade, talvez seja um mau exemplo, mas vocês sabem o que quero dizer. Ele está num nível diferente. Não estou a dizer que isso seja mau. É apenas a verdade. Se eu fosse a uma das suas caçadas ou coisa do género, não saberia o que significam as palavras que dizem. Quando ouço a palavra «bens», penso num carro com uma grande mala ou talvez numa casa num bairro camarário. Provavelmente, ele pensa numa casa de campo, percebem o que estou a dizer? Somos de mundos diferentes, eu e ele. Não gostava de viver no mundo dele, mas gostava que ele passasse um dia no meu. Homem do lixo!

Deixem-me falar-lhes sobre isso. Quando tinha cerca de onze anos, fui para uma escola nova. Não era a escola pública local, mas sim outra que ficava a cerca de quilómetro e meio, porque não havia vaga na escola mais próxima. Era um daqueles «caixotes» dos anos 70 que deviam parecer fixes na altura, mas que quando fui para lá parecia um bloco de apartamentos a cair aos bocados. Lembro-me que tinha painéis verdes e grandes janelas quadradas entre eles. Havia um pátio a toda a volta, onde a miudagem brincava durante os intervalos, com um gradeamento na parte exterior para impedir que as crianças fossem para a estrada. E pronto. Basicamente, era o máximo espaço que conseguiam aproveitar com o mínimo dinheiro possível, e era aberto como um deserto, de forma que não havia onde uma pessoa se esconder.

Aliás, havia um único sítio. Era uma espécie de escada de incêndio que descia por um lado do edifício em espirais quadradas e debaixo do último lanço havia uma espécie de um poço. Se fôssemos até lá ao fundo, levava a uma porta de metal fechada à chave que dava acesso a uma cave, onde o vigilante provavelmente aproveitava para bater uma punheta ou coisa do género. Nós chamávamos àquele lugar «o Escarradouro». Era o lugar onde ninguém queria estar.

De qualquer forma, mudamos de poiso e é como mudar para um país diferente. Eu mudei e era como se estivesse numa zona de guerra. Na minha primeira escola, talvez houvesse cinquenta por cento de negros. Mas neste lugar era como se tivesse mudado para a sede do Partido Nacionalista Britânico. Só havia uns oito ou nove miúdos que não eram brancos em toda a escola. Era como se os meus olhos tivessem passado de repente de visão a cores para visão a preto-e-branco. E os putos, meu! Havia ali uma cena racista do caraças, acreditem! Peço desculpa, senhor juiz, eu sei o que disse acerca de praguejar, mas era: «Preto para aqui, escarumba para ali, cabrão do preto para acolá.» Mas pronto. As coisas eram como eram. Tínhamos de saber viver com aquilo.

Aprendi a ignorá-los o mais que podia. Mas não vou mentir, houve alturas em que tive de esmurrar uns quantos. Uma pessoa só é capaz de aguentar até certo ponto, depois passa-se. Eu não gostava assim tanto de dar luta. Porque, além do mais, fazia-me sentir como todos os negros que alguma vez enfrentaram Rocky nos seus filmes. Toda a gente estava sempre à espera de me ver levar na cabeça. Eu esquivava-me àquela merda o mais que podia. Se pudesse evitar um confronto, fazia-o. Têm de perceber que eu era mais bonito do que a maioria dos outros rapazes, por isso tinha mais a perder. Mas, por fim, depois de umas quantas lutas em que fiz alguns estragos, a maior parte deles deixava-me em paz. As pessoas não querem apenas combates que possam ganhar; querem combates que possam ganhar facilmente. E se é isso que querem, então não é de mim que estão à procura.

De qualquer forma, havia um rapaz, Curt, um dos poucos outros rapazes negros que havia na escola. Era um daqueles miúdos grandes e gordos, meio apalermados. Era o tipo de rapaz a quem podiam dizer o que quisessem e ele limitava-se a sorrir embasbacado. Independentemente do que lhe dissessem e de o rapaz, mesmo com aquela idade, ter o tamanho de uma casa, ele respondia simplesmente com um sorriso. E com isto não quero dizer que lhe podiam chamar qualquer coisa como cabrão gordo, peço desculpa senhor juiz.

A verdade é que lhe podiam dizer que a mãe fazia gajos em troca de uma libra, e mesmo assim ele deixava passar. Era um desses tipos perfeitamente pacíficos. Mas é esse o problema. Deixa-se alguém gozar um bocado, e depois mais vale deixá-lo mijar-nos em cima.

Seja como for, estas são apenas as lições a retirar. É mais ou menos como estar na prisão, suponho. Se mostramos sinais de fraqueza, somos massacrados. Por isso, podem imaginar as cenas com que Curt tinha de lidar.

A mim, dava-me a ideia de que a má sorte iria perseguir Curt durante toda a vida. Ele não era apenas demasiado grande e amigável, também era um bocadinho passado. A mãe era drogada ou alcoólica ou coisa do género e, embora não soubéssemos na altura, provavelmente andava a «atacar» pela calada. Havia dias em que Curt chegava à escola com nódoas negras na cara. Não eram muito fáceis de ver porque ele era muito escuro. Mas eu conseguia. Conseguia vê-las sempre. Nesses dias, ele não sorria muito. Ficava apenas com ar de ser culpado de alguma coisa. E não tinha grande vontade de falar. Ficava com uma expressão tal que nem mesmo um idiota sentia vontade de azucriná-lo muito, nesses dias. Era demasiado duro para o deixar assim tão triste.

Mas os rapazes da nossa escola não queriam saber da vida familiar dos outros. Não estou a dizer que não tivessem também de lidar com as suas próprias cenas. Sem dúvida que tinham. Mas isso não fazia propriamente com que lhe facilitassem a vida. Costumava observá-los quando iam atrás dele. Um magricela qualquer com metade do seu tamanho ia ter com ele e chamava-lhe preto, e Curt limitava-se a baixar a cabeça. A seguir, o miúdo era capaz de saltar e dar-lhe uma estalada na cara. Curt continuava sem fazer nada. Via aqueles miúdos todos a rir e a fazer pouco dele e punha-me a pensar: *Vá lá, meu, tens o dobro do tamanho destes parvalhões. Dá cabo deles!* Mas ele nunca o fez. Deixava passar as coisas.

A mim, parecia-me que eles estavam apenas a tentar que ele reagisse. Como se lá no fundo soubessem que ele os podia matar num segundo, se o pressionassem o suficiente, mas era como se não conseguissem evitar. Queriam ver o Hulk a sair de dentro dele. De qualquer forma, tentaram tudo. Injuriavam-no. Atiravam-lhe porcarias. Roubavam-no. Fizeram-lhe tudo o que se possa pensar fazer a um rapaz. Uma vez, até o atiraram para o Escarradouro e tiraram-lhe a roupa toda. A seguir, quando ele ficou para ali a chorar, em cuecas, uma centena de rapazes no cimo do poço tratou de cuspir grandes escarros verdes para cima dele. Houve um que até tentou mijar-lhe em cima, mas não lhe acertou. Por fim, quando os professores apareceram, Curt limitou-se a limpar-se, voltou a vestir a roupa e continuou como se nada tivesse acontecido. Sim, estava a chorar um bocadinho e tudo isso, mas basicamente não fez nada.

Eu até gostava do Curt, meu. Na verdade, veio a ser mais tarde o meu melhor amigo. Podia até dizer o meu único verdadeiro amigo. Mas, nessa altura, não o conhecia assim tão bem. Nem sequer ficou muito tempo naquela escola porque, um dia, a mãe foi para um lugar qualquer no norte de Londres e ele teve de ir com ela. Mas o que recordava dele desse tempo era a calma que ele tentava ter e a forma como, por mais que tentasse ter paz, a guerra ia no seu encalço. O rapaz era um íman para todo o tipo de problemas.

Sim. Eu sei que parece que me estou a desviar da rota, mas estou a chegar lá, juro. Portanto, um dia, o Curt estava sentado sozinho no degrau, como de costume, à espera que o intervalo acabasse para poder regressar à segurança da sala de aulas. Eu fui até lá e decidi ficar um tempinho com ele. Como eu era muito combativo, normalmente quando me viam com ele, deixavam-no em paz. Por isso, na minha maneira de ver, estava a fazer-lhe um favor. Não me lembro sobre o que estávamos a falar. Não éramos propriamente chegados e ele não era propriamente o meu grande amigo na altura, mas tínhamos algumas coisas em comum.

De início, não dei conta de nada de errado. Acho que ninguém deu. Havia barulho, é verdade, mas durante o intervalo havia sempre pessoas aos gritos, como se estivessem numa prisão. Mas lembro-me de ver Mark Warner. Sabem aqueles rapazes de treze anos que têm treze, mas têm cara de vinte e tal? Ele era um desses. Tinha uma cara que parecia nunca ter tido um dia feliz. Mas o problema é que era um lutador dos diabos. Sim, era magricela, mas era tão rápido que quando estava a lutar nem lhe víamos as mãos a movimentar-se. Apenas apareciam como uma mancha em frente da cara do outro rapaz até este ir parar ao chão. Era uma coisa estranha de ver porque o detestávamos por isso, mas ao mesmo tempo havia qualquer coisa naquilo que nos fazia ficar a ver. Era impossível desviar os olhos dele.

Bem, Warner estava lá com os seus grandes punhos e a sua cara amachucada. Ele estava precisamente a passar com o seu andar tipo «Sou o dono do mundo», quando nos vê e para. «Raio dos pretos paneleiros!», diz ele, ou coisa do género. Hoje em dia, quando me acontece uma merda dessas, o que para ser sincero não é muito frequente, ninguém se safa com isso, seja lá quem for. É melhor fazerem as malas se vierem ter comigo com essas conversas. Mas naquele tempo, como disse, só me metia em lutas que pudesse ganhar, e acreditem que nunca ia estar com disposição de «dançar» com Warner. Por isso, prego os olhos no chão, digo baixinho «Vai bugiar!» e continuo a falar com Curt.

Nem sequer estava à espera daquilo. A única coisa que sei é que no segundo seguinte estou estendido no chão e sinto a cara a latejar como se tivesse sido atingido por um taco de basebol. Levanto-me e os meus instintos assumem o comando. Antes mesmo de ter tempo para pensar no assunto, desfiro um gancho contra Warner e depois, de repente, há uma multidão à nossa volta. Fiquei tipo a uns cem metros de lhe acertar. O meu braço passa ao largo da sua cabeça e quase vou novamente ao chão. Mas Warner parece uma máquina. Os socos atingem-me como pistões. São todos tão rápidos que parece que fui contra um muro de tijolo. Vou imediatamente ao chão e ele vem para cima de mim, com os joelhos em cima dos meus braços e os punhos a tentar desfigurar-me o rosto. Mais um ou dois segundos e ficava a comer por uma palhinha para o resto da vida. Não vejo nada. A única coisa que consigo fazer é desviar a cabeça e tentar abafar os socos e os gritos da multidão.

Seja como for, no preciso momento em que senti que era capaz de sucumbir, Warner voa para trás, com as mãos ainda a mexer-se, mas a socar o ar. Levo um minuto a perceber o que aconteceu. Foi Curt. Ele arrancou-o de cima de mim como se estivesse a pegar num gato assanhado. Warner consegue libertar-se e depois, quando vê que é apenas Curt, vira-se contra ele. «Vem cá, preto badocha», diz, e começa a socá-lo. De início, Curt não faz nada, a não ser agachar-se e aparar os golpes como tem feito toda a vida. Mas depois Warner grita «Maldito lixo!» e alguma coisa o faz passar-se.

De repente, os olhos de Curt ganham vida, como se alguém tivesse ligado a ignição. Bloqueia os socos de Warner com um braço e depois, com o outro, faz um gancho dirigido à cabeça. Não usa o punho, mas sim o braço inteiro. E aquele rapaz foi ao chão. Isto é, desabou. Até se ouviu um estalido quando a sua cabeça bateu no passeio. A multidão enlouquece. Há pessoas a gritar pelo nome de Warner e a dizer coisas do tipo: «Vais deixar esse palhaço levar a melhor?» Warner levanta-se a cambalear e de alguma forma, não sei onde vai buscar forças para isso, tenta novamente atingir Curt. Desta vez, Curt nem pensa duas vezes. Agarra o punho de Warner com uma mão e depois torce-o até o rapaz começar a gritar. A seguir, põe a outra mão na parte de trás do cotovelo e parte-o, sem mais nem menos.

Curt deixou a escola algumas semanas depois. Como disse, acho que a mãe teve de se mudar e ele foi com ela. Mas durante anos depois disso, costumava pensar nesse dia. O que o levou a fazer aquilo? Não éramos amigos, na altura. Nem sequer falava muito com ele. Quando muito, sentia pena dele por ele ser tão fraco. Nesse caso, porque o fez? Tenho praticamente a certeza de que não teria feito o mesmo por ele. Na verdade, sei que não. Nunca o tinha feito. Mas, agora, creio que sei o que foi. Ele conseguia aguentar aquelas merdas todas, ser chamado escarumba, preto, e tudo isso. Até conseguia aguentar a pancada e as humilhações. Mas o que ele não podia aceitar era que lhe chamassem aquilo. «Lixo».

Para ele, isto remetia para tudo. Para a mãe, que se vendia em troca de uma cachimbada de *crack*. Remetia para todos os homens que apareciam, se serviam dela e iam embora. Remetia para a mãe acordar a tremer no seu próprio vómito e ele ter de limpá-la e pô-la na cama.

Remetia para ela lhe dizer todos os dias que ele estava vivo, mas quem lhe dera ter feito um aborto. Que ele era um lixo. Ia-lhe diretamente para as entranhas. Duvido que mesmo ele saiba porque reagiu assim, mas digo-lhes uma coisa, se lhe chamassem «lixo» hoje, ele não se ia ficar pelo vosso braço.

Mas também lhes digo que aquele sacana mereceu que lhe partissem o braço. Aconteceu-lhe aquela merda e no livro por onde me guio não diz «recebes de acordo com o que pagas», mas sim «pagas pelo que fazes». Sempre.

Seja como for, quando este advogado aqui fala sobre a expressão «És um lixo!» como se significasse que a pessoa está prestes a quinar, sou obrigado a rir-me. Para ele, podem ser só palavras, mas no terreno isto tem importância. Não são só palavras, meu.

Ia começar por dizer que nunca disse essas palavras ao rapaz que morreu, mas sabem que mais? Admito. Disse-lhe isso mesmo. Fui eu. Mas não significava nem significa aquilo que este advogado diz significar. Chamei-lhe lixo. E, morto ou não, ele *era* um lixo. De onde venho, ele era um lixo: um idiota, um desperdício de espaço, o que quiserem. Se eu fosse um mafioso ou coisa do género, talvez quisesse dizer que ele era um homem morto. Mas não sou, por isso não foi isso que quis dizer. Aqui o senhor procurador tem de deixar de ver televisão e baixar à realidade durante uns minutos.

É isto que eu quero dizer em relação a estas provas. Precisam de analisá-las convenientemente. Porque ele não está a fazer o trabalho como devia. Podia estar, mas não está. Está a tentar, como é que ele disse?, «deitar-lhes areia para os olhos». Merda, é isso mesmo! É exatamente o que ele está a fazer. A despejar um balde de areia por cima das vossas cabeças. Não acham que ele podia ter descoberto o que significa chamar «lixo» a alguém antes de construir um caso de homicídio com base nisso? Claro que sim. Provavelmente, até o fez. Mas não quer que vocês saibam disso.

Pausa para almoço: 13:01

3

14:05

Bem, onde é que íamos nas provas? Número três? Isto é mais fácil do que eu pensava.

Dois meses antes de o rapaz ter sido morto, uma testemunha disse tê-lo visto a discutir com um rapaz negro mais ou menos da minha idade e altura, que usava uma camisola com capuz preta com caracteres chineses brancos nas costas. Na verdade, também há aqui um bocadinho da prova número cinco. A polícia encontrou no meu apartamento uma camisola com capuz preta com caracteres chineses brancos nas costas.

Sabem o que vou dizer, pois já me ouviram dizer isto ao procurador, nesta sala. Um rapaz negro com a mesma idade e altura que eu podia ser qualquer um dos rapazes negros daquela área. Quantos rapazes negros de vinte e dois anos com um metro e oitenta haverá a morar em Camberwell neste momento? Centenas? Milhares? Mais do que isso? É uma área ocupada por negros. O que dizem a maior parte dos brancos? «Nem sequer vejo cor.» Ah! Bem, digo-lhes que se lá fossem esta noite, veriam muita cor em muitos rapazes de vinte e dois anos com um metro e oitenta. Claro que nenhum deles é tão bonito como eu, mas percebem o que estou a dizer?

Além disso, quantos rapazes negros haveria que são de uma área diferente, mas que estão ali de visita por esta ou aquela razão, num sábado? Por isso, pergunto: isso é alguma prova ou apenas uma daquelas coisas? Se fosse essa a única prova, talvez nem sequer aqui estivesse. Talvez digam para vocês mesmos que isto não passa de um disparate que nada vale. E se o dissessem, estaria perfeitamente de acordo. Então, podemos descartar esta?

Mas o problema é a camisola, né? É isso que lhes está a fazer espécie. Uma camisola com capuz preta é uma coisa, mas uma camisola com caracteres chineses brancos... é demasiada coincidência, né?

Mas será mesmo? Se olharem para ela, verão uma etiqueta. Quando se retirarem para a vossa sala, tirem-na do saco e olhem para a etiqueta. Querem saber o que diz? Eu digo-lhes porque já vi. Diz «XXL» e depois em letras pequeninas diz «Fabricado em Taiwan». Bem, pode não parecer muito importante, mas se pensarem bem, até pode ser. Não sou nenhum perito no assunto, mas suponho que quando a fábrica clandestina que fez esta camisola a produziu, não fez apenas uma. Talvez tenha feito umas dez mil. «E depois?», poderão perguntar. Mas não são os taiwaneses que compram camisolas. Elas são feitas para aqui. Dá para ver isso porque as instruções de lavagem ou lá como é que isso se chama estão em inglês.

Então, temos talvez cerca de dez mil camisolas. Uma por cada um dos mil homens negros de vinte e dois anos que andavam naquela área naquele dia, e ainda sobram nove mil. O que tem terem encontrado uma delas no meu apartamento? Se fossem aos apartamentos de todos quantos compraram uma camisola dessas, sabem o que iam encontrar? Uma dessas tais camisolas. E haviam de descobrir que a maior parte deles, ou talvez apenas uma décima parte, seriam homens negros da minha idade. Porquê? Porque é o pessoal da minha idade que usa camisolas com capuz. Aqui o senhor procurador não usa uma camisola com capuz num sábado à noite, posso garantir. Usa um fato de *tweed* ou alguma coisa do género. São os jovens que as usam. Pessoas como eu. Por isso, podiam ter sido mil pessoas além de mim. E só precisam de olhar para mim. Tenho ar de quem usa um XXL? E isto sou eu depois de um ano a ir ao ginásio todos os dias, um tamanho médio de alto a baixo. Então, o que acham desta prova número três?

Pausa: 14:30

4

14:40

Portanto, o que eu estava a tentar dizer era que este advogado de acusação gosta de tentar baralhá-los, mas não podem deixá-lo fazer isso. Têm de afastar a cortina de fumo e olhar como deve ser para aquilo que ele está a tentar dizer. Ele gosta do fumo porque quando há fumo, o mais natural é fecharem os olhos. Outra coisa que ele gosta de fazer é somar todos os pequenos indícios e fazer um grande alarde disso. Pega numa coisinha aqui, noutra coisinha ali, e diz-lhes: «Vejam só a importância destas coisas todas somadas.»

Quando eu era miúdo, na escola primária tínhamos um balde enorme cheio de peças de *Lego*. Não estou a falar da escola racista onde fui depois parar. Este era um local bastante agradável, tanto quanto me lembro. As paredes eram amarelas, lembro-me disso. E as cadeiras. Lembro-me das cadeirinhas minúsculas. Bem, falemos dos *Legos*. Eu adoro *Legos* porque, em primeiro lugar, podemos fazer o que quisermos com eles e, em segundo, são indestrutíveis. Suponho que seja por isso que todas as escolas os têm. Aquele material não se parte, o que significa que dura para sempre. Provavelmente, já todos experimentaram fazer um *Lego*. Provavelmente, todos adoraram. Provavelmente, até pensam porque deixaram de brincar com isso. Provavelmente, não lhes ocorre nada de mal que possam dizer sobre os *Legos*. Mas eu posso.

O que praticamente todos os *Legos* têm de mal, e decididamente os *Legos* que havia na minha escola, é que nunca há *Legos* suficientes do tipo *certo*. Nunca havia peças suficientes para fazermos aquilo que queríamos, fosse um foguete espacial, uma casa, um carro... Fazíamos a casa com peças vermelhas e a certa altura já não havia mais porque algum miúdo ranhoso as tinha tirado. Por isso, passávamos para as azuis e, quando estas acabavam, para as amarelas. Mas mesmo quando usávamos todas as peças de quatro por dois, não havia suficientes. Por isso, a seguir, tínhamos de usar algumas peças parecidas, como aquelas mais finas e compridas, e até alguns daqueles triângulos cinzentos achatados. Finalmente, quando concluíamos a obra, a nossa casa ou o que quer que fosse tinha todo o tipo de coisas malucas, como rodas em vez de janelas, e bicos aleatórios nas paredes. E dizíamos: «Professora, veja a minha casa!» Mas nunca ninguém tinha visto uma casa assim. Era um pesadelo de uma casa. E, mesmo nessa altura, quando tinha para aí uns cinco anos, eu sabia que, quando juntamos as peças, têm de ser as peças *certas*. Têm de encaixar bem umas nas outras, caso contrário não temos uma coisa real. Temos uma quase coisa ou uma coisa que quase parece a coisa.

É isso que aqui o senhor advogado gosta de fazer. Para ele, é suficiente que as provas pareçam quase uma coisa.

Bem, onde é que eu ia? Isto é muito difícil. Parece fácil na televisão. Dizemos umas palavras. Fazemos com que o júri acredite em nós, choramos, o júri chora e diz: «Inocente.» Na minha ideia, era assim que se ia passar. Depois de ter escrito aquele bocadinho que li no início, sobre Palmerston e toda essa treta, e quando percebi que estava em maiores apuros do que pensava, anotei algumas ideias sobre o que precisava de dizer. Supunha que podia chegar aqui e debitar tudo isso como uma má letra, percebem? Mas esta merda custa. Tenho para aí uns cinquenta argumentos importantes para apresentar, mas cada um deles leva muito tempo e estou sempre a perder-me. Portanto, embora pareça que estou para aqui a dizer as coisas à toa, não estou. É *tudo* importante. Só estou a ter dificuldade em organizar todas as coisas que sei que tenho de dizer, mas que não sei como dizer. E ainda há aquela outra coisa... Quanto mais penso nisso, mais acho que precisam mesmo de saber, mas mais tarde. Mais tarde, fará mais sentido.

Onde é que eu ia? Portanto, era isto que eu queria dizer. O procurador está a misturar estas coisas todas e a transformá-las em algo que não é. Por isso, diz que um dia estou a discutir com o rapaz e a dizer-lhe qualquer coisa, e no minuto seguinte ele acaba com um tiro na cabeça. Diz que o devo ter matado porque tinha um diferendo com ele, ou coisa do género, mas isso é só mais uma daquelas coisas traiçoeiras com que ele gosta de se sair. Mas vocês têm de analisar a questão. Têm de usar a cabeça. Qual é o motivo? Porque havia de o ter matado? O quê? Por causa daquela história de lhe ter chamado «lixo»? Ninguém mata outra pessoa por causa de ter tido uma discussão, caso contrário já não havia jovens em Londres.

A acusação diz que não tem de provar o motivo. Talvez seja verdade o que diz o advogado. Ele é que conhece a lei, né? Mas eu digo que, mesmo que não tenham de provar o motivo, devem procurá-lo. Porque ele foi morto. Se tentarem descobrir qual foi a razão para ele ter sido abatido, são capazes de acabar com alguma coisa. Talvez seja por isso que o senhor advogado não quer ir por aí, mas isso não significa que vocês não o façam. Quem teria uma razão para o matar, sem ser eu?

O que ele não mencionou nas suas alegações foi que o falecido, Jamil, era membro de um gangue. Sim, tinha dezanove anos. Sim, o gangue a que pertencia era apenas um gangue da treta de início, que traficava um bocadinho de erva e fazia pequenos assaltos ou o que fosse preciso. Não era um gangue importante. Mas não deixava de ser um gangue e, para os chavalos que faziam parte dele ou de outro qualquer, era a vida. Isto é real.

Eles juntam-se a esses gangues ainda miúdos e depois a vida apanha-os. Começam com facas e, de início, aquele que tem a faca maior é o manda-chuva. Depois, passa a ser aquele que efetivamente faz uso dela. A seguir, é o rapaz que mata alguém com uma faca que chega a líder. E é nisto que os seus dias se tornam: tentar chegar ao lugar cimeiro, ver quem consegue levar a melhor sobre quem, quem consegue ser o manda-chuva.

A vocês, talvez pareça estúpido. Miúdos a esfaquear-se por causa de um bocado de erva ou coisa do género, mas para eles é a vida. Entra-lhes na cabeça e, uma vez lá dentro, é difícil tirá-lo cá para fora. É como uma doença que nos faz pensar que esta coisa é real, e não aquela, e que matar uma pessoa é aceitável. Não é que eles se sentem ali a pensar nestas coisas. Ninguém o faz. É apenas a realidade deles, tal como a vossa é não se importarem de desperdiçar a vida a trabalhar até serem velhos e depois reformarem-se mesmo a tempo de morrer. É tudo uma estupidez. O problema é que, quando estamos dentro dela, não conseguimos ver isso.

O que é real para esses chavalos não é a vida normal do dia a dia: levantar-se, ir para a escola, rogar pragas aos professores. É esta merda lixada. É isso que é real para eles. Antes, não sabia disso. Isto é, via que eles iam por determinados caminhos, mas não sabia porquê. Não sabia que, na verdade, para muitos deles não era uma escolha. Estas pessoas que vemos nas notícias e os políticos e toda essa gente falam sobre isto como se fosse uma surpresa estes jovens fazerem estas coisas. Mas não é surpresa nenhuma. Quando muito, é uma surpresa que haja alguém que consiga deixar de as fazer. Os amigos destes rapazes são como irmãos para eles. São as únicas pessoas com quem muitos deles podem contar e que se importam com eles. Os seus amigos são as pessoas a quem recorrem quando estão metidos em problemas e são elas que os livram deles. E os gangues a que pertencem são como famílias para eles. E isso é óbvio quando pensamos sobre isso. Um rapaz está pronto para levar uma facada na barriga, se for preciso, pelo seu irmão de gangue. Ora, o que é isso, senão família? Estou a falar de um rapaz que não tem pai e que tem uma mãe que não é capaz de ter mão nele, mas que pensa que basta ele ir à igreja para se endireitar. Uma família verdadeira que se está nas tintas para ele. Pensem num rapaz assim, e acreditem que todos eles são assim, e não deviam ficar surpreendidos por ele estar num gangue. É inevitável. Mas as pessoas não gostam de ouvir isso. Porque querem fazê-los pagar por aquilo que fazem. E não me interpretem mal, eu sou a favor de as pessoas pagarem o preço das suas escolhas. Mas estes miúdos não estão a escolher coisa nenhuma.

Na escola local, conheci miúdos para aí com uns onze anos que tinham miúdos mais velhos a ir ter com eles e a dizer: «Devias juntar-te ao nosso gangue.» E se não o fizessem, alguém começava a implicar com eles. E se não tivessem uma cabeça suficientemente forte, acabavam por alinhar: «Sim, contem comigo.» Há muitos miúdos que não querem ter de lidar com mais problemas, além daqueles que já têm. E depois há ainda outro tipo de miúdos. Não têm cabeça para matemática, nem para história, nem nada disso, por isso os rapazes mais velhos focam-se neles. «Eh, mano, não vais ser nenhum diretor executivo. O que vais fazer para arranjar caroço quando saíres daqui? Varrer as ruas? Devias vir trabalhar connosco. Damos-te já algum, se quiseres fazer-me um recadinho...» e blá-blá-blá. Portanto, se isso acontecesse na vossa escola, o que fariam? Se tivessem algumas competências e pudessem safar-se sozinhos, como eu, podiam ficar bem. Mas e se não tivessem? Não tinham escolha. Ou levavam uma coça ou juntavam-se a um gangue e conseguiam dinheiro e ser respeitados. E depois isso torna-se simplesmente parte da vida. Torna-se normal para um miúdo vender droga na sua escola. Torna-se normal para um miúdo esfaquear outro sem motivo algum. E assim que se torna normal, não há razões para mudar isso. Torna-se simplesmente a sua vida.

E só percebi isto recentemente, enquanto estava na prisão, à espera do meu julgamento. Há um ano que estou à espera que o meu caso avance. Prisão preventiva, dizem eles. E quando estamos tanto tempo em prisão preventiva dentro de quatro paredes, sem nada para fazer, fazemos duas coisas que podemos nunca ter feito na vida, independentemente de quem se trate: pensar sobre muita coisa e ler sobre muita coisa.

A biblioteca da prisão é uma porcaria, de uma forma geral, mas de vez em quando encontramos alguma coisa que é como encontrar uma nota de dez libras na rua. É como se Deus tivesse largado a coisa certa nas nossas mãos, só para nós. Encontrei um livro chamado *The Hammerman*. Escolhi-o porque pensei que era uma história de terror ou coisa do género. Tipo uma história inventada, mas não era. Era um daqueles livros realistas. Fala sobre a África do Sul nos velhos tempos. Li-o e não conseguia parar de pensar nestes miúdos que fazem parte destes gangues. É a mesma coisa, deixem-me que lhes diga.

Portanto, estava a acontecer aquela cena do *apartheid*. Uns quantos brancos a mandar em todos os negros. Se a pessoa fosse negra e tivesse sorte, podia ser criada de um tipo branco. Mas se tivesse azar, até podia ser morta apenas por dizer alguma coisa a um branco. Brutal. E se eu estivesse a ser julgado lá, nesse tempo, todo este caso ficaria encerrado num dia. Num dia. E só haveria um veredito: culpado. Prisão perpétua. Fim de jogo. Mas se fosse branco e matasse um negro, não acontecia nada.

Seja como for, num determinado ano, os brancos da África do Sul começaram a ficar todos nervosos por causa dos negros. Um dia, estava tudo bem e, no dia seguinte, estavam a trancar-se à noite atrás de portões eletrificados, literalmente cagados de medo com o que estava a acontecer. É que havia um preto gigantesco qualquer que andava a entrar-lhes nas casas e a rachar-lhes a cabeça com um martelo. O assunto foi capa dos jornais durante semanas e semanas. Andavam todos à caça desse tipo. As pessoas estavam assustadas. E não ficaram menos assustadas por terem começado a chamar-lhe o Homem do Martelo. Para os brancos, era um nome que se podia dar a um monstro. Mas para os negros era o nome de um super-herói. E ele era como um super-herói: misterioso e impossível de apanhar. E circulavam boatos de todo o género sobre ele. Tinha mais de dois metros. Tinha a envergadura de uma casa. Conseguia correr mais depressa do que uma chita. Era invisível. Conseguia voar. Quanto mais absurdos eram os boatos, mais facilidade as pessoas tinham em acreditar neles. Transformaram-no numa lenda.

Mas sabem o que assustava mais as pessoas? Não saberem porque ele andava a fazer aquilo. E as pessoas precisavam de saber porquê, pois assim talvez conseguissem compreender. Compreendê-lo. Compreender o monstro. E depois talvez o monstro se pudesse tornar uma pessoa, e qualquer um pode matar uma pessoa, né? Toda a gente andava assustada, menos os negros. Esses não estavam assustados.

Os negros adoraram. Para eles, era como se finalmente alguém estivesse a vingar-se em nome deles. Um homem *podia* mudar todo um país. Era espantoso para eles. Se pudessem ter-se reunido e pensado em alguma coisa, não poderiam ter sonhado com coisa melhor do que com aquele tipo. Até Mandela ter sido libertado, mas isto foi dez anos antes de isso ter acontecido. Foi num tempo em que ainda nem sequer havia motins. Num tempo antes de haver sequer a esperança de uma mudança.

Pelo que li naquele livro, parece que os brancos já estavam um bocadinho desconfiados dos negros. De início, pareceu-me estúpido. Porque já haviam de estar com medo dos negros quando a maior parte destes eram mais ou menos seus escravos? Mas o escritor explica isto da seguinte maneira: tinham medo deles porque não conseguiam decifrá-los. Os seus rostos eram inexpressivos. Quando um branco pregava um sermão a um criado por ter partido um copo e este se limitava a olhá-lo com ar impassível, isso deixava-os fulos. Não sabiam o que eles estavam a pensar. E dá para perceber. Uma pessoa ali a chagar a cabeça a um criado, e ele a olhar, sem dizer nada, nem mesmo com o rosto... Deviam morrer de medo do que eles estariam a pensar por trás dos seus rostos impassíveis. Toda a gente quer saber o que pensa o inimigo.

E eis que aparece este tipo enorme, qual super-herói, a entrar calmamente nas casas dos brancos e a esmagar-lhes o rosto com um martelo. Sem motivo aparente. Não roubava nada. Não violava as mulheres. Apenas lhes abria o crânio com um martelo. Devem ter pensado *E se todo o país começa a fazer a mesma coisa?* Os brancos podiam ter todo o dinheiro e poder, e sei lá mais o quê. Mas havia milhões de africanos negros. Milhões. Todos pior que estragados. Todos prontos para uma guerra. Todos prontos para um bocadinho de liberdade e para a oportunidade de ripostar. E se eles se revoltassem um dia, como o Homem do Martelo, e começassem alguma revolução?

De qualquer forma, apanharam-no. Levaram-no a julgamento. Ele não tinha advogados. Não sabia falar inglês, mas não se deram ao trabalho de lhe dar um tradutor. A seguir, enforcaram-no, provavelmente. Fim da história. Os brancos ganharam. Podiam voltar a relaxar, a abrir os portões, e esquecer o assunto. Mas depois, uns anos mais tarde, alguém encontrou uma gravação das alegações que o tipo fez em tribunal, antes de o condenarem à morte. Estava tudo em zulu ou lá o que era e ele disse todas aquelas palavras, mas ninguém sabia o que significavam. Tanto podia estar a dizer balelas como poesia, pois ninguém se deu ao trabalho de levar uma pessoa àquele tribunal cheio de gente branca que lhes pudesse explicar o que ele estava a dizer.

Bem, o repórter que encontrou aquilo podia contar-lhes o que ele disse, depois de traduzido. O tal Homem do Martelo tivera uma vida estranha, podem crer. Uns anos antes, fora preso por roubo e tinha apanhado sete anos. Sete anos por roubo! Acreditem que sete anos na África do Sul não são a mesma coisa que sete anos em Inglaterra. Obrigaram-no a partir pedra dezoito horas por dia durante cinco anos. E isto foi o que ele disse ao juiz quando estava prestes a ser condenado: havia aquelas pedras todas que ele tinha de partir o dia inteiro debaixo de um calor intenso, com um pequeno martelo. Pedras brancas do tamanho da cabeça de uma pessoa. E, passado um tempo, quando ele olhava para as pedras, já não via pedras. Via cabeças. Grandes cabeças brancas que se via a partir durante horas e horas. Depois, quando foi libertado, passou-se e fez a única coisa que sabia fazer.

Bem, eu não lamento que o tenham enforcado. Se andarmos por aí a rachar a cabeça às pessoas, é claro que ninguém vai ficar satisfeito com isso. Como já disse, devemos pagar pelo que fazemos. Mas lamento uma única coisa. Ele estava a tentar dizer de sua justiça, explicar o que lhe ia na cabeça, mas ninguém lhe ligou o suficiente para ao menos querer ouvi-lo. Pelo menos, eu tenho-os a vocês. De qualquer modo, o que quero dizer é que não fazia sentido nenhum ele andar a esmagar a cabeça às pessoas com um martelo. Mas era o que lhe ia na cabeça. Era a sua realidade. Aquelas pedras eram as cabeças dos brancos e tudo o que eles lhe tinham feito. Ou talvez as cabeças dos brancos fossem simplesmente as pedras que ele tinha andado a partir durante anos. Fosse como fosse, para ele fazia sentido porque meteu aquilo na cabeça e, depois de o fazer, não havia como tirá-lo de lá.

E é por essa razão que lhes estou a contar isto. O que aconteceu àquele tipo é o mesmo que acontece com o gangue do Jamil, The Squad ou lá como se chamam. Nas suas cabeças, passa-se alguma coisa como partir pedras todos os dias. Não pedras a sério, obviamente, mas outro tipo de coisas. Se tiveres doze anos e uns rapazes quaisquer chegarem ao pé de ti e te encostarem uma faca ao pescoço porque vendeste um bocadinho de erva na área onde esse gangue opera, vais buscar os teus rapazes e fazes a mesma coisa. E quando vês um desses rapazes sozinho na rua, não te limitas a encostar-lhe a faca, tratas logo de a espetar. Parece uma loucura e coisa de *gangsters*, mas é o que acontece. Que mais haviam de fazer? Deixar de vender droga? Quando vocês enchem a televisão com centenas de *gangster rappers* a nadar em dinheiro, estão à espera de quê? Quem é o modelo a seguir para um miúdo negro que anda na rua? Barack Obama? Porque temos de olhar para tão longe para encontrar um homem que esses miúdos possam ser? Ou será que deviam ser pugilistas ou corredores? Mais vale dizer-lhes que o melhor é quererem ganhar a lotaria.

Que se lixe! Sabem qual foi a coisa mais triste que já vi? Duas miúdas da escola no autocarro, a conversar sobre o que queriam ser. Uma delas, gorda como se comesse hambúrgueres ao pequeno-almoço, estava a falar com a sua amiga escanzelada, que parecia nunca ter tomado um pequeno-almoço na vida. Eram para aí dez da manhã e, embora já devessem estar na escola a essa hora, não estavam. Mas dava ideia de que eram capazes de ir a caminho de lá, sem dramas. Seja como for, a miúda gorda, enquanto mastigava qualquer coisa, inclinou-se para a amiga e disse isto:

«O que eu quero ser é: em primeiro lugar, astronauta; em segundo, estilista; em terceiro, piloto.»

E a magricela disse: «Sim, a minha primeira escolha é astronauta. Em segundo lugar, cientista, e em terceiro não é piloto porque tenho medo das alturas.»

«Então e os astronautas?», disse a gordinha. «Também andam nas alturas.»

«Não, não andam», disse a outra.

Foi isto que fizeram a estes miúdos. Disseram-lhes que podiam ser o que quisessem, mas mentiram-lhes. A única coisa que fizeram foi dar-lhes sonhos diferentes. Mas continuam a ser apenas sonhos.

E pronto. Os miúdos são traficantes de droga, mas não foram eles que se fizeram traficantes. E quando há traficantes, há traficantes a fazerem coisas próprias de traficante: a dar tiros às pessoas. Mesmo chavalos. Vivam com isso. Na verdade, não precisam de viver com isso. Vocês já sabem disto. Só não se importam assim tanto porque não é à vossa porta. Não vos censuro. Se não fosse à minha porta, também me estava nas tintas. Sou igual a vocês. Estou-me a borrifar para as vossas cenas e vocês estão a borrifar-se para as minhas. Tudo bem. Não estou a tentar fazer com que se preocupem, só estou a dizer que Jamil foi morto porque fazia parte de um gangue e andava a vender droga, e as pessoas que vendem droga levam tiros. Só isso. E lamento pela família dele. Lamento pela mãe dele, que está aqui neste tribunal a ouvir isto tudo. Mas é a verdade.

Pausa: 15:30

5

15:40

Prova número quatro. A prova que tem que ver com a localização da célula do telemóvel. Sabem que o especialista em telecomunicações disse que o meu telefone estava no mesmo... vetor, acho que foi assim que ele disse? Seja como for, estava na mesma área de cinquenta metros que o do falecido no preciso momento em que foi disparado o tiro. E que também estava na mesma área do dele dois meses antes, no dia em que supostamente eu estava a discutir com o chavalo.

Olhem, vejo pelas vossas caras que acham que isto está a ficar feio para o meu lado. E sabem que mais? Nem sequer lhes vou mentir. Está a ficar feio, admito, mas ainda não posso falar sobre todos os pormenores dessa prova. Vou ter de voltar a ela, depois. É como se o que pudesse dizer sobre isso agora não fizesse sentido até explicar outra coisa que tenho de lhes contar.

Portanto, vamos à prova número cinco. Hum, a polícia ter encontrado uma pistola *Baikal* no meu apartamento. E o meu passaporte. E aquele bilhete eletrónico para o voo para Espanha em meu nome. Ah!, e as trinta mil libras. Desculpem, estou a tentar ler as anotações que fiz ontem à noite. Sim, e os resíduos de pólvora na minha roupa. Pronto, desculpem. Número cinco. Também tenho de voltar a esta mais tarde. Desculpem, estou um bocadinho nervoso.

Muito bem, vamos à prova número seis. A polícia diz que a bala que matou o rapaz deve ter saído da minha arma. Merda! Hum, também não posso falar sobre esta, nesta altura. Na verdade, nem da número sete: o sangue do rapaz morto debaixo das minhas unhas. Nem da número oito, os cabelos no carro dele.

Não. Não façam isso comigo, por favor. Não olhem para o teto. Eu sei o que parece. É muita coisa, mas eu tenho explicações. Só não lhes posso dizer ainda porque não faria sentido, neste momento.

Posso parar por um segundo? Perdi o fio à meada.

Tenho de pousar estes papéis por um segundo.

Sabem? Parte de mim pensava que, se fosse eu a fazer as alegações, pelo menos iam perceber um bocadinho como é estar no meu lugar; que se fosse o meu advogado a fazê-lo, iam ficar todos a pensar *Pois, isso é tudo muito bonito, mas aquele cabrão não deixa de ser um assassino.* E pensei mesmo que se lhes contasse a minha própria história, ia conseguir fazê--los sentir a minha vida. Mas, na verdade, explicar as provas em voz alta é muito difícil. Sei o que lhes quero dizer de certa forma, mas não me sai. E o pior é que sei que o meu advogado teria falado de tudo isso. Ouviram-no neste julgamento. É um profissional, têm de admitir isso. Não admira que lhes chamem *silks*[1]. Porque ele é um falinhas-mansas, percebem? Mas a verdade é que não diria o que eu preciso de dizer, o que vocês precisam de ouvir, e eu nem sequer consigo perceber como lhes hei de dizer isso.

Mas talvez não faça diferença quem conta a história, porque não há forma de fazer uma pessoa compreender como é estar no nosso lugar. Quais são os nossos pensamentos ao acordar. Por que razão a primeira coisa que recordamos é uma coisa qualquer sobre o nosso pai ou coisa assim. E a forma como esse pensamento aleatório nos faz fazer uma coisa, e não outra. Ninguém consegue explicar estas coisas, mas são essas pequenas coisas que respondem às perguntas.

A prova número cinco, número seis, todas essas provas não são uma daquelas coisas que deem para ir explicando de forma lógica, ponto por ponto. A modos que precisam de espreitar debaixo do meu capô e ver o que faz os cilindros funcionar. Têm de fazer o que eles não fizeram pelo tipo do martelo, na África do Sul. Têm de entrar na minha cabeça. Ver o que eu tenho visto. Ouvir o que eu tenho ouvido. Se não o fizerem, não vão ser capazes de compreender o que estou a tentar

[1] Nome dado aos advogados da Coroa, por usarem beca de seda. (*N. da T.*)

dizer. Imaginem que estavam a lidar com um acidente de viação. E que alguém tinha morrido. A única coisa que conseguiam dizer era que o carro matou aquele homem. Não sabiam dizer se tinha ido para cima dele de propósito, se tinha sido por causa de uma fuga de óleo nos travões ou por causa do rebentamento de um pneu. Só iam conseguir ver o resultado. É com isso que a acusação está a contar. Ele não quer que vocês olhem para as causas porque isso vai lixá-lo, né? Ao passo que eu só penso nas causas. Se estou a olhar para um motor que não pega, se não souber as causas como hei de saber arranjá-lo?

É esse tipo de coisa que explica por que razão a *Baikal* estava no meu apartamento. «A arma de eleição dos *gangsters*», como ele diz. Vou ser sincero convosco. A arma é minha. Comprei-a, mas não a comprei para matar nenhum rapaz. Foi por causa da minha família.

Na minha vida, para lá de alguns amigos, tenho a minha mãe, a minha namorada e a minha irmã mais nova. São as pessoas mais importantes da minha vida.

A minha irmã chama-se Blessing[1], o que é estranho, porque na verdade é uma maldição.

Estou a brincar, meu! Ela é uma verdadeira bênção. Por cada coisa má que me possam atribuir, podem dizer dez coisas boas sobre ela. Temos uma diferença de apenas dois anos. Mas esses dois anos foram o único tempo que estivemos separados. Há mais de vinte anos que ela tem passado por tudo quanto eu passo e que me tem ajudado a suportá-lo. É ela que está ali, sentada ao lado da minha mãe. É a minha irmã mais nova. Se têm estado com atenção, é ela que tem chorado o tempo todo. Ela é assim. Se alguém me magoa, magoa-a a ela. Não consegue evitar. É a maneira de ser dela.

Eu não queria que ela estivesse aqui a assistir a isto, mas ela é dona do seu nariz e por mais que eu lhe dissesse não ia deixar de fazer o que precisa de fazer. Se olharem para os olhos dela, vão perceber o que estou a dizer. Conseguem ver o aço neles. Mas onde vocês só veem aço, eu consigo ver outra coisa. Consigo ver a mãe nela. A mãe, que pode agarrar num sapato e bater-nos com ele, mas amar-nos ao mesmo tempo. Talvez aconteça com todas as mães, mas não com todas as irmãs.

[1] Em português, bênção. (*N. da T.*)

Portanto, estou rodeado praticamente só de mulheres. Cresci com a minha mãe e com a Bless. O meu pai ia e vinha. É o melhor que se pode dizer sobre ele. Quando não estava a curtir uma *trip*, era porreiro. Às vezes, ficava durante um dia ou talvez uma semana, mas voltava sempre a partir. «Sou uma pedra rolante, filho. Se não estiver em andamento, vai-me acontecer alguma coisa».

Mas quando estava pedrado, caramba, a história era outra. Se a mãe estivesse em casa, talvez tivéssemos hipótese. Mas, normalmente, ele voltava quando ela estava fora, a trabalhar. Aparecia com um ar absolutamente miserável. E tinha uma expressão suplicante, como que a implorar que lhe dessem simplesmente alguma coisa para se desenrascar, uma coisinha de nada para se sentir melhor. Mesmo quando eu tinha dez anos e Bless tinha para aí uns oito, batia à nossa porta a pedir dinheiro. Mas que merda vem a ser esta? Nós éramos miúdos, como havíamos de ter dinheiro? Outras vezes, se estivesse pedrado com outra substância, era como se cuspisse fogo.

Um dia, durante as férias da escola, tinha para aí quinze anos, eu e Bless andávamos a aspirar e a limpar a casa, antes de a mãe voltar do trabalho. Acreditem que se ela nos tivesse dito para limpar e as coisas não estivessem limpas quando voltasse, mais tarde fazia-nos pagar por isso. Portanto, estávamos a discutir quem ficava encarregado de aspirar com um velho aspirador dos anos 20 ou coisa que o valha e quem limpava o pó, quando ouvimos tocar à campainha.

Era o pai. Tinha os olhos vermelhos como se tivesse ido ao inferno e o tivessem expulsado de lá. A sua barba desigual tem a mesma cor que o seu chapéu sujo e ambos parecem ter andado a rebolar no chão desde há alguns dias. Está a resmungar qualquer coisa «urgente, urgente» e embora saibamos que ele está drogado, deixamo-lo entrar na mesma. É a única coisa a fazer, caso contrário não se vai embora e a última coisa que queremos é que a mãe chegue a casa e dê com ele deitado à nossa porta, pedrado.

Por isso, ele passa a porta, mal conseguindo manter-se em pé. Vai derrubando tudo à sua volta. Há coisas a partir-se por todos os lados. Nunca o tinha visto assim. «Que raio queres, pai?» Nada, não houve resposta. Ou, pelo menos, nada que eu conseguisse perceber. A seguir, começa a remexer em tudo, como se estivesse à procura de alguma coisa. O sofá de pele é virado ao contrário. A televisão antiga vai parar ao chão. As gavetas dos armários da cozinha estão todas abertas. E, enquanto faz isso, não para de resmungar isto ou aquilo. «Onde está aquela coisa?» ou aquilo que ele pensa ter perdido no nosso apartamento. «Digam-me onde está!»

Estamos a tentar acalmá-lo. Bless está a dizer-lhe que vai fazer um café, mas ele não ouve nada. Eu vou atrás dele, apanhando as coisas que ele derruba ou levantando-o quando é ele que cai. Se houvesse uma câmara, podíamos ter vendido o vídeo à televisão. Parecia uma comédia, desde que conseguíssemos tirar o som.

No minuto seguinte, ouço a porta de casa a abrir. É a mãe. Com a mãe, a coisa fia mais fino. Ela é uma autêntica senhora nigeriana, e quem conhece uma mãe nigeriana sabe que é melhor não se meter com ela quando está zangada. Por isso, ela fica furiosa e começa a gritar com ele: «Sai desta casa, sai, sai! Seu inútil! Sai!» Mas ela não soube ler a situação. Ele não está simplesmente com a sua pedrada habitual. Deve ter tomado outra merda qualquer. A seguir, ele olha para ela como se a estivesse a ver pela primeira vez. Fica a olhar para aí durante uns dois minutos. Depois, avança aos tropeções até ficar colado à cara dela e ela conseguir provavelmente sentir nele o bafo da bebida.

«Tu não passas de uma mulher», diz ele, e depois bam, quando dou por isso pôs-lhe as mãos à volta do pescoço e empurrou-a para o chão. Mas que merda vem a ser esta?, penso, e salto para as costas dele, dando-lhe socos e pontapés, mas ele sacode-me como se eu fosse um brinquedo e atira-me para longe. Bless está a gritar e a mãe está estendida no chão. O pai está em cima dela e depois começa a esmurrar-lhe a cara como se estivesse a martelar pregos com o punho. Atinge-a repetidamente com socos próprios de um homem. A cara da mãe é uma massa ensanguentada. Eu fico ali sentado, paralisado. Não sei o que fazer. É como se a minha cabeça tivesse deixado de funcionar e o meu corpo se tivesse ido abaixo.

Nessa altura, algo acontece. Bless agarrou no ferro e começa a bater-lhe com ele. Mas ela só tem treze anos e não tem força suficiente para lhe fazer algo de grave. Se fosse agora, não tenho dúvidas de que acabava o serviço, mas na altura ainda não tinha garra suficiente. Não tinha a raiva que só viver muito nos dá, percebem? Bem, então ela começa a bater-lhe com o ferro, mas este apenas ressalta no ombro. O pai agarra nela, tira-lhe o ferro da mão e depois, depois bate com ele na cara de Bless. Salta imediatamente sangue por todo o lado. Bless cai no chão como se estivesse morta. Pensei que ela *estava* morta. É nessa altura que ele para, como se tivesse acabado de acordar. Larga o ferro e vai ter com a mãe. Agarra na mala dela e limpa-lhe o porta-moedas. Vai-se embora.

Não, não olhem para a cara dela. Olhem para mim. Não tirem os olhos de mim. A culpa foi minha. Eu é que era o homem. Devia ter sido eu a agarrar no ferro ou numa faca, ou noutra coisa qualquer. Eu queria fazê-lo. Depois disto, quando já estávamos no hospital, não conseguia pensar noutra coisa. Podia ter feito isto, podia ter feito aquilo.

Elas ficaram em camas ao lado uma da outra. E ficaram lá durante semanas. A mãe tinha uma órbita fraturada. Bless tinha o maxilar partido e perdeu metade de um dente. Mas eu também perdi. Perdi a minha irmã, de certa forma. Sim, há muito tempo que as coisas não iam bem naquela casa, mas nunca tinha sido assim. Desta vez, quando ele fez o que fez, levou a voz dela consigo. Bless não falou durante anos. Em parte por causa das lesões, mas sobretudo porque tinha ficado sem palavras. Nada podia explicar aquilo, nada podia compor as coisas, nada podia expressar o que sentia. Mas eu podia. Eu conseguia senti-lo. Era a sensação de ter alguém em cima do nosso coração, a fazer força até ele não passar de carne.

Durante as semanas que elas levaram a recuperar, também aconteceu algo comigo. Não consigo explicar exatamente o que foi, mas era como se só tivesse uma coisa na cabeça. Determinação. Foi isso. Sabia que não ia deixar uma coisa daquelas acontecer segunda vez. Por isso, fui falar com umas pessoas e comprei uma arma. Aquela *Baikal.* Sim, a arma de eleição dos *gangsters.* Não por ser uma arma particularmente fixe, mas sim por ser barata. Não passam de pistolas de partida russas ou checas ou coisa do género convertidas. Não as fazem com números de série. Cabem no bolso e funcionam praticamente com qualquer tipo de munição. É uma arma para um chavalo sem dinheiro.

Por isso, quando ele diz «Ah! Olhem para isto, encontrámos uma arma no apartamento dele, é o mesmo tipo de arma que matou Jamil, é uma arma de *gangster* e devia tê-la comprado com um propósito», tem razão. É uma arma de *gangster*, mas isso também significa que todos os miúdos em Londres que fazem parte de um gangue têm uma ou podem arranjar uma. E se, tal como acredito, Jamil foi morto por causa daquela cena do gangue em que estava envolvido, não admira que tenha sido morto por uma das suas armas. E também tem razão quando diz que a tinha com um propósito, «um propósito letal» ou lá como ele disse. Ia matar o meu pai, se ele alguma vez se voltasse a aproximar da minha irmã ou da minha mãe. Tê-lo-ia morto num piscar de olhos.

Ele pode fazer o que fez, isso é uma escolha. Pode escolher partir o maxilar à minha irmã e dar cabo do rosto da minha mãe. A escolha é dele, tem liberdade para o fazer. Só que a liberdade não é grátis. A meu ver, quando se faz uma escolha, o melhor é começar a poupar para pagar o seu preço. Sorte a dele não ter voltado a incomodar-nos. Mas esperei durante sete anos com aquela arma na gaveta da cozinha. Ele não apareceu. Sorte a dele. Azar o meu a polícia tê-la encontrado na minha gaveta.

Mas a questão é esta: porque havia de guardá-la, se tivesse acabado de matar alguém com ela? Isso seria pura estupidez. Provavelmente, é isso que mais me chateia. Aqui o senhor advogado pensa que sou estúpido. Para ele, sou um idiota, incapaz de pensar. Matar um chavalo e ficar com uma arma de cinquenta libras para o caso de querer voltar a usá-la? Vá lá, meu!

Na verdade, é ele que é incapaz de pensar. Porque passei por Jamil e lhe disse que ele era um lixo? Terá pensado sobre isso? Procurem as razões, como estou sempre a dizer. As razões mostram-lhes o caminho. Ele diz, anotei aqui, «é agravado por este facto: foi um encontro aparentemente casual com um desconhecido que levou a este ato cruel». Encontro casual com um desconhecido, é isso que ele pensa? Vou contar-lhes um pequeno segredo: não foi um encontro casual e não era um desconhecido. Eu conhecia-o. Conhecia Jamil. Não o conhecia como a família talvez o conhecesse, mas conhecia-o. Creio que está na altura de lhes contar umas cenas.

Não sei.

Bem, estou cansado e não estou a pensar com clareza. Sei que vocês pensam que a culpa é minha. Devia ter deixado o meu advogado fazer as alegações. Talvez tenham razão. Mas o facto é que, quando é a nossa vida que vai a julgamento, fazemos tudo o que podemos para a salvar. Neste momento, estou a lutar pela minha vida. Sim, posso passar em revista todas as provas, como tenho estado a fazer. Dentro de pouco tempo, terei despachado umas quatro. Quatro argumentos da tanga pelos quais a acusação me está a condenar. E ainda quero dizer o que tenho para dizer sobre os outros quatro. Mas, na verdade, isso não é suficiente. Precisam de saber uma história mais completa do que aconteceu, do que se estava a passar na minha vida. De outro modo, como poderão compreender? Como poderão compreender-me se não me conhecerem? Como poderão julgar-me?

Ao longo deste julgamento, eu tenho estado a ouvir e vocês têm estado a ouvir. Vocês têm estado a olhar para as provas e eu tenho estado a olhar para vocês. Vejo os vossos rostos quando veem uma prova. Ficam com ar de quem diz: «Estás tramado, rapaz.» E, de certa forma, concordo convosco. Algumas das próximas provas tramam-me um bocadinho. Mas não se trata de saber se estava a usar uma camisola de capuz ou o telemóvel perto de um rapaz, trata-se sim de saber se cometi um homicídio. E eu não cometi este homicídio. Não fui eu. Foi outra pessoa.

Pausa longa: 16:45

NO TRIBUNAL CRIMINAL CENTRAL T2017229

Perante: MERITÍSSIMO JUIZ SALMON QC

Alegações Finais:

Julgamento: 30.º dia

Quarta-feira, 5 de julho de 2017

COMPARÊNCIAS

Pela Acusação: C. Salfred QC
Pelo Arguido: O próprio

Transcrito de um registo áudio digital por
T. J. Nazarene Limited
Estenógrafos Judiciais e Transcritores Certificados

6

10:15

Muito bem, continuo então de onde fiquei ontem?

Como ontem estava a dizer, conhecia Jamil, o rapaz que morreu. Mas, na rua, as pessoas nunca o tratavam por Jamil, mas sim por JC. Talvez por ser magro ou então por causa da barba à Jesus Cristo. Mas era por JC que eu o conhecia. Era um desses aspirantes a *gangster*. Era magricela como uma menina de doze anos, mas agia sempre como se fosse um homenzarrão. Conhecia-o de o ver por ali e tudo isso, mas também por outro motivo. Ele conhecia Kira, a minha miúda. Pode dizer-se que tudo o que me aconteceu, nomeadamente este caso, o homicídio, remete para Ki.

O que posso dizer-lhes sobre Kira? Kira é a coisa mais linda que alguma vez viram. É o tipo de pessoa que vai a andar na rua e tem dez rapazes a olhar para ela, como se a Rihanna tivesse acabado de passar por eles. Tem uns olhos cinzentos que nos fitam de forma insistente quando olha para nós. E se estiver a olhar para nós, pouco importa se tem umas pernas que nunca mais acabam e um andar que parece balançar ao sabor do vento, não conseguimos afastar os olhos dos dela. Uns grandes olhos cinzentos que chegam aos contornos do seu rosto. Olhos cinzentos são sempre bastante invulgares, mas numa rapariga negra, não interessa que seja mestiça, sobressaem como os olhos de um gato. Porém, nela não dão a sensação de saltar à vista, parecem antes harmonizar-se com o resto. Combinam com a boca grande e com os malares salientes. Combinam com a sua pele. Os olhos pertencem ao rosto e o rosto não podia ter outros olhos que não aqueles.

Vi-a pela primeira vez há oito anos, enquanto a minha mãe e Bless estavam no hospital a recuperar, depois do que o meu pai lhes fez. Tinha acabado de lá ir durante a hora das visitas e estava a sentir-me muito em baixo. O especialista estivera lá e disse que Bless ia ficar para sempre com um lado do rosto descaído. Não olhem para ela, por favor!

Disseram que talvez melhorasse por si só, mas o mais provável era ficar mais ou menos assim. Mas no final disse com um meio sorriso, como se estivesse a oferecer esperança: — Não há nada que a impeça de falar. Nada físico, quero eu dizer. Veja se consegue fazer com que ela saia de dentro de si mesma.

E diz isto assim, como se fosse a coisa mais fácil do mundo. Como se houvesse uma porta qualquer que ela pudesse abrir em si mesma para a deixar sair e voltar a falar.

Tinha acabado de entrar no autocarro que vinha do hospital e provavelmente ainda estava a pensar em alguma coisa horrível para fazer ao meu pai. Bless continuava fechada no seu próprio mundo. Ainda não dissera uma palavra. Por esta altura, já estava há umas quantas semanas no hospital, mas nem um som deixara escapar. Tinha banido toda a gente e fechara portas. Não sabia o que lhe iria acontecer, por isso estava como seria de esperar: cabisbaixo e perdido nos meus pensamentos.

O meu lugar de eleição é na parte de trás do autocarro, no andar superior, ou o mais próximo possível da retaguarda. Mas por causa daquilo tudo, já não me parecia importar com essas cenas e limitei-me a sentar-me lá atrás, cá em baixo, e a olhar pela janela. Tinham passado para aí uns quinze ou vinte minutos quando levantei os olhos e dei com ela sentada à minha frente. Tinha uns fones e abanava calmamente a cabeça ao som da música que saía deles. Vestia simplesmente um colete branco e calças de ganga, mas eu não conseguia parar de olhar para ela. Tinha os olhos fechados, dando a ideia de estar a sonhar. Estava ali, de olhos fechados, um ligeiro sorriso no rosto e a abanar simplesmente ao ritmo do que ouvia.

Fitei-a durante uns dez minutos. Era um sentimento estranho, como se estivesse a espreitá-la pelo buraco de uma fechadura. Mas continuei a olhar, era mais forte do que eu. Lembro-me de pensar que não havia problema, desde que ela continuasse de olhos fechados, mas logo depois de ter pensado isso, os seus olhos abriram-se e fixaram-se em mim. Merda! Apanhado em flagrante! E aqueles olhos! De um cinzento brilhante, quase prateados. Quando nos olham, não há nada a fazer.

Não fui capaz de desviar o olhar. Não fui capaz de dizer nada porque os fones estavam a tomar conta da conversa. Por isso, desatei apenas a rir. Ela arqueou uma sobrancelha, pôs um dedo nos fios e tirou os auriculares.

— Estás a rir de quê? — perguntou. Decididamente, não estava impressionada.

— De nada — disse eu, ainda a rir. — Mas apanhaste-me bem, né?

— Não tens nada melhor para fazer do que espiar miúdas? — perguntou. Voltou a pôr os fones e continuou de olhos fechados até chegar a altura de eu sair.

Ficou assim durante mais dez minutos, com um ar perfeitamente inexpressivo, como uma tela em branco. Quando tive de me apear, quase lhe dei um toque para me despedir, mas na altura faltou-me a coragem.

A caminho de casa, não conseguia parar de pensar nela. Era muito gira, mas não era por isso. Tinha a sensação de reconhecê-la, ou coisa parecida. E assim continuei durante alguns dias. O meu pensamento estava longe. Mesmo enquanto estava no hospital, passava a maior parte do tempo a pensar nela. Sempre que entrava no autocarro para voltar para casa, sentava-me cá em baixo, na esperança de revê-la. Fiz isso durante imenso tempo, sem nunca a avistar sequer. Não consigo dizer-lhes como isso me deprimia. Mas um dia a minha sorte mudou.

Já estava sentado na parte de trás do autocarro quando ela entrou, como que trazida pelo vento. Estava um dia de sol e ela vestia o verão como se fosse uma roupa. A sua pele brilhava, trazia uma camisinha de xadrez, e dava para ver que estava em forma. Além disso, cheirava a chocolate. Mas, desta vez, estava pronto para ela. Estendi a mão e disse-lhe olá. Ela olhou para a mão como se eu lhe tivesse dado um peixe.

— Não aperto a mão a pessoas que não conheço — disse. Pôs os fones e fechou os olhos.

Saí do autocarro antes de ela os voltar a abrir. Estava mesmo infeliz. Há dias que ela não me saía da cabeça, e agora, que a vira, tinha estragado tudo. Merda! Bem, mas eu não sou pessoa de desistir, por isso passei imenso tempo a pensar num plano para não voltar a meter a pata na poça, se a encontrasse outra vez.

O que fiz foi guardar um papelinho comigo, para o caso de voltar a vê-la. Verdade seja dita, andei imenso tempo com esse papel, pelo sim pelo não. Finalmente, um dia, voltei a vê-la a entrar no meu autocarro. Desta vez, sabia o que fazer. O único problema é que ela estava sentada a dois lugares de mim e havia uma gordalhufa qualquer sentada ao lado dela e eu não conseguia aproximar-me. Esperei e esperei e, quando a outra saiu, vou a correr sentar-me ao lado dela no banco de dois lugares. Ela nem sequer pareceu ver-me, mas eu virei-me para ela e entreguei-lhe o papel. Ela aceitou-o, abriu-o e olhou finalmente para mim. Outra vez apanhado. Aqueles olhos!

— Para que quero saber o teu nome? — perguntou.

— É para me poderes apertar a mão, né? Já que não apertas a mão a pessoas que não conheces... E tens aí o meu número, para o caso de me quereres telefonar — disse eu, a rir. — Ah, assim está bem. Um sorrisinho, mas não deixa de ser um sorriso — acrescentei.

— Como queiras — disse ela, e revirou os olhos. Mas guardou o papel e até um idiota sabia que isso era bom sinal.

No entanto, passaram-se dois meses até ela me deixar levá-la a comer fora. E mesmo assim fez com que parecesse estar a fazê-lo por pena.

— Estás com ar de quem precisa de uma boa refeição — dissera. — Aparece em minha casa às sete em ponto. Se te atrasares, já eras.

Ah! Ainda me lembro das palavras exatas.

Por acaso, ela não morava muito longe de mim, por isso fui a pé. Embora o mês de outubro já estivesse adiantado, ainda fazia calor suficiente para as pessoas andarem na rua a beber e a conviver. Eu tinha acabado de comprar uns ténis novos, por isso resolvi estreá-los e, verdade seja dita, estava bem apresentável. Passei por um grupo de chavalos junto à escada que dava para o bloco de apartamentos onde ela morava. Esse tal Jamil estava lá, embora na altura nem soubesse como ele se chamava. Para mim, era apenas um chavalo que estava com o seu grupo. Mas havia um que eu conhecia, e falei-lhe. Ele retribuiu o cumprimento e virou-se para os amigos, por isso passei por eles todos e subi os degraus de cimento até à porta dela.

Ela abriu-a vestida como uma estrela de cinema, vestido comprido, ombros nus e com aquele cheiro a chocolate.

— Entra — disse ela, e vira-se para o corredor. Vou atrás dela.

Não sabia o que esperar. Às vezes, vamos ao apartamento de um amigo e parece exatamente igual ao nosso, as mesmas janelas, as mesmas portas, as mesmas divisões, a mesma disposição, mas outras vezes também pode dar ideia de que acabámos de entrar noutro mundo. Há quem tenha tudo o que há de moderno, a tecnologia toda, televisão de ecrã plano, tudo. E há quem tenha as mesmas cenas que se usavam nos anos oitenta, com todo o tipo de mesinhas de encaixar umas nas outras e grandes cartazes lamechas nas paredes em perfis de plástico preto. Por isso, não fazia ideia do que estava prestes a ver, mas achava que estava preparado para tudo e para encarar a situação com normalidade.

Kira vivia sozinha desde que tinha para aí quinze anos. Não tinha mãe, não sabia do pai e o único irmão que tinha, Spooks, tão depressa estava na prisão como estava cá fora, por isso não contava. No entanto, a sua casa foi uma completa surpresa para mim. Era a mesma cena, como dizia há pouco: divisões quadradas, tetos baixos, janelas com caixilharia em ferro, radiadores velhos. A habitação camarária típica. Mas o que tornava a casa diferente eram os livros. Todas as superfícies tinham um monte de livros empilhados o mais ordenadamente possível e o mais alto que podiam chegar sem cair. Não falo apenas das mesas, cadeiras e outros móveis, mas também do chão. Tirando um espaço que criava um corredor entre as portas, havia livros basicamente por todo o lado. Rodeavam o sofá, as pernas da mesa, a televisão, tudo o que era visível. Era como se ela tivesse assaltado uma biblioteca.

— Tens uma casa porreira, sabes? — disse-lhe eu, pois não consegui pensar em mais nada para dizer. Para ser sincero, o meu coração estava um bocadinho acelerado. Ela não disse nada, mas encolheu um bocadinho os ombros, como que a dizer «quero lá saber» e sentou-se no sofá de pele. Tinha espaço para as pernas, mas não mais do que isso.

— Tens livros até dizer chega, né? — disse eu. Ela esticou o braço para aquilo que fora provavelmente em tempos uma mesinha, mas não passava agora de uma enorme pilha de livros, e deu-me uma cerveja.

— Tens uma oportunidade para me impressionar — disse ela, fitando-me com os seus olhos cinzentos.

Interpretei isso como a minha deixa para começar a falar e foi precisamente o que fiz durante as quatro horas seguintes. Até hoje, não sei ao certo o que lhe disse, mas alguma coisa deve ter operado o milagre, porque a partir dessa noite ela passou a ser a minha miúda.

Pausa: 10:55

7

11:05

Quando a minha mãe e Bless a conheceram, ambas a adoraram. Kira também as adorou. Às vezes, pode acontecer uma coisa boa a uma pessoa, sem motivo aparente. Ela foi a coisa boa que aconteceu a todos nós. Não me interpretem mal, não era nenhum anjo. Podia ter ataques de mau humor que se prolongavam por semanas. Podia passar-se connosco à mínima coisa e enfurecer-se como se fosse o dia do Juízo Final e ela estivesse ali para nos julgar. Mas por baixo de tudo isso e por baixo das feições bonitas e dos olhos enormes, era boa pessoa. Quando ia a nossa casa, fazia sempre alguma comida para a minha mãe e para Bless e dava uma limpeza ao apartamento antes de se ir embora. E embora Bless estivesse mais ou menos muda, quando Kira estava por perto melhorava muito e às vezes até dava a sensação de que estava prestes a voltar para nós.

Ao longo dos sete anos que estamos juntos, Bless e Kira passaram a ser como irmãs. Bless gostava de estar perto dela. Gostava da tranquilidade que ela trazia. Às vezes, sentavam-se as duas, Ki lia-lhe livros e Bless era simplesmente Bless. Podia «ser», simplesmente, percebem? E às vezes dava a sensação de que não precisavam de palavras para dizer o que estavam a dizer. Quanto a mim e Kira, na minha cabeça éramos como Romeu e Julieta. Bem, talvez como Romeu e uma rapariga que se parecia com Julieta, mas podia ser uma cabrona e, se quisesse, podia deixar-nos de rastos, sobretudo se lhe chamassem cabrona, coisa que eu raramente fazia. Agora a sério, éramos muito unidos.

Houve um clique entre nós, mas é difícil perceber porquê. Não éramos propriamente parecidos. Na verdade, pode dizer-se que éramos tão diferentes como a água do vinho. Eu tinha dezasseis anos e deixei de estudar; ela foi para a universidade. Eu tinha dezoito anos e estava a começar com a cena de comprar e vender carros; ela só tinha notas altas e foi para uma dessas Universidades Abertas. Eu adorava carros; ela adorava livros. Eu detestava livros, na altura; ela detestava carros. Nem sequer se podia dizer que víamos as coisas da mesma maneira.

Isto vai dar-lhes uma ideia de como ela era. Há cerca de ano e meio, ela ainda morava no seu apartamento cheio de livros, mas de vez em quando ia ficar a minha casa, embora fossem mais as vezes que eu ficava na dela. Ela não sentia que a minha casa fosse dela, percebem? Mas eu fazia sempre questão de dizer: «Porque sou sempre eu que tenho de vir a tua casa, e tu nunca vens à minha?» Por isso, ela ia lá, de vez em quando. Seja como for, num sábado à tarde apareceu em minha casa e começou a fazer um chá. Eu estava a jogar na minha *PS3* ou coisa do género, e ela veio sentar-se ao meu lado a beber o seu chá. De qualquer forma, passaram para aí quinze minutos e eu acuso o toque e sinto que o melhor é fechar o jogo. Por isso, digo-lhe:

— Deixa-me acabar este nível e guardar.

Mas, na verdade, ela não parece estar assim tão aborrecida, dá ideia de estar apenas a passar o tempo.

Por isso, quando desligo finalmente o jogo, ela pergunta:

— Sabes aquele rapaz que é o irmão mais novo de fulano assim, assim?

— Sim, sei — respondo.

— Acabou de assaltar o teu carro.

— O quê?

— O vermelho, o descapotável.

— Que raio estás para aí a dizer? Acabou de assaltar o meu *Z3*?

Levanto-me e começo à procura das chaves.

— Não sei, é o vermelho.

— O quê? E tu viste-o fazer isso?

— Sim.

— Por que raio não disseste nada?

— Disse. Estou a dizer agora.

— Porra, Kira! Não o impediste? Chamaste a polícia?

— Não! Porque havia de chamar a polícia?

— Ki, ele assaltou-me o carro e tu não fizeste nada? Que se passa contigo? — digo, e saio disparado porta fora para ir ver do carro.

A porcaria do carro tem um vidro partido, o porta-luvas foi esvaziado e até os trocos que eu tinha no cinzeiro desapareceram. Mas o que me lixa é a janela, pá! A porcaria da janela está partida. Podem achar que estou a exagerar, mas as janelas de um carro são praticamente impossíveis de substituir como deve ser. Nunca se consegue aquele acabamento de fábrica. Os vedantes não voltam a ser os mesmos e, de manhã, aquela porcaria embacia-se toda. E os estilhaços de vidro por todo o lado que continuamos a encontrar durante os próximos dez anos... Merda! Desculpem, estava só a pensar no que isso me enfurece.

Bem, a Kira veio atrás de mim e eu continuo todo chateado e grito com ela. O que raio lhe passou pela cabeça, percebem?

— Onde vais? — perguntou ela quando me viu entrar para o carro.

— Vou matá-lo.

— Não vais a lado nenhum — diz ela, e entra pela outra porta deixando-a aberta para eu não poder arrancar.

— Dá-me uma razão para não o fazer — digo, a olhar para ela.

— Não sabes o que se passa com ele. Pode haver uma centena de razões para ele ter assaltado o teu carro.

— Estou-me nas tintas, Ki — digo, aos gritos. — Aquele rapaz tem de pagar de uma maneira ou de outra.

— Vais lá e está tudo acabado entre nós!

— O quê? Que raio estás para aí a dizer? O que te importa aquele sacana?

— Conheces sequer o rapaz? — pergunta. — Podia estar a morrer de fome. Podia estar sob o efeito de drogas. Podia estar a passar-se qualquer coisa com ele.

— E depois?

— As pessoas não fazem porcaria sem ter uma razão para isso — responde, e sai do carro.

Depois disto, não lhe falei durante uma semana, mas não fui ter com o rapaz para lhe tratar da saúde. Nunca compreendi porque ela se ralava com ele, nem sequer o conhecia. Mas ela não quis falar mais no assunto. A única coisa que disse foi «Não sabes o que farias se estivesses no lugar dele». E isso bastava-lhe. Embora nunca lho tenha dito, acho que percebi mais tarde o porquê daquilo tudo. Lá no fundo, tinha tudo que ver com Spooks, o irmão dela. Estava a cumprir uma longa pena por qualquer coisa relacionada com drogas, e ela via aquilo como só a família é capaz de ver. Ele estava no lugar errado, na hora errada. Na sua ótica, este chavalo era igual a Spooks. Vítima das circunstâncias. Eu não via as coisas da mesma forma. Para mim, não há volta a dar. Se cometemos um crime e somos apanhados, temos de pagar por ele. Tão simples quanto isso.

Mas deixei passar, por causa dela. Na verdade, não o queria fazer e custava-me engolir a forma como ela lidara com o assunto. Pelo que sabia, o irmão dela também era um lixo, mas ela amava-o e eu amava-a a ela. Por isso, as coisas ficaram por ali. E digo-lhes que não teria deixado passar aquilo em branco por ninguém, a não ser por ela. Precisava dela na minha vida. Não tinha dúvidas de que me teria deixado se eu lá tivesse ido naquele dia dar uma lição ao rapaz. Fosse por acreditar no que acreditava ou por ter nascido teimosa, teria ido embora. Não era uma atitude que eu respeitasse, mas a verdade é que não podia passar sem ela. Kira era como ter um teto a proteger-me. Precisava dela para me manter seco. Dava ideia de que ela estava ali desde sempre e nem sequer conseguia imaginar como seria se lá não estivesse.

Por isso, quando ela se foi, fiquei completamente de rastos.

Pausa: 11:50

8

12:00

Sei que para vocês isto parece um meio de transporte alternativo. Leva demasiado tempo. Mas se acompanharem o que digo, vão perceber porque precisam de ouvir tudo isto.

É que a Kira desapareceu literalmente do mapa. Aconteceu uma semana depois daquela cena do carro, portanto, de início, pensei que ainda estava chateada por causa disso. Mas ela não tinha razão para estar chateada, porque eu tinha esquecido o assunto, tal como lhe dissera que faria. Mas vocês sabem como são algumas mulheres... Conseguem ficar chateadas, mesmo quando fazemos exatamente o que elas querem. Sem ofensa para as senhoras do júri. E o pior de tudo é que esperam que saibamos o que as deixou chateadas quando, tanto quanto sabemos, nós é que devíamos estar chateados com elas.

Estava à espera que ela passasse por minha casa naquele sábado e me ajudasse a ir comprar tinta e outras coisas. Era uma espécie de surpresa que eu lhe queria fazer. Tinha acabado de vender um carro, estava com algum guito e pensei que se deixasse a casa mais à maneira dela, podia ser que ela ficasse lá mais vezes. Mas ela não apareceu, o que era estranho, pois aquela rapariga nunca se atrasava. Nunca, mesmo.

Esperei talvez uma hora antes de tentar ligar-lhe para o telemóvel, mas não deu sinal. Não estranhei, porque ela andava sempre a trocar de número, como todos nós. Comprávamos um cartão SIM com uma promoção qualquer, usávamo-lo e depois passávamos para outro com outra promoção. Era o habitual. Por isso, quando não consegui contactá-la por telemóvel, pensei que fosse uma situação dessas. Não havia motivo para ficar preocupado. Ela estava chateada sem razão, mas eu sabia que ela nem sempre precisava de uma razão. Às vezes, implicava com qualquer coisa que eu nem sabia que tinha feito e no dia seguinte moía-me a cabeça com isso. Por isso, não estava assim tão preocupado. Nessa altura, estava mais zangado que outra coisa. Estava a fazer o exercício habitual, a puxar pela cabeça para tentar perceber o que poderia ter feito de mal. Fui ler as minhas mensagens, não fosse ter dito alguma coisa de errado numa delas. Fui ver o dia dos anos dela e outros dias, para ver se tinha deixado passar alguma data «especial». Não consegui descobrir nada.

Não tive notícias dela naquele dia. Não fiz nada o dia inteiro. Não comprei a tinta nem fiz nada porque, na verdade, estava stressado por não saber porque ela estava zangada comigo. Verdade seja dita, quando me fui deitar, estava furioso. Em pensamento, desejava-lhe todo o mal possível. Gritava com ela, tinha conversas imaginárias, tudo isso. Imitava a sua voz na minha cabeça e depois falava eu com a minha própria voz. Como se fosse uma briga a sério. Foi uma cena lixada.

Na manhã seguinte, acordei e fui ver o telemóvel. Nada. Liguei para a minha mãe e para Bless, que ainda viviam juntas na altura, mas também não tinham tido notícias dela. Depois, pensei em tentar ligar para a amiga dela, Maria. Ela só tinha esta amiga, de quem eu não gostava assim tanto, para dizer a verdade. Sempre que a via, ela lançava-me um olhar como se eu não fosse suficientemente bom para a amiga. Até podia ter razão em relação a isso, mas acho que não precisava de mostrá-lo de forma tão óbvia. Ki dizia: «Deixa-a em paz, está apenas a olhar por mim», mas eu achava que talvez estivesse a olhar por si própria. O problema é que eu não tinha o número dela. Para que precisava eu do número da amiga? Só que, naquele momento, precisava mesmo do número dela. A seguir, lembrei-me que ela trabalhava numa loja de roupa para mulher no centro comercial da Elephant e decidi que tinha de lá ir e falar com ela cara a cara.

Era uma daquelas lojas que tinha um nome tipo Uniqueé e onde só alguém como a minha mãe entrava. Desci na paragem de autocarro mais próxima, a pensar que se Maria não tivesse novidades, podia passar pelo apartamento de Kira no regresso e ver se por acaso ela lá estava. Abri a porta, que fez aquele tinido que avisa as pessoas da caixa que alguém entrou na loja. O lugar era mais escuro do que devia porque algumas das lâmpadas do teto estavam fundidas e cheirava aos rolos de tecido que a minha mãe comprava para fazer roupas. Havia uma série de expositores redondos cheios de blusas estampadas e outras coisas e eu encolhi-me para chegar ao balcão. Não estava lá ninguém, por isso esperei até uma senhora de idade aparecer e fazer uma careta.

— A Maria está? — perguntei, tentando agir como se não me sentisse pouco à vontade naquele sítio.

Ela grita lá para trás e Maria aparece, quilo por quilo. Não quero discriminar ninguém por causa do peso, mas era tão gorda que deu ideia de aparecer às prestações. Olhou para mim e eu cruzei os braços à frente dela.

— Viste a Ki? — perguntei o mais calmamente possível.

— Porquê? O que lhe fizeste? — disse ela, porque sempre desconfiou de mim, por alguma razão.

— Nada! Só queria saber se a tinhas visto.

— Não a vi nem tive notícias dela. Mas quando a vires pergunta-lhe porque não responde às minhas mensagens — disse ela, e voltou para o sítio de onde tinha vindo.

— Sim — respondo para as suas costas e depois saio da loja, preocupado por Ki não ter contactado a amiga. Maria não parecia estar a encobri-la. Nem sequer parecia muito incomodada. E porque havia de estar? Para ela, Kira nem sequer estava desaparecida.

Por isso, voltei a apanhar o autocarro para parar em casa dela. Percorri a curta distância desde a paragem de autocarro e comecei novamente a discutir mentalmente com ela. Quando lhe bati à porta, a discussão seguia a todo o vapor. Ainda estava à espera de encontrá-la lá, percebem? Esperei. Juro que quase consegui vê-la vir à porta, com o rosto pálido por não dormir e os olhos inchados de tanto chorar. Mas ela não estava lá. Por isso, sentei-me no chão, à porta dela, e ali fiquei talvez durante meia hora, sem saber o que fazer a seguir. Precisava de ligar a alguém que a conhecesse e que soubesse onde poderia estar.

Spooks, como já disse, estava na prisão, por isso não podia perguntar-lhe onde ela estava, e não é que eu soubesse sequer como contactar com ele. Nem sequer sabia o seu verdadeiro nome, porque até

Kira o tratava por Spooks. Não tinha mais família, portanto esse era um beco sem saída. E Ki não era propriamente uma pessoa com montes de amigos, por isso não tinha ninguém a quem recorrer depois de ter tentado Maria.

No segundo dia de ausência, comecei a ficar preocupado a sério. Não havia mensagens nem telefonemas no meu telemóvel. Fui novamente lá a casa, mas ninguém atendeu. Fui à loja de telemóveis onde ela trabalhava em *part-time*, mas não sabiam nada dela, muito embora devesse estar a trabalhar naquele dia. Por essa altura, estava a ficar tão paranoico que até pensei em ir à polícia. Mas isso teria transformado a situação em algo para que não estava preparado, por isso não o fiz. Voltei a tentar junto da minha mãe e de Bless, mas também não sabiam de nada. Que teria acontecido? Via o telemóvel de dois em dois minutos, na esperança de ter alguma notícia. Já nem sequer estava zangado, apenas queria saber que ela estava algures e viva. A seguir, quando já tinha perdido praticamente a esperança, experimentei ligar para todos os hospitais da área. Nada. Graças a Deus, percebem?

Nessa noite, pus de lado o orgulho e fui à polícia. Eles fizeram o seu trabalho e pediram alguns pormenores, mas no que lhes dizia respeito eu não era alguém que pudesse fazer-lhes perguntas. Um dos pais, talvez mesmo um irmão, mas um rapaz como eu? Não, não estavam interessados, mas pelo menos disseram-me que, tanto quanto sabiam, ela não estava morta. Juro que fiquei fora de mim e ao mesmo tempo desconcertado. Onde raio, o juiz que me desculpe, mas preciso de dizer estas coisas, onde raio ela estaria e como ia eu encontrá-la? Era como se ela se tivesse desvanecido em fumo.

Já tinha esgotado praticamente todas as ideias, por isso ao terceiro dia forcei a entrada em casa dela. Ela quisera dar-me uma chave, mas eu tinha-me armado em esquisito, porque nesse caso ela também ia querer uma chave da minha casa e, bem, no fim de contas, sou um homem, né? De qualquer forma, fui até lá, à noite, bastante tarde, e basicamente rebentei com a porta. Tinha apenas uma fechadura *Yale* e a porta era de contraplacado, por isso não deu grande luta. A porta lascou junto à fechadura e abriu-se. Entrei. Estava escuro e cheirava um bocadinho a mofo, mas isso não era nada de inesperado. Acendi a luz e a casa ficou à vista. Estava igual à última vez que lá tinha estado. O número de livros aumentara, mas agora estavam sobretudo nas prateleiras que eu montara para ela em todas as divisões. Parte de mim ainda tinha esperança de encontrá-la lá. Talvez deitada na cama ou coisa assim. Até mesmo deitada na cama com outro tipo teria sido melhor do que aquilo que vi, isto é, basicamente nem sinal de Kira. Apenas um espaço sem ela.

Passei a noite no apartamento, a remexer em tudo, para ver se havia alguma coisa algures que pudesse explicar onde ela estava. As roupas continuavam todas no guarda-vestidos. As coisas dela estavam intactas. Havia uma chávena de chá meio bebida no lava-louças e duas cartas por abrir sobre o capacho da entrada, mas não havia nada que dissesse o que podia ter acontecido. Fiquei lá até de manhã porque não queria deixar a casa com a porta arrombada e depois, mal amanheceu, chamei Bless para tomar conta do apartamento enquanto eu ia buscar ferramentas para arranjar a porta. Ela ficou lá enquanto eu tratei isso e depois fomo-nos embora juntos. Quando estávamos a descer os degraus de cimento, Bless virou-se para mim, semicerrando um olho por causa da luz. Naquele momento, alguma coisa na sua expressão ou a forma como a luz incidia na sua pele fez-me lembrar subitamente da Bless que eu conhecera há anos. Do tempo em que conseguia olhar para ela sem ficar desanimado. Ela fitou-me insistentemente e respirou como se fosse falar. E foi o que fez, pela primeira vez em quase sete anos.

— T-tens de encontrá-la. T-tens mesmo.

— Eu sei, Bless, mas como? — respondi.

Pausa para almoço: 12:55

9

14:00

As ruas são um lugar estranho. Há sempre alguém algures com um boato para contar ou vender. Quando Jamil foi morto, a polícia disse que tinha vindo à minha procura por causa de um boato. Bem, isso não é surpreendente em si mesmo. É mentira, mas isso é outra história. Mas a verdade é que os boatos estão em todo o lado. Por fim, houve um deles que me chegou aos ouvidos, dizendo que alguém tinha avistado Kira no norte de Londres. «A minha Kira?», perguntei. «Norte de Londres? Não sejas estúpido!» Porém, tal como já disse, Kira não era uma rapariga fácil de confundir.

Para vocês, talvez o norte e o sul não passem de uma linha num mapa, mas para mim e para as pessoas com quem cresci é como se fosse um país diferente. Podemos subir até Camden Town com a nossa miúda ou coisa que o valha para passar o dia, mas é melhor não ir lá com os nossos manos, a menos que estejamos preparados para o que der e vier. Nem sequer é preciso pertencer a um gangue para provocar uma briga. Podemos ser tipos normais que foram dar uma volta com os amigos e as pessoas partem do princípio de que somos um gangue. Tem que ver com a idade. Ouvi montes de histórias de jovens que foram esfaqueados apenas porque acabaram no sítio errado. Mesmo quando estavam sozinhos. As pessoas ficam atentas à nossa presença e, se não nos conhecerem e estivermos no seu território, vêm atrás de nós. Só porque estamos na área delas, percebem? Por isso, ela estar no norte era decididamente motivo de preocupação, embora fosse rapariga. Agora o porquê de ela estar no norte era uma questão totalmente diferente.

Não foi preciso muito tempo para toda a gente que morava por ali saber que eu andava à procura de Kira e não foi preciso muito tempo para haver gente a vir ter comigo com informações. A maior parte era uma treta. Até fui umas duas vezes ao norte, a Camden, Chalk Farm e esse tipo de lugares para ver se via alguma coisa, mas nada.

Depois, um tipo que eu conhecia e que tinha acabado de sair da prisão de Belmarsh disse-me uma coisa que parecia autêntica. Não era propriamente meu amigo, apenas alguém que eu conhecia de vista, um rosto familiar. As pessoas conheciam-no. De qualquer forma, um dia vi-o na rua e ele veio ter comigo para perguntar se lhe arranjava um carro. E eu disse «Claro, meu.» E depois ele começa a dizer-me que ouviu falar sobre a minha Ki e que sou capaz de estar interessado em saber o que ele ouviu. E eu disse «Porra, mano! Diz-me o que sabes». Acontece que aquele tipo tinha partilhado um patamar com o irmão de Kira, que estava na mesma ala a cumprir dez anos por uma merda qualquer em que se tinha envolvido. Eu soubera alguma coisa sobre Spooks pela irmã, mas não estava a par dos pormenores.

O que sabia é que Spooks traficava *crack* e metanfetaminas. Não era ninguém importante, apenas um «soldado». Mas um soldado da droga é de certa forma como um verdadeiro soldado, porque é normalmente o primeiro a estourar. Mas quando Spooks foi apanhado, acontece que enfrentava uma pena garantida de quinze anos. Quinze anos! A polícia tinha ido a casa dele e encontrara o circo todo! Havia balanças, agentes de corte, um saco de comprimidos e um quilo de coca. Até encontraram uma nove milímetros. Foi o revólver que o enterrou. Cinco anos por isso e, provavelmente, outros dez por causa das drogas.

Bem, acontece que há dois tipos de pessoas no mundo. Há as que conseguem cumprir uma pena de quinze anos sem dificuldade e as que não são capazes. Normalmente, as que conseguem não são toxicodependentes. Spooks era viciado em *crack* e, tal como todos os viciados em *crack*, teria vendido a mãe por uma passa, se ela estivesse viva. Quando descobriu que tinha pela frente uma pena de quinze anos, Spooks terá desfalecido de imediato, ao que parece. Quando voltou a si, fez a única coisa que podia. Testemunhou contra o seu fornecedor. Em troca, conseguiu uma recomendação da polícia e um desconto de cinco anos na pena. Também lhe valeu uma sentença de morte por parte do fornecedor. Ninguém gosta de bufos, né?

Tudo isto devia ser segredo. A polícia diz que deixa o nome da pessoa de fora. Nem sequer mencionam em tribunal que alguém ajudou a polícia. O juiz recebe simplesmente a «recomendação» da polícia, que é basicamente uma nota, e aplica uma sentença mais curta. Era assim que as coisas se deviam passar, mas o que dizem por aí é que o que realmente aconteceu foi que, depois da sentença, a polícia foi ter com o traficante e disse-lhe que Spooks o tinha chibado. Tudo para fazer com que ele confessasse. Basicamente, estavam-se nas tintas para o que viesse a acontecer com Spooks. Para eles, era simplesmente um marginal. E, para ser justo, até era, e continua a ser.

A primeira noite que passou na ala prisional deve ter sido um pesadelo para Spooks. Já seria suficientemente mau estar a ressacar, mas ainda por cima era um bufo. E vocês sabem o que acontece a um bufo na prisão ou, se não sabem, provavelmente conseguem imaginar. Nessa noite, houve quatro pessoas que tentaram esfaqueá-lo com uma arma improvisada e três delas nem sequer tinham nada que ver com o assunto. Só não gostavam de informadores. Depois disso, puseram-no numa cela individual, que é como estar segregado, e passou os próximos dois anos fechado vinte e três horas por dia. Deixem-me que lhes diga que é difícil aguentar vinte e três horas numa cela. Acho que nem os animais do zoológico ficam fechados tanto tempo. Mas, para Spooks, era melhor estar ali do que no meio da população geral, onde sabia que não ia sequer durar tanto tempo como o que levava a borrar-se.

Esteve em segurança durante algum tempo, mas continuava à espera do que sabia ser inevitável. De uma forma ou de outra, haviam de apanhá-lo. Ele sabia disso.

Acabaram por apanhá-lo por intermédio dos guardas prisionais. E eu sei como eles são. Passei o último ano em prisão preventiva, à espera do julgamento. Não devia dizer-lhes que estava preso, para não prejudicar o meu caso. Não vão vocês pensar que, se eu estou a aguardar o julgamento na prisão, é porque devo ter cometido o crime. Mas eu não me importo de lhes dizer. Estar a ser julgado por homicídio já prejudica o suficiente. Além disso, sou obrigado a ficar em preventiva, já que estamos a falar de homicídio, né? Onde mais me iriam pôr? Vocês não são estúpidos. Sabem que põem os assassinos na prisão enquanto aguardam pelo julgamento. Mesmo que sejam inocentes, como eu.

Quando comecei, pensava que a prisão era tipo eles e nós, sendo nós os reclusos e eles os guardas prisionais. Mas não é assim. É mais eles e eles e tu. Na verdade, os guardas prisionais e os outros prisioneiros têm mais em comum uns com os outros do que contigo. Parece estranho, mas é verdade. Isto porque nenhum recluso ou guarda prisional vai querer saber de ti para nada, a não ser que tenha alguma coisa a ganhar com isso. E um guarda prisional faz o que quer, e se o que ele quiser for entregar-te a um traste qualquer, assim será. Alguns fazem-no a troco de umas quantas notas por baixo da mesa; outros apenas pela diversão. Seja como for, foram os guardas prisionais que o apanharam. Deixaram um rapaz entrar na ala dele a empurrar um carrinho da biblioteca e quando Spooks veio buscar uma revista ou coisa do género, ele deu-lhe o banho. Não foi bonito.

Talvez deva explicar-lhes isso melhor. São coisas que se aprendem na prisão, meu. «Dar o banho» significa pegar numa chávena de água a ferver, dissolver uma data de açúcar lá dentro para a deixar pegajosa e depois atirá-la à cara do tipo. É brutal, eu sei, mas acontece que ele merecia cada segundo da agonia que sofreu.

Assim que ele percebeu que conseguiam chegar-lhe mesmo na ala de segurança máxima, não teve alternativa senão fazer outro acordo. Só que desta vez teve de negociar com os seus fornecedores, e não com a bófia. Mas ele não tinha muita coisa para oferecer como moeda de troca. O pouco dinheiro que havia desaparecera. Ele não tinha nenhum poder nem droga. A única coisa que tinha era a sua pessoa, ou seja, um traficante falido viciado em *crack*, sem mais nada senão as pedras que tinha no bolso. Mas aqueles rapazes têm forma de conseguir tirar sangue de pedras. E foi isso que lhe tiraram. O seu sangue. A irmã. A minha Kira.

Pronto, já me esqueci para que lhes estou a contar isto. Deve ser por isso que os advogados anotam tudo. A questão é que eu posso escrever, mas, por um lado, a minha escrita não é muito perfeita e, por outro, escrevo bastante devagar. Vocês ouvem isto e devem estar a pensar *Ah, sim, ele deve ser um bronco*, ou coisa do género. Talvez seja um bocadinho em matéria de escrita, mas não quanto a conversa. Não havia praticamente ninguém na minha escola que fosse bom a escrever, mas a maioria conseguia falar pelos cotovelos. Mais uma vez, recebemos de acordo com o que pagamos, e o que nós pagávamos naquela escola era népia. Pergunto a mim mesmo quanto terá pago este procurador pela sua educação. Milhares, aposto. Por isso, pode ir dar uma curva.

Se ele tivesse andado na minha escola e acabasse onde está, juro que o respeitaria imenso. Será que andou? Ou terá frequentado uma escola particular daquelas que custam milhares de libras por ano e em que se tem de andar de lacinho?

Por isso, isto chateia-me, já que estamos a falar sobre ele. Fala disto tudo como se fosse uma tragédia JC ou Jamil, como queiram chamar-lhe, ter sido morto aos dezanove anos. Não é nenhuma tragédia, acreditem. Acham que mesmo o senhor procurador acredita que a morte de JC foi uma tragédia? Por favor… Uma tragédia foi o que aconteceu a Kira. Aquela rapariga não tinha nada. Nada, percebem? Tinha um irmão que vendia *crack*, e mais nada. Com quinze anos, já morava sozinha. Trabalhava no Tesco e fazia todas as horas noturnas que podia, sempre com um livro na mão, enquanto as outras pessoas tinham a mão na caixa registadora. E depois acontece esta treta, para piorar ainda mais as coisas. Mostrem-me uma tragédia e eu mostro-a a ela.

Por isso, sim, lamento de certa forma, mas por outro lado não consigo deixar de me sentir zangado com isso.

Bem, onde é que eu ia? Já me lembro: Spooks. Spooks vendeu a irmã para salvar a sua vida triste. Era preferível ter-se matado a fazer o que quer que fosse àquela rapariga. Mas é assim. Não se pode mudar o que aconteceu. Os rapazes com quem ele andava eram gente da pesada. Não eram aspirantes a *gangster*, como JC e aqueles chavalos. Estes eram homens, e homens duros. Para lhes dar uma ideia, deixem-me contar-lhes o que aconteceu no ano passado a um rapaz que não sabia com quem se estava a meter. E sei que o juiz está a olhar para mim e a pensar quantas mais vezes nos vamos desviar do assunto. Mas precisam de saber disto.

Esses tipos para quem Spooks vendia mandavam em todo o norte de Londres. Vendiam heroína e *crack* em quase todas as esquinas de cada bairro, de Camden a Seven Sisters e Tottenham. Sim, vocês não veem isso quando lá vão porque não conhecem os cantos e recantos. Se forem a Seven Sisters ou a outro sítio qualquer, provavelmente vão pela rua principal e veem as cenas habituais: McDonald's, as lojas merdosas de roupa para homem cheias de peças africanas maradas e de grandes sapatos bicudos de pele de crocodilo e pensam *Oh! Pobres diabos, isto é tão miserável!*

Mas precisam de sair das ruas principais para ver como é realmente. Vão pelas traseiras, onde as estradas terminam, e verão os enormes bairros de que ouvem falar sempre que falam sobre crimes com armas de fogo nas notícias. Estão escondidos, o que é surpreendente tendo em conta a dimensão desses lugares, mas só estão escondidos de vocês. Não estão escondidos de nós, que lá vivemos.

De qualquer forma, todos esses domínios no norte são geridos por um gangue chamado Glockz. Acontece que Spooks, o irmão de Kira, era membro desse gangue. Seja como for, os Glockz não gostam de ver desconhecidos no seu território. Por isso, um dia, um tipo para o seu *Range Rover* e começa a vender doses pela janela do carro a quem as quiser comprar. Cinco minutos depois, já toda a gente sabe que há um pagão no seu território.

Vocês estão outra vez a olhar para mim com ar confuso. Por isso, suponho que seja por alguma coisa que eu disse. Foi a palavra «pagão»? Está bem, está bem. «Pagão» é o que se chama a um membro de um gangue rival, quando fazemos parte de um gangue. Coisa que não faço, obviamente.

Por isso, os Glockz ouvem falar desse tipo e mandam uns quantos homens para ver o que se está a passar com esse idiota que parou o *Range Rover* no território deles.

Três tipos batem na janela e o condutor sai do carro, a sorrir. Aponta-lhes uma *MAC-10* e os tipos fogem, aterrados. O valentão pensa que arrumou o assunto, mas não é assim que as coisas funcionam por ali. Cinco minutos depois, apareceram seis carros que trancaram a saída ao *Range Rover*. Saíram quatro homens de cada carro e cercaram-no. A seguir, furaram-lhe os pneus todos com uma faca e quando o *Range Rover* baixou uns quinze centímetros, como se já tivesse a sua conta e desfalecesse, o tipo voltou a sair do carro.

Está a segurar a sua *MAC-10* no ar, como numa rendição, e está a arreganhar a tacha. «Eh!», diz ele. «Isto nem sequer tem balas, meu! Podemos dividir esta cena, manos. Há suficiente para todos, certo?»

Dezasseis homens com chaves de roda, tacos de basebol, facas compridas, um até tinha uma espada de samurai, passam cinco minutos a tratar da saúde ao tipo. Quando acabaram, o tipo teve de ser raspado do chão com uma pá.

Estes eram os tipos a quem Spooks tinha supostamente vendido a irmã. A minha Kira! Quando descobri, fiquei lívido. Bem, vocês percebem. Mais vale descobrir que a nossa miúda está morta. Passei semanas a sentir-me como se ela tivesse morrido. Nem sequer conseguia imaginar o tipo de tratamento que lhe teriam reservado. Mas, na minha imaginação, passavam algumas semanas a quebrá-la e depois, quando começasse finalmente a ganhar gosto pela agulha, faria tudo o que eles quisessem.

Desculpem. Deem-me só um minuto, está bem?

Na minha cabeça, apanharam-na, estavam a drogá-la e... desculpem.

Não posso crer que estou a chorar depois de tudo o que aconteceu com ela mais tarde. Mas pensar nisso, aqui e agora, traz tudo de volta. Sinto-me como se tivesse voltado a esse momento. Como se estivesse a vivê-lo e...

Será possível fazer uma pausa de uns cinco minutos, senhor juiz?

Pausa: 15:15

10

15:25

O que eu estava a tentar dizer há pouco, antes de ficar todo atrofiado, era que vocês não conseguem compreender realmente o que as drogas fazem a uma pessoa. Sim, já ouviram falar sobre isso, mas provavelmente nunca assistiram em primeira mão, de perto. Quando uma pessoa fica viciada, e acreditem que não leva muito tempo, não há nada que se lhe compare. Nem sequer consigo descrever. Como lhes explico o que isso faz a uma pessoa? Na verdade, faz cerca de cinco coisas diferentes em simultâneo.

Primeiro, leva-nos o pensamento. Leva tudo o que norteia um ser humano e manda-o para o lixo. O *crack* ou a heroína não dão espaço para mais nada na vida de uma pessoa. Nem para a família, nem para o trabalho, nem para as roupas, nem para os banhos, nem mesmo para a comida. Pensem só durante um segundo como será estar assim. Acordam de manhã, à tarde, ou seja lá quando for, e só têm uma coisa na cabeça. Não querem mais nada, apenas uma dose. Não querem comer nem beber, não se querem vestir, não querem falar com ninguém, nem sequer querem ir à casa de banho. Por isso, movem mundos e fundos por uma dose. E depois por outra, até que a droga nos toma conta do corpo e o destrói pouco a pouco.

A seguir, leva-nos a consciência. Eram capazes de gamar a vossa mãe à porta de casa, para conseguirem dinheiro para uma dose. Não há nada que não fizessem para satisfazer o vício. Depois, quando tudo o resto desapareceu ou está em ruínas, o *crack* leva-nos a alma. Não passamos de um monte de ossos e carne a respirar.

Dá-me vontade de rir. Uma vez, ouvi umas pessoas no metro a falar sobre prostituição, e só diziam tretas. Uma mulher diz «Pff, que nojo! Porque é que uma pessoa há de fazer isto a si própria?», quando vê passar uma mulher que presume ser uma prostituta. «Pensa só em todos aqueles homens horríveis com quem terias de ter sexo», blá-blá-blá. Esta é a razão para fazerem isso a si próprias. Uma pessoa era capaz de fazer muito pior do que isso por uma dose. Um homem era capaz de cortar o pénis para a conseguir. Acreditem. Isto não é um jogo. A única coisa que nos faz andar para a frente é a promessa de uma nova dose. O mais estranho é que a única razão para ainda estarmos vivos é esforçarmo-nos por aguentar até à próxima «viagem».

Era isso que eles estavam a fazer com Kira. Eu sentia-me impotente só de pensar nela. Tinha desaparecido. Estavam-lhe a acontecer barbaridades indizíveis. E para piorar as coisas, não havia nada que eu pudesse fazer em relação a isso. Que podia eu fazer? Sou muitas coisas, mas não sou nenhum Sam L. Vocês, provavelmente, telefonavam à polícia. Mas a polícia não faria praticamente nada, como vim a descobrir.

Ela não estava desaparecida. Era adulta. Se queria andar pelo norte com a malandragem e fumar um saco de *crack*, isso era lá com ela. Por que raio haviam de fazer alguma coisa em relação a isso? Para que conste, eu não tinha nada contra a bófia. Sim, alguns deles são uns trastes, mas não são muito diferentes dos homens do lixo ou coisa do género. Fazem o que têm que fazer, e nada mais. Se alguém despejar um caixote no meio da rua, são capazes de apanhar a porcaria, mas se despejarmos um no nosso quintal, deixam tudo onde está. Se queremos viver numa pocilga, o que têm as outras pessoas que ver com isso?

E foi assim. Ela desapareceu e a minha cabeça encheu-se de pensamentos negros. Comecei a pensar nela no pretérito, embora ainda só tivessem passado duas semanas. Na forma como ela se costumava sentar quando estava a ler os seus livros; no que costumava vestir quando ia trabalhar; na última coisa que me tinha dito… E foi isto que acabou por me acordar. Eu tinha-lhe dito uma coisa depois da discussão por causa do rapaz que partiu a janela do meu *Z3*.

«Vou deixar passar, mas só porque não estou pronto para te deixar ir.»

Se não foram exatamente estas as minhas palavras, foi qualquer coisa do género. Ou talvez nem as tenha dito em voz alta, talvez as tenha apenas pensado. De qualquer forma, o que estou a querer dizer era que quase a estava a deixar ir passadas apenas duas semanas. Que tipo de homem é que isso fazia de mim?

Pensei nisso durante muito tempo. É claro que não podia ir simplesmente até àquele território e começar a disparar a eito. Nem sequer sabia onde ela estava. Mas sabia que se indagasse o suficiente junto das pessoas que por ali andavam, era capaz de ficar a saber onde ela estava. O meu plano era deixar-me ficar por lá, esperar até a ver e depois trazê-la.

Não era um grande plano. Mas resultou e acabei por descobrir onde ela estava. Mas para lhes contar como a encontrei tenho de lhes falar de Curt. Ele foi a chave para encontrar Kira. E a chave para mais um monte de coisas.

Depois de Curt ter trocado de escola, no passado, deixei de o ver durante algum tempo. Desapareceu praticamente, e eu não pensei muito sobre isso. Essas cenas estavam sempre a acontecer a miúdos daqueles. Um dia estavam lá, no outro tinham desaparecido. Passou-se uma semana ou um mês e, verdade seja dita, esqueci-me completamente dele. Como já disse, não éramos muito chegados. Para mim, ele era apenas aquele miúdo grandalhão que partiu o braço àquele idiota. Depois, um dia, devia eu ter para aí uns dezasseis anos, ia a caminho das lojas ou coisa do género e vejo um rapaz enorme a tapar-me o caminho no passeio. Este tipo de coisa provoca sempre alguma tensão, percebem? É basicamente a forma de uma pessoa fazer frente a outra. Quem tem os tomates no sítio e quem vai acobardar-se? Eu nunca fui do género de me acobardar, percebem? A maior parte das pessoas à minha volta já sabia disso e, depois de umas quantas escaramuças, conheciam-me e deixavam-me em paz. Embora nunca tivesse pertencido a nenhum gangue, as pessoas sabiam que era melhor não me aborrecerem. O meu lema era: se não te meteres no meu caminho, também não me meto no teu; mas se encostares a tua cara à minha, o mais provável é ficares sem ela. Não me interpretem mal. Eu detestava isso tudo. Não gostava de entrar em guerra por causa de tretas de macho, mas a verdade é que o fazia se fosse preciso.

Portanto, cá estava a mesma merda a acontecer-me outra vez. Ali estava eu, com dezasseis anos e sensivelmente com a mesma altura que tenho hoje; e à minha frente tinha um rapaz mais ou menos do tamanho de uma casa. Merda! Por isso, a minha tática com estes otários era dar-lhes uns pontapés nas rótulas e depois atacar em força até eles estarem a beijar o alcatrão. Se estiverem artilhados, normalmente salto o mais depressa que posso. Não há praticamente nada que valha a pena uma naifada, meu! E se houver a possibilidade de um rapaz pertencer a um gangue, engulo o orgulho e dou de frosques. Então, estamos a aproximar-nos um do outro. Estou de olhos postos no chão, mas sei que estamos mais perto porque aquela massa enorme está a tapar-me a luz, de tão grande que é. Não o reconheço de o ver por ali, portanto depreendo que não pertence a nenhum gangue ou, pelo menos, a nenhum gangue daquelas bandas. E está sozinho. Aproximamo-nos até não haver praticamente luz entre nós. E juro que, precisamente quando estou prestes a atacar os joelhos do rapaz, ouço:

— Como é que é, mano?

Levanto os olhos e aquela cara abriu-se e está a brindar-me com um sorriso radioso.

— Porra! Curt? Eh pá, o que te andam a dar de comer? Ah! Ah!

A partir desse dia, ficámos chegados, ele era um amigo como devia ser e ficou comigo desde aí. Como disse, tenho de lhes falar sobre ele porque é importante para tudo o que aconteceu. Faz parte desta história.

Quando voltei a ver Curt, ele não tinha mudado assim tanto, mas estava decididamente diferente. Estava mais sério. E agora não aguentava merdas de ninguém. Nessa altura, também não estava em nenhum gangue. Ambos tínhamos conseguido passar ao lado dessas tretas, o que não era coisa pouca para as nossas bandas. Normalmente, se fôssemos conhecidos, havia um membro de um gangue que nos vinha bater à porta semana sim, semana não, a tentar recrutar-nos. Se nos quisessem, não havia nada que não nos prometessem nem ameaça que não nos fizessem. Não estavam muito ralados comigo, apesar de que um membro é sempre um membro e os números são importantes. Mas queriam Curt. Estavam desesperados por conseguir aquele rapaz e, se vissem o tamanho dele, iam perceber porquê.

Mas não tardei a descobrir que o problema de Curt é que não era talhado para aquela cena. Por um lado, não estava assim tão interessado em dinheiro e, por outro, detestava que lhe dissessem o que fazer. Normalmente, essas duas coisas por si só tê-lo-iam excluído. Um gangue não quer uma pessoa que não consiga comandar. A maior parte das pessoas gostam de pensar que não vão mandar nelas, mas a verdade é que a maior parte das pessoas são mentirosas. A maior parte das pessoas estão dispostas a fazer qualquer coisa pelo preço certo, e isso significa basicamente que são comandáveis. Mas Curt era diferente.

Há uns dois anos, estava com ele quando três chavalos locais o pararam na rua.

— És o Curt, né? — diz um deles e, quando Curt fez que sim com a cabeça, continua a falar: — Quero dar-te a oportunidade da tua vida, mano.

Curt tenta afastar-se porque sabe o que eles querem, mas eles tapam-lhe o caminho, formando uma barreira. A seguir, o chefe dos três rapazes diz:

— Podia dar-te já uma milena, mas também posso dar-te uma naifada. É contigo, mano!

— Dá-me uma naifada — disse ele.

Entreolham-se os três, como quem diz *que raio se passa aqui?* Se fosse eu, talvez tivesse tentado desenvencilhar-me daquilo com falinhas mansas, mas isto é novidade para aqueles chavalos. O chefe, um tipo baixo com um daqueles bonés de cinco gomos, saca uma faca da algibeira e mostra-a a Curt. Curt olha longamente para a lâmina e depois olha para os outros e pergunta:

— E vocês os dois?

Curt está ali especado, como se o tivessem colado ao chão. Já eu, estou em bicos de pés, pronto para intervir se eles partirem para a agressão.

Os outros mostram as suas armas, a sorrir, mas Curt não se mexe.

— Dá-me uma naifada — diz ele, ainda de mãos nos bolsos.

O chefe aproxima-se e segura a faca em baixo.

— Nós não estamos a brincar contigo, mano!

De repente, Curt tira a mão do bolso e agarra na faca pela lâmina.

— Dá-me uma naifada — diz com ar impassível.

Os olhos do rapaz espelham o seu pânico e ele tenta recuperar a faca, mas não consegue tirá-la da mão de Curt. Este tem sangue a escorrer-lhe da mão, mas, olhando para a sua cara, ninguém diria.

Um dos outros avança com a sua própria faca e tenta acertar em Curt. Mas trata-se de um rapaz que nunca usou uma faca. Dá para ver, pela forma como a segura. Parece que está a agarrar num telefone. Eu sei que, se quisermos usar uma faca, temos de segurá-la com o punho fechado e a lâmina para baixo, com o gume para fora. Isto tranquiliza-me o suficiente para avançar sobre ele e dar-lhe dois socos rápidos na cara. Ele cai por terra e eu tiro-lhe a faca enquanto ainda está azamboado.

Curt continua a segurar a lâmina. O rapaz que segura o cabo continua lívido de medo. Olha para mim, vê a faca do seu rapaz na minha mão e depois foge.

— Vocês estão mortos, meus cabrões! Mortos! — grita ele enquanto foge.

Olho à minha volta, à procura do terceiro rapaz, mas dá ideia de que já tinha bazado há algum tempo. Vieram com três facas, e foram-se embora com uma.

— Porra, meu! — digo a Curt, olhando para a mão dele.

— Não é nada — diz ele, e volta a fechá-la, com o sangue a escorrer dos lados.

— Não digas isso, meu!

Tiro a minha bandana e amarro-lha à volta da mão. Aperto-a com força até o sangue passar através do pano e depois dou-lhe um nó duplo. Curt nem pestaneja. Olho para ele, à procura de uma reação, mas não consigo encontrá-la.

— Isto não faz de mim *gay* — digo, e ambos desatamos a rir.

Tornámo-nos bons amigos enquanto ele esteve no bairro. Curt vinha a minha casa e a minha mãe fazia-lhe o jantar. Ela gostava de Curt, embora ele comesse normalmente o dobro do que ela tinha em casa. Na verdade, creio que não teria gostado tanto dele se ele não comesse como um alarve. Era uma daquelas coisas... Quando ele se sentava ali, a comer, parecia uma criança. Não havia nada no mundo naquele momento. Só ele e o seu prato.

Ela fingia queixar-se disso, mais tarde. «O pai do rapaz deve ser um cavalo. Da próxima vez que ele vier cá, dou-lhe uma saca de aveia.» Mas também era aquela coisa de mãe a entrar em ação. Quando uma mãe está a dar de comer a um amigo do filho, na realidade é como se estivesse a dar de comer ao próprio filho. Além disso, ela também sabia que Curt não tinha uma mãe como eu tinha. Quer dizer, ele tinha uma mãe, mas não era uma mãe a sério. Acho que era essa a razão para ele estar sempre a perguntar se podia lá ir a casa. Só para ter a sensação do que teria sido ter uma mãe normal. E embora ela dissesse por vezes «Então, o cavalo vem cá jantar outra vez?», eu sabia que, lá no fundo, a minha mãe gostava dele.

De facto, há dois anos, quando ele lá foi um dia para nos dizer que se ia mudar para o norte de Londres, lembro-me de ver o ar da minha mãe. O seu olhar tinha a mesma expressão de quando eu lhe disse que ia sair de casa. Estava a esforçar-se por não chorar e por disfarçar o que sentia, mas deixou escapar uma lágrima pelo canto do olho.

— Espero que voltes para ver o teu amigo, hein?

Curt pregou os olhos no chão e não disse nada.

— Faço-te bolinhos de massa, se gostares — disse ela, e voltou aos seus cozinhados.

De vez em quando, a minha mãe falava nele. «Tens visto o cavalo do teu amigo?» ou «Em vez de estares sentado à frente de jogos o dia inteiro, bem podias telefonar ao cavalo do teu amigo e falar com uma pessoa a sério». Por isso, eu ligava-lhe de vez em quando para saber como ele estava. De qualquer forma, depois de ouvir rumores de que Ki podia estar algures no norte de Londres, Curt era a pessoa certa a quem telefonar. Na verdade, era provavelmente a única pessoa que eu conhecia no norte de Londres.

Pausa: 11:50

11

16:00

Encontrei-me com ele pouco passava das dez horas no McDonald's na Seven Sisters Road. Tinha-me esquecido de como ele era grande, ou então estava maior desde a última vez que o vira. Estava sentado a uma das mesas e eu fui ter com ele. Curt levantou-se enquanto eu me sentava e depois voltou a sentar-se e pousou as manápulas em cima da mesa, à minha frente.

— Estás mais velho, meu! — disse, e riu-se com a sua gargalhada estrondosa, que teria abanado a mesa se ela não estivesse aparafusada ao chão.

— Escuta, mano, preciso da tua ajuda numa coisa, tás a ver? — disse, e contei-lhe sobre Kira.

— Isso é lixado, meu! Eu gostava dessa miúda — disse, olhando para os seus dois hambúrgueres.

— Mano, já virei Londres do avesso à procura dela.

— Tens de esquecê-la, meu — disse ele, depois de dar uma grande dentada no hambúrguer. — Ouvi dizer que foi apanhada.

— Glockz?

Curt dá uma segunda dentada no hambúrguer e este desaparece. Mastiga lentamente e assim que o engole tira outro da caixa que está em cima da mesa. Mesmo um *Big Mac* parece minúsculo na sua mão.

— Foi o que ouvi dizer.

— Só preciso de saber onde ela está, Curt.

— Nisso, posso ajudar-te, mano — disse, e dá cabo do segundo hambúrguer.

Pelo que percebi, Curt não se tinha juntado propriamente aos Glockz, mas gozava de certos privilégios. Conhecia o «general», por exemplo, por isso tinha forma de descobrir coisas, se fosse preciso.

— Meu, pensava que eras contra essa treta dos gangues. Como raio te foste juntar aos Glockz?

— É uma longa história — disse. — Longa. Mas se queres saber onde ela está, vem ter comigo daqui a dois dias, e eu digo-te o que souber.

— Tudo bem, mano. Venho falar contigo daqui a dois dias — disse, e vim-me embora.

Quando voltei a estar com ele, dois dias depois, o sorriso tinha-lhe desaparecido do rosto.

— Vais encontrá-la a trabalhar em King's Cross, Camden, esse tipo de ruas — disse ele, de olhos pregados no chão.

— Merda! — digo, porque é a única coisa que me ocorre. Curt continua de olhos baixos, como se quisesse estar noutro lugar. — Fico-te a dever uma — digo por fim e toco-lhe no ombro com o punho fechado, ao levantar-me para me ir embora.

— Esquece lá isso, meu!

— Ela está bem?

— Duvido.

— Porra!

— Sabes quem é o irmão dela? — pergunta ele, erguendo uma sobrancelha.

— Sim.

— Um anormal do caraças, né?

— Sim, mano.

Quando dei meia-volta para me ir embora, tive a sensação de que alguma coisa não batia certa no que ele me estava a dizer. Ela já estava a trabalhar nas ruas? Normalmente, levavam mais de duas semanas a ficar viciadas no *crack* e a ir para as ruas. Aquilo não fazia sentido. Olhei para ele.

— Só uma coisa, mano. Domaram-na muito depressa, né?

— Não. Isso é que é estranho, meu. Pelo que soube, foi com o acordo dela.

— O quê?

— Ela está limpa de drogas. Fê-los simplesmente prometer que iam proteger Spooks.

Depois de ver Curt, nem me dei ao trabalho de ir a casa. Só queria encontrá-la. Se houvesse a possibilidade de ela estar nas ruas naquele minuto, não queria perdê-la. Entrei no autocarro para Camden e saí junto ao metro. Num sábado à noite, vista de fora, Camden fervilha de gente. Mas só em algumas partes, como Camden Lock, Stables Market, o Canal. Todas as áreas frequentadas por turistas estão à pinha. Mas eu sabia que ela não ia estar em pontos turísticos. Não era a eles que Curt se referia quando dissera Camden. Ele estava a falar do tipo de lugares onde um chulo podia largar uma rapariga e voltar a apanhá-la se ela armasse alguma confusão, sem que ninguém se intrometesse. Lugares desertos. Vielas escondidas. Lugares aonde se ia por uma razão específica.

Decidi descer a Camden High Street e seguir na direção do canal. Ficava mesmo por trás do hospital e nas imediações das traseiras da estação de King's Cross. Continuava a ser uma área bastante inóspita, apesar de haver edifícios novos a aparecer por todo o lado. Mas esses prédios novos ficavam onde as pessoas os podiam ver. Ainda havia lugares escondidos. Lugares secretos que ninguém queria ver. Fui até ao caminho ao longo do canal, para onde uma série de prostitutas tinham sido obrigadas a mudar-se. A intenção fora limpar o local, mas na verdade foi apenas varrer a porcaria e mudá-la para outro lugar. Não a vi e, para ser sincero, fiquei aliviado. Não a queria ver naquele tipo de sítio. Depois, antes de dar a noite por encerrada, decidi aproximar-me de York Way, outro espaço morto. Ou quase morto.

Encontrei-a debaixo de uma ponte.

Nem sequer lhes consigo dizer como foi voltar a vê-la. Há duas semanas que andava a esforçar a vista, na esperança de ver aquela rapariga. Olhava para onde quer que houvesse ajuntamentos e sondava milhares de rostos, qual Exterminador Implacável, à sua procura. Se houvesse alguma miúda com o cabelo parecido ou vestida com alguma coisa que ela pudesse usar, ia a correr ter com ela e tocava-lhe no ombro. Não me importava de parecer um anormal, só precisava de encontrá-la. Por isso, quando a vi ali parada a uma porta perto da tal ponte, fiquei tão surpreendido que os meus olhos não pararam nela. Quer dizer, eu vi-a. Achei que conhecia aquela cara de algum lado, mas não era ela que eu estava a ver. Depois, olhei outra vez. E era ela. Era como o seu próprio fantasma. O seu rosto, que antes era capaz de fazer parar o trânsito, tinha perdido todo o brilho. Era como se ela tivesse morrido e deixado o corpo para trás em piloto automático.

Estava decidido a ir ter com ela e a trazê-la comigo quando vi um carro parar e baixar o vidro da janela. Um homem qualquer estava a falar com Kira, mas ela tinha o olhar perdido lá longe. A seguir, apareceu um tipo, provavelmente um dos rapazes dos Glockz, recebeu dinheiro do condutor e depois empurrou-a para o banco de trás. E, de repente, ela tinha desaparecido. Outra vez.

Esperei toda a noite por ela, mas não voltou. Não sabia para onde tinha ido, nem sequer se estava viva. Quando voltei para casa, já era dia, e sentia-me pior do que antes de a ter visto. Voltei lá no dia seguinte e depois no outro, mas nada. De uma das vezes, estava lá uma rapariga, mas não era Kira. Até fui falar com ela, mas não sabia quem era a Kira e depois tive de fugir porque um rapaz dos Glockz veio a correr ter connosco. Estava a gritar que me dava um tiro e sei lá que mais por fazê-lo perder o seu tempo, mas eu não me ralei com isso.

Depois disso, voltei a ir ter com Curt e pedi-lhe para descobrir o que se passava. Ele disse-me que eles mudavam as raparigas de sítio com alguma frequência. Não podiam deixá-las sempre no mesmo sítio, era mau para o negócio. Os clientes queriam caras novas, e se viam a mesma cara dia após dia, iam a outro lado. E havia outros que ficavam demasiado apegados a alguém, e isso também causava problemas de tipo diferente.

Curt deu-me uma lista de outros lugares onde tentar, por isso foi o que fiz, mas não voltei a encontrá-la. Tinha um carro que estava com dificuldade em vender e comecei a andar nele, à procura dela. A pé e de autocarro, só era possível cobrir uns quantos quilómetros, por isso sabia que precisava de um carro. Isto tornou as coisas mais fáceis, embora aquele não fosse o meu território e não quisesse que me identificassem pelo carro. Os rapazes reconhecem o nosso carro, e o tipo de carro que eu conduzia não era nenhum *Ford Fiesta* com que pudesse passar despercebido. Era um *Audi A3*, com jantes especiais, e pela primeira vez na vida desejei ter o carro de um cota, para não chamar tanto a atenção. Pode parecer-lhes estúpido, mas há chavalos que sabem a quem pertencem todos os carros da sua área e que fazem soar o alarme se aparecer alguma «máquina» a explorar o território.

Mesmo assim, fui de lugar em lugar, sempre à procura. Às vezes, numa noite, ia a seis ou sete sítios diferentes em King's Cross, Swiss Cottage, Angel, Tottenham, todos os lugares que tinha na lista. Passados cinco dias de a ter visto, quando já estava a perder a esperança, voltei a vê-la no mesmo lugar da primeira vez. Junto a uma pequena porta, debaixo da ponte metálica, em King's Cross. Embora víssemos que era ela se olhássemos com atenção, continuava a não ser realmente ela. Era apenas uma sombra.

Tinha dito para comigo que, da próxima vez que a visse, estaria pronto para o que desse e viesse. Não queria vê-la e depois ter de fugir, quando aparecesse algum bandido dos Glockz. Por isso, levava comigo uma arma, a mesma arma que guardei durante sete anos, à espera que o meu pai aparecesse. Tinha-a comigo agora, à cintura, embora achasse improvável vir a precisar dela. Parei o carro perto de onde ela estava, para pensar como ia fazer as coisas.

Ainda me custava a acreditar que era ela. Vocês não sabem como é procurar uma pessoa que amamos durante tantas horas ao longo de tantos dias e noites, e não a encontrar. E depois, de repente, ali está ela. Fez o meu coração disparar.

Precisamente nessa altura, um outro carro parou à minha frente e estacionou perto dela. O condutor tinha baixado o vidro e estava a falar com o fantasma de Kira. *Por favor, não entres*, estava eu a dizer para os meus botões, *não entres!* Mas dava ideia de que estava prestes a fazê-lo, por isso arranquei, parei imediatamente atrás e comecei a buzinar. Esperava que o barulho afugentasse o outro condutor ou coisa assim, mas não. Só serviu para o fazer sair do carro e gritar que desandasse dali.

Eu também saio do carro e vou até onde eles estão os dois. Tenho a mão na arma, que ainda está tapada pela parte de baixo da camisola de capuz, e enquanto me aproximo vou analisando a fronha do tipo. Será tipo herói ou daqueles que fogem quando veem um negro? Não sei dizer exatamente, mas preciso de testá-lo antes de fazer o que quer que seja. Paro a menos de um metro e Kira vê-me pela primeira vez.

Quase sorri, como se estivesse esquecida de onde está e tivesse visto alguém que reconhece, mas depois, com a mesma rapidez, a sua cara é tomada por uma expressão de pânico.

— Ela vem comigo, meu — digo, e avanço para trazer Kira pelo braço.

O tipo dá ideia de ir embora, mas dá para ver que ainda está a ruminar no assunto. Nenhum homem gosta de ser confrontado por outro, sobretudo quando há uma rapariga por perto, mesmo que essa rapariga seja uma prostituta. Viro-lhe as costas, para lhe dar oportunidade de se ir embora sem brigas. Kira continua agarrada a mim. Está a tremer um bocadinho, mas não sei se é do frio ou se sou eu a tremer que a deixo assim. Uma coisa é certa, o meu coração bate tum, tum, tum!

Estamos junto à porta do carro quando o chulo ou lá o que é atravessa a estrada de braços abertos.

— Que raio estás tu a fazer com a minha miúda? — grita ele enquanto corre.

Não posso fugir agora sem provocar uma enorme zaragata, por isso paro. Quero levá-la simplesmente de forma pacífica, como se fosse apenas um cliente normal. Não quero começar uma briga em pleno norte de Londres com um homem dos Glockz. O coração bate cada vez com mais força no meu peito. Agora é bum, bum, bum! Bate tão alto que juro que ele consegue ouvir.

— O que se passa, mano? — pergunto. — Só quero divertir-me um bocado, tás a ver?

— Ele chegou primeiro — diz ele, apontando com o rosto para o outro tipo que está agora a tentar voltar para o carro.

— Pois, mas ele vai-se embora, né?

— Não vai a lado nenhum! Eh, mano! Tu chegaste primeiro — diz-lhe ele, segurando-o pelo braço. O tipo já estava branco, mas agora parece um lençol. Não há dúvida que isto não era coisa que estivesse nos seus planos.

— Sim, mas agora estou eu aqui. O que há de errado comigo? — digo rapidamente, aumentando um pouco o volume para afugentar o cliente.

— Ela não gosta de ti, meu mariconço. Por isso, põe-te mas é a andar!

— Ela quer vir comigo — respondo, e por esta altura já estou todo cagado. Aquele tipo é grandalhão. Não são músculos nem nada disso, é apenas grande e sólido como um saco de boxe. Se não fosse pela Kira, já me teria posto a milhas há muito tempo.

— Esta puta quer aquilo que eu lhe digo para querer — diz ele, avançando em direção ao meu rosto. Está tão próximo que algum do seu cuspo vem parar ao meu lábio. É nojento, mas não posso limpá-lo.

— Tenho guito suficiente, meu! — digo, e tiro do bolso um maço de notas para lhe mostrar.

Ele arrebanha o dinheiro e diz:

— Já disse para te pores a andar. Não volto a dizer, mano!

Largo Kira. A arma continua à cintura. Sinto-a pesada, demasiado pesada para as calças que trago vestidas. Parece que vai escorregar pela perna, a qualquer momento. Ele vira-se para se ir embora com Ki e eu só consigo pensar que tenho de fazê-lo ficar ali, de qualquer maneira. Preciso de fazer alguma coisa. O cliente desapareceu. Meteu-se no carro e pôs-se a andar. Agora, somos só os três. Parece que estamos noutra dimensão.

— Se não me dás a puta — digo eu o mais friamente possível, mas a palavra puta fica-me entalada na garganta —, então devolve-me o guito, meu!

O tipo vira-se com os olhos a chispar e de braços abertos.

— Achas que podes brincar comigo, mano? — diz ele, e vem direito à minha cara. — Brinca lá com isto, meu! Brinca lá com isto!

De repente, sinto um objeto duro encostado à barriga e olho para baixo.

É uma arma.

Pausa longa: 16:45

NO TRIBUNAL CRIMINAL CENTRAL T2017229

Perante: MERITÍSSIMO JUIZ SALMON QC

Alegações Finais:

Julgamento: 31.º dia

Quinta-feira, 6 de julho de 2017

COMPARÊNCIAS

Pela Acusação: C. Salfred QC
Pelo Arguido: O próprio

Transcrito de um registo áudio digital por
T. J. Nazarene Limited
Estenógrafos Judiciais e Transcritores Certificados

12

10:00

Algum de vocês já teve uma arma na mão? Não é como veem nos filmes, onde podem pôr uma no bolso interior do casaco ou enfiá--la nas calças e esquecer que andam com ela. Uma arma é um objeto pesado. Pesa sobre nós. Quando pegamos numa, podemos sentir a sua gravidade. Podemos sentir a vida que ela pode tirar e os danos que pode causar. De certa forma, uma arma é uma coisa viva. E até tem voz. Mal agarramos numa, começa a sussurrar-nos cenas. Sussurra--nos aos ouvidos durante todo o tempo que a seguramos. *Wsss wsss wsss wsss*. E apenas nos diz uma coisa vezes sem conta: «Deixa-me sair.» Quer que a disparemos.

Pela cara dele, dá para ver que é isso que ela lhe está a dizer, agora. A arma dele quer atingir-me. Kira também pressente alguma coisa e começa a gritar. O tipo recua, mas continua a apontar-me a arma. Roda o outro braço, agarra Kira pelos cabelos e puxa com força. Ela deixa escapar um som parecido com o de um cão que leva um pontapé.

Avanço e depois paro rapidamente e levanto as mãos.

— Mano, na boa. Na boa. Vou-me embora — digo, e começo a recuar lentamente.

— É demasiado tarde para isso, meu — diz ele, ao mesmo tempo que puxa a cabeça de Kira para baixo, junto aos seus joelhos, de maneira que ela só consiga ver o chão. — Não vais querer ver isto, querida — diz, e estica o braço que segura a arma.

Apercebo-me subitamente do peso da minha própria arma na cintura. Mal a tiro para fora, acontece tudo muito rapidamente. Os olhos do rapaz dos Glockz arregalam-se e ele recua um passo. Kira liberta-se do tipo e fica siderada. Passado um segundo, começa a gritar «Oh, meu Deus! Oh, meu Deus!» vezes sem conta. Aponto a arma ao bandido dos Glockz e digo-lhe para se pirar. Mas há qualquer coisa que muda na minha voz quando lhe digo isso que me faz parecer um miúdo. A sua expressão transforma-se, esboça um sorriso malévolo e dá um passo na minha direção, de arma apontada.

— Vou enfiar-te isto pelo cu acima! — diz ele, e avança mais um passo. O meu pensamento começa a ficar todo toldado enquanto ele se aproxima. Só quero que a cabeça comece outra vez a funcionar. Parece que tenho uma bateria velha lá dentro e preciso de alguma coisa, de uma faísca, que a faça arrancar. A seguir, Kira grita do nada e a minha cabeça ganha vida. O motor volta a trabalhar, suave como um seis cilindros.

Disparo. Atinge-o algures no ombro e ele roda e cai no chão aos gritos. Tenho salpicos de sangue nos olhos. Mal consigo ver o que se passa até os limpar com a manga. Olho para baixo, para onde ele estava, mas já lá não está. Desapareceu, simplesmente.

Há uma pequena poça de sangue no chão, mas não está ali ninguém. Olho febrilmente à minha volta, mas não o consigo ver. Entro em pânico, esperando a qualquer momento que ele me ataque por trás. Continuo a procurar por todo o lado. A seguir, avisto-o finalmente e vejo-o ir a cambalear para o lugar de onde veio, atrás da ponte.

Agarro em Kira pelo braço e empurro-a para dentro do meu carro. Ponho-o a trabalhar. Tenho as mãos a tremer. O meu coração bate com tanta força contra as costelas que até parece que vai explodir. Faz tanto barulho agora que até me assusta. Consigo ultrapassar isso de alguma forma, engato o carro e arranco.

Estou na estrada. Sinto o sangue a ser bombeado pelo corpo e a latejar nos ouvidos. Olho para Ki e vejo a boca dela a abrir e a fechar-se, mas não ouço nada com o barulho que vai na minha cabeça. Deve ter sido do tiro. Ainda estou surdo por causa disso. Mas continuo a conduzir. A acelerar bem, pelo que vejo no conta-rotações, mas sem conseguir ouvir nada.

Continuo a andar, a guinar de início, mas passado um minuto ou dois a condução torna-se mais regular. Dobro a esquina, mas estou num beco sem saída. Faço inversão de marcha e volto a passar pela poça de sangue. Mas de onde vim? Vou um pouco mais longe, mas não consigo encontrar forma de sair daquele labirinto. De repente, cada curva leva-me a uma estrada que foi bloqueada com postes de ferro ou que foi transformada em zona reservada aos peões. Porra! Por fim, dou uma curva e descubro a estrada que me trouxe aqui e, quando dou por mim, estou a caminho de casa, com a minha miúda no carro.

Só estar a falar nisso agora traz tudo de volta. O meu coração está a disparar aqui, no tribunal. Porra! Eu sei, atenção à linguagem, mas aquilo foi mesmo assustador. Até nos vermos numa situação daquelas, não sabemos como vamos reagir. Podemos reagir bem, mas também podemos ficar paralisados, percebem? Podia ter-me acontecido naquele dia. Podia ter paralisado e, nesse caso, talvez tivesse sido o meu fim. Mas a vida não tinha acabado para mim, ainda havia capítulos por escrever e mais histórias para contar. Pelo menos, é assim que vejo as coisas.

Vou-lhes contar um segredinho. Antes de o despedir, o meu advogado disse-me para não contar esta história em circunstância alguma. «Porquê?», perguntei. «Porque não?» Ele disse que só ia provar que eu era culpado. Primeiro que tudo, provava que tinha uma arma. Em segundo lugar, provava que estava disposto a andar com ela. Em terceiro, provava que estava disposto a dispará-la sobre alguém. E em quarto, que era suficientemente esperto para escapar impune.

Aceito o argumento e tudo isso, mas acho que é um disparate. Não prova coisa nenhuma. Vocês já sabiam que eu tinha uma arma no meu apartamento. E toda a gente sabe que as pessoas não têm armas a menos que haja circunstâncias em que ponderem utilizá-las, caso contrário não valia a pena tê-las. Mas isto foi em legítima defesa. Aquele rapaz ia matar-me, com toda a certeza. Vi o nos seus olhos. Eu estava lá, vocês não. Tinha uma arma apontada à cara. Ainda consigo vê-la. Era bem real. Tinha-me matado e não teria havido ninguém para lhes contar. Desta vez, era a valer. Mas eu não o matei. Pelo menos, ninguém veio dizer que o matei. Se o matei, acusem-me disso. Também vou contestar esse.

Legítima defesa, sem tirar nem pôr. Mas não me acusem de ter matado um chavalo que não matei. Esqueçam essa merda!

Seja como for, agora já sabem a história toda. O meu advogado que me desculpe, onde quer que esteja. Tinha de contar. Era a única forma de explicar porque foi que a polícia encontrou os resíduos de pólvora no meu carro. Foi desse tiro, senhores membros do júri. Foi de ter dado um tiro àquele otário dos Glockz, e não a Jamil. Isso explica a maior parte da prova número cinco.

De qualquer forma, Kira estava em casa, mas não estava de maneira nenhuma segura. Na verdade, estava mais do que pensávamos, mas não sabíamos disso na altura. Na nossa maneira de ver, o maior perigo para ela era ela própria. O regresso a casa foi muito longo. Embora tivesse começado por se mostrar aturdida e aluada, não foi preciso muito tempo para se transformar numa maníaca. Começou a bater nas janelas e a gritar para que a deixasse sair. De início, não percebi. Qual era o problema? Não estava à espera de uma receção de herói nem nada disso, mas decididamente não estava à espera dos insultos que ela me dirigiu naquela altura. Mas a verdade é que a culpa era minha. Não tinha pensado nas coisas como devia.

Quando a encontrei, fiquei tão preocupado em descobrir como trazê-la que não tinha pensado no que fazer com ela depois de a ter comigo. Ia resolvendo as coisas conforme ia sendo preciso. Encontrá-la. Ah! Encontrei-a. E agora? Tirá-la de lá. Ah! Já tirei. E agora? Levá-la para casa. Não, não a leves para casa, porque esse é o primeiro lugar onde a vão procurar. É assim que a minha mente funciona. Em linha reta.

Kira pensava de forma diferente. Se o meu pensamento era um desenho a lápis de um boneco esquemático, o dela era um Miguel Ângelo. Ela tinha aquilo a que chamam perspetiva. E tudo o resto: cor, 3D, o pacote todo. Eu tinha uma cabeça grande e braços estilizados. Por fim, depois de a gritaria ter esmorecido e de eu ter conseguido persuadi-la a não abrir a porta do carro para tentar fugir de cada vez que eu parava num semáforo, ela disse-me o que lhe ia na cabeça. Se não estivesse lá quando fossem à procura dela, limpavam o sarampo ao irmão. Tão simples quanto isso.

Eu não tinha pensado nisso, nem por um segundo. Na minha cabeça, desde que ela fugisse daquele lugar, e deles, estava em segurança.

Para dizer a verdade, estava-me nas tintas para Spooks. Era um zé--ninguém, viciado em *crack*. Contudo, se tivesse pensado nisso antes, teria feito a mesma coisa, mas pelo menos estaria preparado para a reação de Kira.

Passado um bocado, consegui acalmá-la e levá-la até minha casa sem ela saltar do carro. Estava sempre a dizer-lhe «Tenho um plano, tenho um plano», embora não tivesse. Cabeça grande e braços estilizados, lembram-se? Porém, pelo caminho, pensei em algo que podia vir a ser um plano, mesmo que ainda não o fosse realmente.

— Ninguém sabe que fui eu que te trouxe, né? No que diz respeito aos Glockz, um homem qualquer, talvez um membro de um gangue, levou-te sob ameaça de arma sem outra justificação senão aborrecê-los.

Ela olhou em frente, para o para-brisas, e eu soube que me esperava um daqueles longos tratamentos de silêncio.

— E eu atingi um deles, não foi? Por isso, devem estar a pensar que foi coisa de gangues. Nenhum namorado teria tramado uma coisa daquelas. Para aquele tipo, eu era um cliente e dei-lhe um tiro porque ele estava a armar-se em esperto.

Ela olhou para mim e não disse nada.

Quando ela se remete ao silêncio, nunca se sabe o que lhe vai na cabeça, por isso acreditem quando digo que fiquei aliviado ao ouvi-la dizer, finalmente:

— Está bem, talvez tenhas razão.

Quando chegámos ao meu apartamento, preparei-lhe logo um banho quente. Até despejei um bocado de champô, para fazer espuma. Ela não queria entrar lá para dentro, mas acabou por fazê-lo depois de uma boa dose de persuasão. Era como se não tivesse energia para discutir comigo, o que, conhecendo Kira, era muito grave. Eu sabia que era grave. Ela fez-me esperar cá fora, enquanto tirava a roupa. Voltei passados uns minutos e bati à porta com uma chávena de chá.

— Põe-na aí fora. Eu vou buscá-la, depois.

Deixei-me ficar junto à porta, à escuta. Para ver se conseguia ouvi--la chorar.

— Posso entrar, Ki? — perguntei, por fim.

— Não — disse, por isso voltei para a sala e esperei, com a televisão desligada.

Quando ela saiu com o meu roupão vestido, parecia um bocadinho melhor. As suas faces continuavam coradas do calor do banho e o cabelo estava enrolado numa toalha. Parecia mais Ki e menos fantasma. Levantei-me para tentar tomá-la nos braços, mas ela repeliu-me e sentou-se com os joelhos encostados ao peito e os olhos pregados no chão.

— Ki — chamei.

— Dá-me só um tempinho — disse ela. E eu dei.

Os dias seguintes foram muito estranhos e um bocadinho irreais. Por um lado, ela estava de volta e, sempre que me lembrava disso, sentia-me invadido por uma onda de alívio. Por outro, quando olhava para ela, sentada a ler um livro ou simplesmente a ver televisão, a sua expressão fazia-me perceber que talvez ela não estivesse realmente de volta. Pelo menos, não no sentido de ser a mesma Kira que tinha voltado para mim. Ela não era a mesma. A Kira que tinha voltado para mim era diferente.

De vez em quando, tentava falar com ela, por exemplo quando lhe fazia um chá ou lhe levava uma sopa, mas ela não estava interessada. Sabia que lhe tinha de dar um tempo, mas a única coisa que eu via era a rapariga que amava a escapar-me entre os dedos, e quanto mais me esforçava por segurá-la, mais fugidia se tornava, até já não conseguir praticamente agarrá-la. Estava desesperado. Não sabia o que fazer. Eu não precisava de saber o que lhe tinha acontecido durante o tempo que estivera com os Glockz, mas precisava de saber se o que lhe tinham feito era algo que tivesse remédio. Mesmo que não fosse para já, talvez um dia, percebem?

A única coisa de que ela conseguia falar era de Spooks. Continuava aterrorizada, com medo que alguém, algures, lhe desse uma naifada por causa de ela ter desaparecido.

«Porque te ralas com ele?», disse-lhe eu uma vez, e ela respondeu simplesmente «Não faças isso!». Lançou-me um daqueles olhares e eu percebi que não podia tocar no assunto, para já.

Mais tarde, nesse mesmo dia, obrigou-me a prometer que ia tentar descobrir se o irmão continuava vivo.

— Está bem. Não te preocupes com ele, preocupa-te mas é contigo.

— Faz o que te peço.

— Eu vou passar uma mensagem, não te rales — disse-lhe.

Ela olhou para mim e dilatou as narinas.

— Está bem, eu vou vê-lo à prisão.

— E vais certificar-te de que ninguém vai à procura dele? — perguntou, de olhos arregalados.

— Vou lançar uns rumores nos sítios certos sobre um novo gangue que anda a arranjar sarilhos naquela área. Vou dizer que há um deles que tem causado problemas no norte. Quer mostrar que quem manda é ele e anda a meter o bedelho no território dos outros, a fanar-lhes as prostitutas. Não te preocupes. O merdoso do Spooks não vai ter problemas.

E foi isso que fiz. Ao mesmo tempo, certifiquei-me de que ninguém sabia que Kira estava comigo.

Bem, provavelmente isso não lhes parece assim tão difícil. Ela não é famosa. Qual a dificuldade de manter a sua presença em segredo? Bem, embora não seja famosa, não deixa de ter a sua reputação. Na verdade, toda a gente tem uma reputação. Há quem tenha boa e quem tenha péssima. Mas as pessoas da minha área conhecem toda a gente que lá mora. É como se tivessem a obrigação de conhecer. Sabem quem sai com quem; sabem se tal homem teve um filho de tal rapariga e quantos filhos tem de quantas raparigas. E acreditem que toda a gente repara numa rapariga como Ki. E não são só os homens. Na verdade, é mais provável que sejam as raparigas a reparar nela. Querem saber o que as outras raparigas andam a fazer, porque se alguma delas andar a fazê-lo perto dos seus homens, terão alguma coisa a dizer sobre isso. E Kira, como eu disse, era o tipo de rapariga que podia deixar as outras preocupadas só por aparecer.

Mas, de início, acabou por não ser assim tão difícil manter a sua presença discreta. Basicamente, ela não tinha vontade de sair. Sentava-se na minha sala a olhar para ontem. De vez em quando, pegava num livro, mas os seus olhos ficavam vidrados, como se a única coisa que conseguia ler fossem os seus pensamentos.

Passaram-se algumas semanas e as coisas com Ki não melhoraram. Continuava fechada na sua própria cabeça. Nessa altura, tentei tudo e mais alguma coisa para a fazer sair do seu casulo, mas nada resultou. Em desespero, disse à minha mãe o que se passava. Não lhe contei os pormenores todos, apenas que uns homens a tinham enfiado num carro. De início, a minha mãe passou-se, mas depois consegui acalmá-la um pouco. «Não podes contar a ninguém, mãe! Estou a falar a sério!», disse eu. Na verdade, eu não queria contar à minha mãe, mas não tinha mais ideias e ela, às vezes, tinha algumas bem boas. Mas o melhor que ela conseguiu fazer foi dizer-me que não me preocupasse, pois Ki apenas precisava de tempo para sarar.

Um dia depois de eu ter contado isto à minha mãe, ela ligou-me e disse-me que tinha marcado uma consulta para Ki.

— Fizeste o quê? O que te disse? Ninguém. Não podes contar a ninguém, mãe! O assunto é sério.

— Eu não contei a ninguém. Só disse à Blessing para marcar uma consulta no médico para a Kira. Por causa da depressão. Já para não falar do rapto e de todas essas coisas.

— Contaste à Bless? Mãe! — digo eu. Decididamente, não queria que ela falasse com Bless sobre isso.

— Claro que contei à tua irmã. Queres que tenha um colapso nervoso sozinha, meu tonto?

— Está bem, está bem. A mais ninguém, mãe. Estou a falar a sério. Nem a médicos, nem a amigos, nem ao pessoal da igreja. A ninguém — disse, e desliguei. Liguei imediatamente para o consultório e disse-lhes que tinha sido um engano. Sabe Deus quem a teria visto se ela lá fosse. Além disso, não tinha a certeza se queria que um médico descobrisse que o problema dela era ter sido raptada por um gangue e posta a «atacar» nas ruas. Era demasiado perigoso. O mais provável era o médico ter ligado à polícia, e eu não queria que a polícia aparecesse e pusesse luzes azuis sobre a cabeça dela, percebem? Por isso, pensei noutras maneiras.

Uma das primeiras coisas que fiz foi ir ao apartamento dela para lhe trazer algumas coisas. Alguma roupa, sim, mas sobretudo alguma coisa para ela ler. Kira precisava dos livros à sua volta. Eram como amigos para ela. Ou mesmo família. Eu sei que é estranho, mas as pessoas que gostam de livros são estranhas, acreditem.

Esperei até ser escuro, meti-me no *A3* e fui até lá. Estacionei um pouco afastado, mas suficientemente próximo para o carregar sem fazer demasiadas viagens. Enquanto ia até à porta, de repente tive um *flashback* e voltei ao dia em que tinha ido à procura dela. A porta continuava lascada na ombreira, de quando eu a tinha arrombado daquela vez, e a fechadura nova que eu tinha arranjado continuava lá, como uma surpresa esquecida. Mas tinha um ar deslocado. Era demasiado nova e não condizia com a pintura descascada da porta. A chave entrou sem dificuldade e rodou. De início, ainda pensei se alguém já lá teria estado à procura dela, mas a porta continuava fechada à chave. Parecia estar tudo bem. Entrei e acendi a luz, que inundou a sala.

Olhei à minha volta e estava tudo como eu me lembrava. Talvez houvesse alguma coisa que não parecia bem, mas não sabia dizer ao certo o que era. Os livros davam ideia de estarem todos como eu os tinha deixado. Não parecia haver nada de errado. Decidi que, provavelmente, era a minha cabeça a pregar-me uma partida e fui até ao quarto e comecei a amontoar a roupa nos sacos de lixo que levara comigo. Tinha acabado de encher dois sacos e estava a levá-los para a sala quando vi o que era pelo canto do olho. Junto à janela. A cortina fina parecia esvoaçar, mas eu sabia que não tinha deixado nenhuma janela aberta. Fui até lá, puxei a cortina para trás e vi que a parte de baixo da janela estava partida. Olhei para os meus pés e vi vidros por todo o lado. Merda!

Atirei rapidamente alguns livros para dentro de um saco e fui-me embora, trancando a porta atrás de mim. A seguir, fugi. Se alguém me visse, paciência. Não importava. Eu podia ser qualquer pessoa. Um familiar. Alguém que tinha ido simplesmente ver como estava tudo e buscar algumas coisas. Tanto fazia. Mas o que eu sabia era que aqueles homens andavam à procura dela. Isso não era bom. Entrei no carro e arranquei rapidamente.

Quando regressei nessa noite, o rosto de Kira iluminou-se um pouco quando viu os livros. A seguir, voltou a ensombrar-se. Aparentemente, eram os livros errados. Disse-lhe que ia lá voltar para lhe trazer mais livros, mas a verdade é que eu sabia que isso não ia acontecer. Não lhe falei no arrombamento. Não havia necessidade de preocupá-la ainda mais do que ela já estava.

Experimentei outras coisas que achei que pudessem ajudar. Umas tisanas de erva-de-são-joão e também uma porcaria chinesa, mas não serviu de nada. Esta era uma daquelas coisas que não respondia aos medicamentos. Ela nunca ia ultrapassar aquilo, da mesma forma que nunca conseguimos ultrapassar uma morte. O que acontece é que a dor se vai tornando mais antiga. É como uma luz que se vai extinguindo. Um dia, passados muitos anos, talvez a dor fique demasiado coberta de pó para a conseguirmos ver, mas continua lá. Só se torna mais difícil de ver.

Eu sabia que a única coisa que podíamos fazer por ela era deixá-la sarar, como a minha mãe dissera. Nas primeiras semanas, pensei que fosse demasiado tarde para ela, acreditem. Ela não comia, não dormia e estava pálida. Quando emitia algum som, era normalmente para chorar ou de vez em quando para gritar. Nesses momentos, sentia o meu coração a afundar-se. Nem sequer consigo explicar, meu. Era como uma dor muito funda, como se todas as minhas entranhas estivessem a desabar. Sentia-me como um edifício demolido a cair no chão, onde acabava de se desmoronar. Era como se o meu coração tivesse desmoronado do interior.

Em desespero, decidi falar com Bless sobre isso. Ela já sabia que se passava alguma coisa depois de falar com a nossa mãe, por isso achei que não seria o fim do mundo se falasse com ela. Peguei no telefone e liguei-lhe. Não tinha tempo para conversa fiada, por isso fui direto ao assunto.

— Ela está mal, mana. Não sei o que fazer para a trazer para fora da sua cabeça.

— D-dá-lhe tempo, simplesmente. Há de chegar lá por ela. Só precisa de algum t-tempo — disse Bless calmamente.

— Não me parece que o tempo vá resolver o problema, Bless. Quando muito, o tempo está a piorar as coisas — disse, pondo a mão em concha sobre o telefone, não fosse Kira ouvir-me na divisão ao lado.

— Talvez agora seja assim, mas daqui a uns dias ou s-semanas, ela vai ficar melhor. É como estar num túnel. Não sabes quanto tempo vai f-ficar escuro, mas se andares o suficiente, a luz acaba por aparecer.

Na altura, não sabia que Bless tinha razão, mas sabia que ela tinha algum conhecimento do que era estar em túneis, por isso aquilo deu-me esperança.

Mas aquilo com que eu não contava era que os túneis pudessem ser tão longos.

Foi um tempo em que ela quis pôr fim à vida.

Uma vez, pediu-me para o fazer por ela, e digo-lhes que o teria feito. A Kira estava a sofrer tanto que eu teria feito qualquer coisa para a libertar desse sofrimento. Se vocês a tivessem visto na altura, com os vossos próprios olhos; se a tivessem ouvido chorar enquanto dormia, garanto que também teriam pensado nisso. Teria ficado destroçado, mas estava disposto a fazê-lo por ela. Tê-la-ia assassinado só para a ajudar a deixar este mundo. Vocês não compreendem! Eu amava-a! Amava-a com cada célula do meu corpo. Tê-lo-ia feito num piscar de olhos.

O mais curioso é que o que a salvou, o que me salvou, foi ter visto um dia Jamil, o falecido, na estrada.

Pausa: 11:30

13

11:45

Sei que parece estranho o que disse antes do intervalo, isto é, que foi ter visto Jamil naquele dia que nos salvou. Mas é verdade. Foi o tal dia de que todos ouvimos falar, quando lhe chamei lixo. Ia a caminho de comprar comida e outras coisas para a minha mãe e para mim e Kira quando o vi.

Ele estava a conversar com duas raparigas quando olhou para mim. Como disse, conhecia Jamil apenas de o ver por ali e essas cenas. Não éramos amigos nem nada disso, mas conhecia-o para lhe dirigir um cumprimento de cabeça ou coisa do género. Portanto, eu ia às compras e ele estava ali na rua, a fazer o que era costume. Ignorei-o, como fazia habitualmente, mas ele, em vez de me ignorar como era costume, esticou o braço para me fazer parar. Puxou-me para o lado, para longe das raparigas, como se fosse partilhar um segredo. Começou por perguntar como eu estava e essas tretas, em amena cavaqueira, e depois, de repente, sai-se com esta:

— Ouvi dizer que a Kira está de volta. Onde a estás a esconder, meu? — pergunta-me ele com um sorriso enviesado.

A minha expressão passa de amigável a outra coisa. Lanço-lhe um olhar como se nem sequer o conhecesse e digo:

— De que estás tu a falar, meu? Não venhas para cima de mim com essas merdas! — Fico cara a cara com ele, para que saiba que nem sequer estou a chatear-me com ele

— Não, mano — diz ele, recuando um pouco. — Estava a falar por falar, só isso. Não é nada, meu. Não te preocupes.

Estou a entrar em pânico porque não sei o que ele sabe, se é que sabe alguma coisa. Ou talvez esteja apenas a fazer *bluff*.

— Então, para que estás a dizer disparates? — pergunto-lhe. — Sabes onde ela está? Viste-a, ao menos? — pergunto, furioso.

Ele olha para mim e dá ideia de se preparar para ir embora. Sinto que não quer começar uma briga por nada sem ter os seus homens com ele, para o protegerem.

— Não, mano! Tem calma! Estava só a testar uns rumores... Só isso. Mas está tudo bem, meu. Se dizes que não a tens, é porque não a tens, né? — diz ele e começa a andar na direção contrária.

— Não, meu, não está tudo bem. Não andes a dizer tretas sobre a minha miúda quando sabes que ando à procura dela.

Verdade seja dita, eu estava em pânico, mesmo em pânico. Não sabia como raio ele tinha descoberto, mas estava assustado. Enquanto se afasta, vira-se para me dirigir um sorriso tipo «sei muito bem o que andas a tramar». Antes de ele estar demasiado longe, grito-lhe «És um lixo!». E a seguir também me vou embora. Por muito que ele não queira começar uma briga ali na rua, a verdade é que eu também não quero. Mas não fazia ideia de que as palavras que disse na altura se iam virar contra mim mais de um ano depois e provocar tudo isto.

Não sei como ele sabia que Kira estava de volta, se é que sabia. Ela nem sequer tinha saído do apartamento desde aquele dia, debaixo da ponte. Depois, percebi de repente o que era. Desde que ela voltara, tinha deixado de procurá-la. Devia ser isso que ele estava a pensar. Que a única razão para ter deixado de procurá-la era tê-la encontrado. Senti-me mal com a dimensão da minha estupidez.

Tinha de tratar rapidamente do assunto. Fiz as compras e voltei para casa a correr, superpreocupado. Tinha a cabeça a mil. Sabia que se mais alguém acreditasse no que ele dizia, ou ouvisse simplesmente o que ele dizia, ia ter alguém a deitar-me a porta abaixo a qualquer momento. Decidi que precisava de fazer correr o boato que prometera espalhar: Kira tinha sido levada por um membro de um gangue, raptada sabe-se lá porquê. Qualquer coisa, desde que nada apontasse na minha direção. Também decidi que precisava de agir como se continuasse à procura dela.

Portanto, como disse, não fazia ideia de como Jamil sabia que Kira tinha voltado, se é que sabia. O Jamil estava metido naquela cena do gangue, por isso é possível que tenha ouvido dizer que ela desaparecera, mas nunca cheguei a saber. Sabia que ele fazia parte de um pequeno gangue chamado The Squad. Lembro-me que tinham passado por uma data de nomes, como Money Squad e South East Squad, até mesmo Flying Squad a certa altura, como se fosse tudo uma brincadeira. Mas, tanto quanto sabia, não era um gangue importante, como o Glockz. Eram apenas uns miúdos.

Descobri mais tarde, tarde demais, que o Squad tinha mudado nos últimos meses. Crescera e a coisa começara a ficar séria. Verdade seja dita, podia ter mudado, de qualquer forma. Provavelmente, com o tempo, teria acabado por se transformar num gangue de elementos a tempo inteiro. Mas o que os catapultou para a liga principal foi um golpe de pura sorte. Má ou boa, fica à vossa consideração. Mas chamem-lhe o que chamarem, essa sorte esteve ligada aos tipos que acabámos por conhecer como os Cotas.

Isto é difícil de perceber para alguém que está apenas a ver de fora. Os gangues e essas cenas não são como nos filmes. São complicados e têm regras que não fazem sentido para as pessoas de outros lugares. Têm história. Não aparecem do nada. Antes de um grande *gangster* chegar a essa posição, foi um pequeno *gangster*. E antes, ocupava o lugar mais próximo disso. Talvez pareça óbvio para uma pessoa como eu, mas não para vocês. Eu cresci a ouvir falar destas coisas. Faz parte do meu conhecimento local. Toda a gente à minha volta sabe disto. Mas, provavelmente, vocês não são da minha área por isso preciso de tentar esclarecer isto, pois há de ser importante, mais tarde.

Os Cotas eram tipo antigos traficantes de droga que foram presos nos anos oitenta e noventa por dez, quinze, ou mesmo vinte anos. Grandes nomes que tinham estado metidos em todo o tipo de cenas, incluindo armas e assaltos à mão armada.

Bom, os Cotas começaram a sair da cadeia mais ou menos nesta altura. Era estranho, mas estavam todos a sair mais ou menos ao mesmo tempo ou, pelo menos, era o que nos parecia. Todos os dias havia um nome antigo que aparecia na conversa. «Ah, soubeste do Cesar? Já está cá fora e anda à procura de um grupo.» Esse tipo de coisa. E a única coisa que tinham em comum, com exceção de serem Cotas, era quererem chegar ali e fazer algum papel. Dinheiro. Só que, desta vez, não queriam correr riscos, se possível. Por isso, não se importavam nada de pagar a uns chavalos para correrem o risco por eles e venderem a droga por eles. À comissão. Foi aqui que Jamil e os seus rapazes entraram. E foi assim que começaram a criar ligações.

Tornou-se sabido que JC se tinha associado a alguns desses Cotas. Não foi só o gangue se ter tornado conhecido por isso. Na verdade, foi *ele* que se tornou conhecido por isso. As pessoas começaram a conhecê-*lo*. Não se tornou exatamente famoso, mas um nome conhecido na nossa zona. E porquê? Porque se tornou no maior vendedor que aquelas ruas tinham conhecido. Não estou a falar como aqueles Cotas que andam com vinte quilos. Isso é diferente. Mas, como vendedor de rua, era uma *superstar*. Mas na altura eu não sabia disso porque, como lhes disse, não sou nenhum *gangster*.

Então, assim que caiu nas boas graças de um desses Cotas, JC passou de um chavalo que apenas estava interessado em intimidar outros miúdos a algo parecido com um homem de negócios. Num piscar de olhos, estava em todo o lado. Levava o material para todo o lado e não havia ninguém que estivesse interdito, nem mesmo os miúdos da escola.

Mas era mais do que isso. JC, o Jamil, era perigoso, qualquer pessoa com dois dedos de testa conseguia ver isso. Isto porque era organizado. A sua melhor ideia, que lhe valeu bom dinheiro e muito respeito, era ser moderno e sistemático. Se as coisas amainavam numa área, ele pegava nas suas pedras e vendia-as noutra. Entrava *online*, descobria todas as escolas e universidades num raio de oito quilómetros e corria todas, uma por uma. Fazia as escolas primeiro, para arranjar novos clientes, depois as universidades, e depois, mais ao fim do dia, ia até aos *pubs* e ao final da noite aos clubes noturnos. Quando as coisas estavam mais calmas, por exemplo no início ou a meio da semana, quando havia menos gente a frequentar os clubes, dava-se a conhecer nas casas de *crack* e começou a negociar aí. Tinha antros de droga por sua conta em toda a parte. Sabem? Aqueles lugares onde as pessoas podem consumir drogas sem serem incomodadas por ninguém; lugares onde havia uma data de clientes juntos que queriam todos a mesma coisa. Um antro de droga é uma merda perigosa, percebem? Mas isso levou a que, dentro de pouco tempo, conhecesse os pequenos traficantes e as prostitutas que por lá andavam.

As prostitutas eram um excelente negócio para ele. Usava a mesma tática que os Cotas usavam com ele. Dava uma pedra de graça às raparigas por cada vinte que conseguissem, e elas adoravam. Às vezes, as raparigas tinham clientes que queriam ação enquanto estavam a drogar-se. As raparigas conseguiam duplicar os seus lucros e ele conseguia subir cada vez mais. O rapaz era metódico, tenho de reconhecer. Corria até o rumor de que tinha até uma folha de cálculo no telemóvel. A sua lista de contactos era eletrónica. Isso era uma novidade para traficantes de rua. A maior parte tinha apenas uns bocados de papel com números escritos. Jamil tinha listas encriptadas. O rapaz era nova geração, percebem?

Por volta desta altura, começou a tornar-se audacioso e já andava por toda a cidade de Londres. Não me interpretem mal, continuava a ser um pequeno traficante, que lidava sobretudo com utilizadores, mas movimentava uma data de pedras. Os Cotas estavam espantados com o miúdo. Em maio, tinham-no lançado com dez pedras; em agosto, levava duzentas por semana e já conduzia um bólide. Disseram-lhe para ter cuidado para não ser apanhado, porque os chavalos com carros de cinquenta milenas tendiam a ser apanhados. Mas ele não se ralava com nada disso. Achava que tinha o seu gangue para o proteger e, ainda por cima, agora podia armá-lo.

Quando saía para fazer negócio, levava dois rufiões com ele e tinha sempre alguns a mais nas proximidades, à espera de uma chamada sua. Os seus homens mais importantes eram Shilo, que não passava de um capanga, e Binks, que era um atirador. Shilo era um filho da mãe desgraçado. Tinha o tamanho de um autocarro e um rosto que parecia feito de cacos: estavam todos colados, mas não estavam exatamente no sítio, se é que me percebem. Não falava muito, mas não era o tipo de pessoa que precisasse de palavras para fazer valer a sua opinião. O outro tipo, Binks, era completamente oposto, mas quando muito era ainda pior. Não conseguia estar de boca calada. Era magro, mas não podíamos tomar isso como sinal de fraqueza. Parece que, às vezes, era capaz de matar pessoas por pura diversão. Se alguém olhasse para ele de forma errada, havia boas hipóteses de ele sacar da arma. Provavelmente, uma *Baikal*, né?

Desculpem. Eu sei. Piada de mau gosto. É da tensão em que estou, com todos vocês a olhar para mim.

De qualquer forma, embora não soubesse disso na altura, mais ou menos ao mesmo tempo que Kira foi levada para o lado norte, Jamil e os seus rapazes começaram a fazer incursões a sério nessa área. Foi apenas uma coincidência. Se tivesse sido um mês antes, era possível que nada disto tivesse acontecido. Quer dizer, era capaz de ainda estar vivo hoje. E era disso que o meu advogado não queria que eu falasse, porque a verdade é que sei o que aconteceu a Jamil, mas não fui eu que o matei. O meu advogado disse-me que não era assim que trabalhava e que, mesmo que fosse verdade, não devia dizer isto. Mas tenho de fazê-lo, não é verdade? Para lhes fazer ver o que vi e sentir o que estou a sentir, certo?

Seja como for, Jamil mudou-se para os territórios do norte e começou a bombar como se estivesse em saldo. Foi um passo audacioso, porque o norte gostava tanto de ver estranhos na sua área como o sul. E os Glockz não tardaram a reparar nele.

Tinham ouvido histórias de haver uns tipos que andavam a invadir o seu território, mas ainda não os tinham visto com olhos de ver. Normalmente, quando um pagão, isto é, o membro de um gangue rival, como já lhes expliquei, invade a área de outro gangue, apregoa o facto o mais que pode. Faz um grande estardalhaço. Identifica a rua com grafítis por todo o lado. Dá a conhecer o seu nome. Quer ser notado. Para aquele tipo de gangues, a reputação é tudo. Mas Jamil era diferente. Como disse, era um tipo esperto. Quando ia para novos territórios, não dizia a ninguém quem era nem de onde vinha. Se alguém a quem estivesse a vender pedras pensasse que ele era só mais um elemento dos Glockz, alinhava na história. Mas, acima de tudo, ninguém fazia perguntas e ele não dizia nada a ninguém; só queriam a sua dose. Na verdade, metade das pessoas que ele fornecia, se lhes perguntassem, diriam que Jamil era dos Glockz. Perguntem-lhes, se quiserem, ou então a polícia que pergunte. Jamil também se estava nas tintas para isso. Ter-lhes-ia dito que era Bloods ou Crips, se isso o fizesse vender mais.

Até agora, não tinha sido apanhado pelos elementos do Glockz porque trabalhava em lugares devidamente escondidos. Ia a antros de droga desviados, a que as outras pessoas não iam. Tal como fazia no sul, ia às escolas e às universidades. E depois, quando estava a começar a ficar na mó de cima, voltava para o seu território no sul e recomeçava a traficar aí até a poeira assentar. Por isso, não me devia ter surpreendido que quando o vi, naquele dia, ele soubesse de Kira. Aquele sacana tinha ouvidos em todo o lado.

Depois de o ter visto, fui para casa e sentei-me na cama, a pensar no assunto. Era muito sério. A forma como via as coisas era a seguinte: se um dia Jamil fosse apanhado pelos Glockz e o começassem a ameaçar, a única coisa que ele tinha de fazer era começar a falar sobre Kira. «Sei onde está Kira, a puta que os envergonhou. Se me soltarem, entrego-a, blá-blá-blá.» Nessa altura, não levariam muito tempo a mandar um exército para rebentar com as nossas portas. Nem sequer precisavam de razões palpáveis. Provavelmente, tê-lo-iam feito só com base na sua palavra, só para se vingarem depois de Jamil ter invadido o seu território. Vieste para o norte, nós vamos para o sul. Só precisavam de um empurrãozinho.

Depois de horas a matutar naquilo, descobri o início de um plano. E não, caso estejam com dúvidas, o meu plano não era dar-lhe um tiro na cabeça.

Pausa para almoço: 13:05

14

14:15

De qualquer forma, precisava de ir ver Spooks, o irmão de Kira, porque lhe tinha prometido que ia ver se ele estava bem. Sabia que ia conseguir vê-lo com bastante rapidez, pois ele nunca tinha visitas. Kira adorava-o, mas nunca teria ido a uma prisão para ver o irmão, sabendo que ele ainda lá ia ficar durante anos. Não, talvez o amasse demais para o ver assim. Porque o amava é que eu gostava que alguém me dissesse.

Mas acontece que Spooks não estava com disposição para me dar uma A.V., uma autorização de visita a partir da cadeia, mas ainda tinha resquícios de uma consciência que se ia tornando mais forte à medida que ele ficava mais limpo de drogas. Sabia que a irmã andava por aí e que alguém a levara logo a seguir a tê-la vendido. Isto causava-lhe uma dor indizível, mas até agora tinha conseguido convencer quem lhe perguntava que não fazia ideia do seu paradeiro. Os Glockz não estavam interessados nela por razões pessoais. Só não podiam dar a ideia de que a tinham perdido para outro gangue, além de que havia sempre a possibilidade de ela dar informações sobre eles, por isso estavam desesperados por encontrá-la.

Mas, com o passar do tempo, esses rapazes estavam a tornar-se cada vez mais agressivos. Tinham a certeza de que Kira o contactara e estavam a começar a ficar nervosos com ele. Depois, quando eu lhe escrevi a dizer que tinha uma coisa para lhe contar sobre Kira, concordou em enviar-me a A.V. Parecia não conseguir ser rápido o bastante.

Por isso, lá estava eu uns dias depois à frente dele, numa cadeia. Bandidos por todo o lado. Alguns eram mais ou menos famosos. Não no sentido de vocês os conhecerem, mas pelo menos eu e as pessoas com quem cresci conhecíamo-los. Havia um tipo que tinha queimado a própria mãe. Havia uma família de primos e sei lá que mais que estavam todos dentro, cada um com uma acusação de homicídio às costas. E depois havia Spooks e outros como ele. Uns drogados que as pessoas conheciam, mas para quem se estavam nas tintas.

Ele já estava sentado à mesa quando finalmente acabei de ser revistado e essas cenas. Vestia um colete cor de laranja e estava todo curvado. Fui ter com ele, cumprimentei-o com a cabeça e ele retribuiu. Digo-lhes uma coisa: sendo um drogado de metro e oitenta, escanzelado e a cheirar a velho, parecia-se de forma bizarra com Kira. Não sabia dizer exatamente porquê. Talvez fossem os olhos ou alguma coisa no rosto, mas o que quer que fosse eu não estava à espera e deixou-me um bocadinho enervado.

— Vou direito ao assunto, mano, tem que ver com Kira — digo, olhando diretamente para ele.

— O que sabes sobre ela? — diz ele, levantando a cabeça.

— O que sabes? — perguntei.

— Não sei nada, meu. — Começou a mexer-se desconfortavelmente no lugar e a coçar os braços de uma forma que me deu comichão.

— Bem, eu sei alguma coisa — disse. Ele olha para mim, subitamente desperto.

— O que sabes? Mano, se sabes onde ela está, é melhor dizeres-me.

— Sei que a vendeste a um maldito gangue. E sei que aquele homem a levou. O que quero saber é onde posso encontrar esse rapaz.

E ele diz blá-blá-blá, não vendi a minha irmã, meu, não foi nada assim, blá-blá-blá. A seguir, alguma coisa faz um clique no seu cérebro devastado pela droga e ele toma consciência do que acabei de dizer.

— Espera lá! Disseste que queres saber onde podes encontrar «esse» rapaz. Quer dizer que sabes quem a levou? — pergunta, de olhos arregalados.

— Sim — digo. — Só não sei onde para esse cabrão!

— Quem a tem, mano? Isso é importante — diz, inclinando-se para mim de tal forma que consigo cheirar-lhe o hálito.

— O quê? — digo, afastando-me dele. — Quer dizer que nem sequer sabes quem a tem? Nesse caso, por que raio estou aqui a falar contigo?

— Mano, tens de me dizer. A sério, meu! — diz, e agora os seus olhos percorrem toda a sala.

— Por que diabo hei de dizer-te alguma coisa? — pergunto, e faço menção de me ir embora. Ele segura-me o braço e imobiliza-o sobre a mesa. Tem um olhar assustado e agora dá para ver que está a pensar. As engrenagens estão a trabalhar lentamente, mas lá vão girando.

— Escuta, mano, admito. Sim, fiz uma coisa errada. Mas posso safá-la, só precisas de me dizer quem a tem. Quem a levou?

— Porra, meu! — digo, e liberto o braço. Ele está a começar a tremer da tensão e a única coisa que tenho de fazer é deixá-la aumentar um pouco mais. Por fim, bato com uma mão na mesa, como se estivesse farto daquilo tudo.

— Provavelmente, ias descobrir de qualquer forma — digo. — Surpreende-me que ainda não saibas. Foi um rapaz somali. Um otário chamado Jamil.

— Jamil? Nunca ouvi falar de nenhum Jamil. Quem diabo é ele?

Olho para ele durante muito tempo e dou a entender que não lhe vou dizer mais nada. A seguir, esfrego os olhos e digo:

— Se podes recuperá-la, trata disso, Spooks!

— E trato, podes crer que sim — diz ele desesperado — mas tens de me dar pormenores. Quem é esse louco?

— É um chavalo que dirige o seu próprio gangue. Começou a traficar no norte de Londres. Chamam-lhe JC. Vê se o apanhas, Spooks, caso contrário a culpa é tua — digo. E depois vou-me mesmo embora.

A caminho de casa, faço um telefonema rápido a Bless.

— Olá, mana. Sou eu. Como está a mãe?

— T-tu sabes, o costume. Doida. Como está a Kira?

— Com saudades tuas, acho eu. É difícil dizer. Está um bocadinho melhor. Preocupada. Não sei — digo, sem saber o que estou a tentar dizer.

— D-deviam vir a casa da mãe. Aparecer, nem que seja por uns minutos.

— Sim, mas não posso fazer isso neste momento. Talvez daqui a duas semanas, quando as coisas estiverem um bocadinho mais calmas — digo. Bless não diz nada e eu sinto necessidade de preencher os espaços. — Então, o que se passa contigo?

— Nada. Fui d-despedida — lá acaba por dizer em voz baixa.

— Merda, Bless! Que diabo aconteceu?

— S-sabes a Malaika? Aquela que tem uma data de irmãs mais novas? Vi-a guardar uns b-batons na mala.

— E? — pergunto, intrigado.

— E a gerente deu pela falta de uns quantos quando fez o inventário.

— Sim, e?

— E eu d-disse-lhe que tinha sido eu.

— Porque foste fazer isso, Bless? — digo, chocado.

— Não queria que ela perdesse o emprego.

— Merda, Bless! — Mas não estou surpreendido. Não mesmo. Este é o tipo de coisa que ela faz. Uma vez, quando éramos miúdos, lembro-me que a minha mãe estava a ralhar com ela por não ter arrumado o quarto. Nesse tempo, a minha mãe tinha grandes acessos de cólera. Agora, se olharem para ela, já não vão ver nada disso, pois acalmou com a idade. Mas, na altura, era como uma bomba antiga. Explodia sem aviso, se é que me percebem.

Bem, eu estava a brincar no meu quarto e a única coisa de que me lembro é de ouvir a minha mãe aos gritos no quarto de Bless. Esgueirei-me do meu quarto e fui espreitar pela frincha da porta. Estou aterrorizado, mas tenho para aí uns dez anos, por isso quero saber o que se passa. Bless deve ter uns oito anos, por isso isto foi muito antes do que ele lhe fez. O pai estava fora, num dos seus truques de desaparecimento habituais, por isso éramos só nós os três. A minha mãe estava a gritar feita louca com Bless, que estava especada, de olhos pregados no chão, com as lágrimas a rolar-lhe pelas faces. A minha mãe estava a dizer: «Mas para que é que tu serves, minha estúpida? Estou a trabalhar o dia inteiro. Ainda tenho de fazer o jantar para vocês, filhos ingratos, e nem sequer têm a decência de arrumar as vossas coisas? Porque ainda aí estás, miúda? Vai tratar disso, e é já!»

Quando a mãe sai do quarto, volto a correr para o meu, para ela não me ver. Depois, passados para aí dois minutos, Bless vem direita ao meu quarto, com as marcas das lágrimas no rosto. Penso para com os meus botões que é melhor ela despachar o que tem a fazer antes que a mãe volte, e começo a arrumar as minhas coisas. Mas o mais estranho é que ela começa a arrumar o meu quarto comigo. Nessa altura, antes que eu possa dizer alguma coisa, a mãe volta a subir as escadas, entra no meu quarto e está furiosa! Começa a descarregar em Bless. «Sua estúpida! Para que estás a arrumar o quarto do teu irmão quando ainda nem sequer trataste do teu, hein? Será que és atrasada mental? Não tens a inteligência que Deus te deu?» E depois puxa-a pelos bracinhos magros para fora do meu quarto e leva-a novamente para o dela. Mais tarde, depois de as coisas acalmarem um bocadinho, vou à procura de Bless, que está sentada calmamente a um canto do quarto, a brincar com o cotão que estava na alcatifa. Vou ter com ela e toco-lhe ao de leve com o pé. «Não te percebo, mana, porque foste arrumar o meu quarto quando sabias que isso só a ia deixar mais zangada?» E ela olhou para mim com uma expressão que nunca esquecerei e disse: «Ela já estava zangada comigo. Não queria que também se zangasse contigo», disse, e virou-me as costas para catar o cotão na alcatifa.

— Bless! És demasiado boazinha para teu próprio bem, mana! Tens de te saber defender — digo agora para o telefone.

— Não faz mal. De qualquer forma, eu t-também não gostava de lá estar. Não te preocupes. Beijinhos à Kira — diz, e eu termino o telefonema.

De certa forma, apesar de o que tinha acontecido com Bless ser horrível, uma parte de mim sentia-se satisfeita por estar a pensar noutra coisa. Quando já estava mais perto de casa, o meu pensamento voltou à minha própria vida e à visita que fizera a Spooks. Nesse dia, acreditava, mas acreditava mesmo, que o meu plano era capaz de resultar. Era perfeito, em muitos aspetos. Ali estava aquele pobre idiota do sul a provocar todo o tipo de problemas aos gangues do norte. A roubar-lhes os clientes. A traficar em território alheio. Devia ser o suficiente para encerrar o assunto. Com Spooks lá dentro a dar informações ao seu gangue cá fora sobre o paradeiro da irmã, o caso ficava resolvido num instante. Sinceramente, não deviam passar mais de cinco minutos até terem abatido esse rapaz. Nem sequer importava ele não saber onde ela estava; era suficiente ter andado a fazer ondas no território de figurões. Era razão suficiente para eliminar o rapaz e eu não me teria sentido mal com isso, nem pensar.

Jamil estar morto não é mau. Nem mesmo agora, com tudo o que aconteceu, penso de forma diferente. Ele era mau, acreditem, era um lixo, mas isso não significa que tenha sido eu quem lhe limpou o sarampo. Mas a verdade é que, na altura, desejei que os Glockz o matassem. Não posso mentir e dizer que não, porque só estou a contar verdades, mas isso não significa que tenha sido eu quem o fez.

Pausa longa: 15:50

NO TRIBUNAL CRIMINAL CENTRAL T2017229

Perante: MERITÍSSIMO JUIZ SALMON QC

Alegações Finais:

Julgamento: 32.º dia

Sexta-feira, 7 de julho de 2017

COMPARÊNCIAS

Pela Acusação: C. Salfred QC
Pelo Arguido: O próprio

Transcrito de um registo áudio digital por
T. J. Nazarene Limited
Estenógrafos Judiciais e Transcritores Certificados

15

10:05

Bem, durante a noite estive a pensar no que lhes disse ontem.

É curioso de certa forma, quando penso sobre isso. Porque se foi gente do Glockz que matou Jamil, podem dizer que eu fui o murmúrio que iniciou o grito que acabou com ele morto. Foi a minha teia que o apanhou e o estrangulou. Fui eu que espalhei a notícia de que tinha sido Jamil que levara Kira, mas tinha de fazê-lo para a manter em segurança, percebem?

Por isso, o que lhes devia dizer agora é que, por causa do que disse a Spooks, devem ter sido os rapazes do Glockz que mataram Jamil, para se vingarem. Caso encerrado. Adeus, tenham uma vida boa e espero nunca mais voltar a vê-los.

Não lhes vou mentir. Durante a noite, pensei para comigo, sabes que mais? Mantém-te fiel ao plano, torna as coisas fáceis e simples para toda a gente. Vão ver o que lhes disse em tribunal, quando estava a prestar depoimento: que a única coisa de que sou culpado é de amar tanto Kira que tive de criar um boato. Que não tinha absoluta certeza, mas que provavelmente tinham sido esses rapazes que mataram JC.

Mas depois pensei que, se continuar a não lhes contar a verdade agora, como sei se acreditam em mim? Se mentir, talvez perca a minha única oportunidade de os deixar ajuizar o que realmente aconteceu. Por mais negro que isto seja, parte de mim tem esperança de que, mesmo sabendo toda a verdade, possam fazer o que está certo.

E talvez seja melhor ir ao fundo pela coisa certa do que safar-me pela errada. Vou ter na mesma de viver com isso, não é verdade?

No início das minhas alegações, falei-lhes sobre a outra coisa, a coisa que me pode matar assim que deixar esta sala. Acho que sempre soube que tinha de lhes falar sobre ela. E digo-lhes que estou apavorado só de pensar em contar-lhes. Mas o que me impede? Não tenho advogado para me dizer o que preciso de fazer. Ele não está aqui, para turvar o vosso pensamento e o meu com as suas palavras. São só vocês, eu e a verdade. E este fantasma de uma mentira a pairar sobre as nossas cabeças. Mas acho que deixei, finalmente, de acreditar em fantasmas.

Esta é uma decisão difícil para mim, percebem? Porque calculo mais ou menos o que vão pensar e, tanto quanto sei, eram capazes de acreditar em mim se tivesse ficado de boca calada sobre a outra cena.

Por outro lado, são capazes de ter saído daqui, pensado detalhadamente sobre isto e dito: «E aquela outra coisa? Ele não falou disso.» E depois toca de me declarar culpado. A questão é: posso correr esse risco? Não me parece. A meu ver, esta é a minha única hipótese e, no fim de contas, é a minha vida que está em jogo. Isto é difícil, meu. Merda! É porque, acreditem, se lhes contar esta outra coisa, isso é capaz de me fazer parecer ainda mais culpado, percebem? Merda!

Está bem... Escutem, sim?

Umas semanas depois de me ter encontrado com Spooks, estava em minha casa com Kira. Por essa altura, ela estava a começar a ficar um bocadinho mais animada. Sentia-se melhor, agora que sabia que eu tinha estado com o irmão e que ele continuava vivo. Além disso, disse-lhe que a poeira tinha assentado e que os Glockz já não estavam interessados nela.

— Para eles, és apenas mais uma rapariga, né? — disse-lhe. — Eles têm dúzias de raparigas aqui, ali e em todo o lado, e agora até têm a sua própria casa de *crack*, por isso já não andam à procura desse tipo de rapariga. Querem raparigas para preparar a droga e essas coisas. Agora, andam a produzir. Desde que te mantenhas longe do seu radar, acho sinceramente que eles não vão querer saber de ti para nada.

— E Spooks? Como é que ele estava quando o viste? — perguntou ela, baixinho. Nessa altura, de repente, batem à porta com toda a força. Merda! Comecei a bater as «asas», como um frango agarrado. O meu primeiro pensamento foi: são os Glockz! Vieram buscá-la. Aquele otário do Jamil já abriu a boca. Merda! Onde posso escondê-la? Não há sítio nenhum. A minha casa é do tamanho de uma cela de duas pessoas.

Bam! Bam! Bam! Corro para a cozinha e procuro a arma que lá tinha escondido. Encontro-a. Continua carregada, mas pelo menos sei que funciona por causa do tiro que dei àquele rapaz em King's Cross. Voltam a bater à porta.

Bam! Bam! Bam!

Enfio a *Baikal* à cintura. Kira entrou em choque e começou a balouçar-se sobre a cama. Agarro-a pelo braço, ponho-a na casa de banho e fecho a porta. Digo-lhe para a trancar e ela deve ter saído daquele torpor tempo suficiente para o fazer, pois ouço o clique do trinco. Bam! Bam! Bam! Agora ainda com mais força.

— Não abras a porta, aconteça o que acontecer — digo através da porta da casa de banho. Não sei se ela me ouve ou não.

Bam! Bam! Bam! A seguir, ouço alguém gritar alguma coisa, mas não consigo perceber o quê. Vou até à porta. Sinto o coração disparado. A porta não tem óculo, por isso nem sequer sei quantos são. Mas se não fizer nada, de certeza que vão deitar a porta abaixo e estamos arrumados. Merda! Decido abrir rapidamente a porta. Se for mais do que um, volto a fechá-la e saco a arma. E se for só um? Se for só um, talvez... não sei. Logo decido.

Abro rapidamente a porta, o tempo suficiente para dar uma vista de olhos e voltar a fechá-la. É um homem enorme. Por um segundo, penso que é Shilo, o capanga de Jamil. A seguir, ouço chamar pelo meu nome.

Pausa: 11:00

16

11:10

— Por amor de Deus, abre a porta, meu! Sou eu, o Curt!

Abro a porta. Ainda estou ofegante, mas não tanto como antes.

— Merda, meu! Enganaste-me bem! — digo, e ele entra sem pedir licença. — O que andas a fazer por aqui? Perdeste-te? — pergunto, agora meio a rir, mas ainda confuso por vê-lo ali.

Ao passar por mim, sinto os músculos do seu corpo a roçarem pelo meu. O homem é uma autêntica muralha!

Senta-se à mesinha da cozinha/casa de jantar e curva-se sobre ela quando o faz.

— Mano, o assunto é sério. Precisamos de conversar — diz, erguendo as sobrancelhas.

— Claro. — Fecho a porta e sento-me à frente dele. — Que se passa?

Ele baixa os olhos por um segundo e depois fita-me olhos nos olhos.

— Eles querem-na de volta, mano. Tens de abrir mão dela.

— A Kira? Mano, o que raio te faz pensar que sou eu que a tenho?

Ele não diz nada.

— Foi o JC? Esse tipo é só tretas. Não acredites em nada do que sai daquela boca — digo, abrindo os braços.

— Nesse caso, diz-me onde ela está — diz ele sem mexer um músculo.

— Como raio hei de saber onde está? Eu é que andava à procura dela — digo, e levanto-me da cadeira. Tento agir com naturalidade, mas não sou nenhum ator.

— A única coisa que sei, mano, é que ela desapareceu e eles querem-na de volta. E se lhes disser que não a tens, não vão acreditar na minha palavra. Vão à tua procura e começar a fazer perguntas. — Continua sem se mexer.

— Que perguntas?

— Do tipo: és *gay*?

— O quê? — digo, voltando a sentar-me na cadeira, à frente dele.

— Bem, se não és *gay*, porque é que a tua casa cheira ao balcão da perfumaria do Selfridges? — pergunta, olhando-me novamente nos olhos.

Respiro fundo e penso se conseguirei safar-me. Nessa altura, ouço uma voz atrás de mim.

— Tudo bem. Estou aqui.

Viro a cabeça e é Kira, que está à porta. Está a abraçar o corpo, mas os seus olhos parecem de aço.

— Tu não vais a lado nenhum — digo, e nessa altura olho Curt nos olhos. — E tu também não, mano, pelo menos até resolvermos isto. — A seguir, tiro a *Baikal* para fora e ponho-a em cima da mesa.

— Que raio vem a ser isto, meu? — diz Curt. — Estás a mostrar-me uma arma? Perdeste o juízo, mano?

— Não posso deixar-te levá-la, Curt. Não posso fazer isso — digo, e sei que ele pode ver pela minha cara que estou a falar a sério.

— Não vale a pena perderes a vida por causa disto, meu! Ela sabe disso. Deixa-a ir.

— Não.

Curt levanta-se com um suspiro, vai até ao meu frigorífico e tira uma cerveja. Volta a sentar-se, levanta a tampa com os dentes e dá um longo gole.

— Ela vai ficar bem. Vão tirá-la da rua. Só querem que ela trabalhe na casa de *crack*.

— Estás a brincar comigo? Ela não vai ser criada de ninguém — digo, e olho para Ki, para a tranquilizar. Ela começa a abanar lentamente a cabeça.

— Prefiro andar nas ruas. Nunca mais volto a preparar droga para ninguém. Nem pensar — diz ela, lívida.

Agarro Curt pelo braço gigantesco e olho diretamente para ele.

— Não. Muda de ideias, está bem? Precisas de um plano B porque o plano A não pega — digo. — E, de qualquer forma, que diabo te importa o que lhe acontece? Tu não és Glockz a sério! O que tens que ver com isso?

— Eles vêm aqui um dia destes, mano, e nem sequer te vou mentir: eles estão pior do que estragados. Se virem que tu ou ela estão aqui, vão incendiar o bairro inteiro, acredita!

Respiro fundo outra vez e olho para Kira.

— Nesse caso, precisamos de um novo plano A. — Levanto-me e fecho a porta da rua à chave.

Fizera muito bem em passar a mensagem de que Jamil tinha Kira, mas o problema é que o tinha subestimado. Jamil fazia tanto negócio para os Cotas que era agora, de longe, o seu melhor homem. Ele e os seus dois rapazes distribuíam mais produto do que gangues inteiros. Voltava lá todas as semanas com encomendas cada vez maiores. E pagava sempre à vista, percebem?

Bem, isto pode não significar grande coisa para vocês, mas para um traficante, o pagamento é tudo e, acreditem ou não, nem toda a gente paga. Deixem-me tentar explicar isto... Se andassem a passar dez quilos de produto em fardos de quilo, era provável que lhes pagassem noventa por cento das vezes. E os dez por cento que talvez não recebessem eram por terem sido roubados ou «coletados» por alguém ainda mais bandido do que vocês pensavam ser.

Se andassem a passar droga em doses de vinte gramas, era provável que só lhes pagassem cerca de sessenta por cento das vezes. Porquê? Porque quarenta por cento das vezes, os chavalos a quem vocês davam a droga para vender, fumavam-na. Nesse caso, a única coisa que podiam fazer era puni-los, mas isso não fazia com que recebessem o dinheiro. Só os deixava zangados. Mas o lado positivo era que, se passassem a droga aos gangues em doses pequenas, o vosso lucro era tipo trezentos por cento, em vez dos cinquenta por cento que podiam conseguir a negociar por atacado. Estão a acompanhar?

O que se passava com Jamil era que comprava em doses de vinte gramas, de início, mas não levou muito tempo a comprar um quilo inteiro. Mas ainda acontecia outra coisa: estava a comprar em quantidades maiores, mas continuava a pagar preços de vinte gramas.

Está bem, isto deve parecer confuso.

Basicamente, o que precisam de saber é que ele comprava pedra suficiente para a conseguir a um terço do preço, mas pagava o preço total. Acham que faz sentido?

Portanto, ele comprava um quilo, mas pagava como se não estivesse a comprar por atacado, sem pedir nenhum desconto. Era de loucos. Porque havia de fazer uma coisa dessas? Porque, como já lhes disse, ele era inteligente.

Cá fora, dizia que se estava um bocadinho nas tintas para o facto de ganhar cinco milenas por semana ou dez milenas por semana. Para ele, eram tudo trocos, dizia. Depois de comprar um carro, alguma roupa e uns quantos relógios ou coisa do género, havia pouca coisa que ele pudesse fazer com mais dinheiro. Não podia pô-lo num banco porque as pessoas iam querer saber onde o tinha arranjado. A única coisa que podia fazer realmente com ele era encher os cofres que tinha. O resto estava simplesmente escondido, literalmente debaixo do colchão.

Verdade seja dita, ele estava apenas a esperar pelo momento certo. Era o que não se cansava de dizer a quem o quisesse ouvir. Estava a criar os contactos e a estabelecer-se, para poder fazer as coisas como devia ser quando chegasse a altura. Por agora, aquilo de que mais precisava era de proteção. Sabia que estava a pagar dinheiro a mais por cada quilo que comprava. Também sabia que isso significava que, para os Cotas, era uma espécie de galinha dos ovos de ouro. E sabia que isso significava que era praticamente intocável. Significava que estava protegido.

Bem, pode parecer estranho ouvir dizer que ele pagava o dobro do que devia. Mas, na verdade, não estava a perder dinheiro. Continuava a cortar a droga, isto é, a diluí-la, e vendia a preços de retalho, por isso ainda tinha uma margem de lucro. Mas, para ele, valia a pena pagar o dinheiro extra por causa das pessoas a quem o pagava. Isso dava-lhe a proteção adequada. Ninguém ia meter-se com ele, se fosse o principal comprador dos Cotas.

Isto significava que sempre que Jamil se deparava com alguém que não conseguia enfrentar sozinho, e por sozinho quero dizer com os seus capangas Shilo e Binks, podia pegar no telefone e chamar os «tanques» dos Cotas. Isto punha-o numa categoria diferente. Enquanto o melhor que os outros podiam fazer, se estivessem em apuros, era chamar os seus homens e provocar uma pequena briga entre gangues, Jamil podia intimidar um gangue, sem sequer ter de chamar ninguém. Isto porque ele sabia, tal como qualquer pessoa que se atravessasse no seu caminho, que, caso chamasse os Cotas, eles iam resolver o assunto à maneira antiga.

Talvez precise de lhes explicar isto um bocadinho melhor, se não souberem como as coisas são. Há uma grande diferença entre um gangue constituído por rapazes que andam à luta com facas no parque e um gangue de homens.

Num gangue de rapazes, alguém vos enfrenta e talvez lhe deem uma facada. Depois, ele volta para o seu gangue e este vem atrás do vosso. Quando o encontra, há uma rixa. Toda a gente leva uma boa sova e a seguir vai para casa. Com menos uns dentes ou dedos, ou um dos seus elementos, se tiverem muito azar. Não me interpretem mal, não deixa de ser assustador. Não iam querer estar no meio de uma coisa dessas, porque as pessoas levam espadas, facas de mato e até revólveres para essas cenas. E as pessoas magoam-se mesmo. É coisa séria.

Mas com os Cotas a história era outra. Estamos a falar de homens que, como já disse, tinham estado na prisão durante muito tempo e conheciam os cantos à casa. Homens por cujas mãos tinham passado centenas de milhares de libras em dinheiro vivo. E quando alguém ia ter com eles e tentava confrontá-los, sabiam que não era por causa de uma rixa sobre quem tinha chamado cabra à mãe de quem. Se acontecesse, ia ser para lhes roubarem tudo: drogas, dinheiro, armas. E quando alguém vinha atrás daquilo que os tinha feito passar dez anos na choça, dez anos da sua vida, eles não iam dar-lhe simplesmente uma facada. Nem pensar. Estes tipos iam torturá-los.

Não iam pensar duas vezes se haviam de os matar ou não. Nem uma... E, acreditem, se a mãe, avó ou irmã dessas pessoas estivesse no seu caminho, matá-las-iam também. Estes tipos não são os Krays. São homens verdadeiramente durões, capazes de vos matar a mãe. E, para eles, Jamil era um enorme saco de dinheiro e um enorme saco de drogas juntos num só. Nunca iriam deixar um bando qualquer dar cabo do seu tesouro.

Por isso, quando comecei a espalhar o boato de que tinha sido Jamil que levara Kira, mesmo que os Glockz quisessem, não tinham coragem para fazer nada. Não podiam tocar no Jamil. Estava completamente protegido. Mas o verdadeiro problema não era esse. Eu não precisava que eles *fizessem* nada em relação a isso, só precisava que *acreditassem*. Se *acreditassem* que Jamil a tinha levado, podiam ficar irritados e depois esquecer o assunto. E, acima de tudo, podiam parar de procurá-la.

Mas o que aconteceu foi que, agora que Jamil estava a tornar-se um *top-shotter*, preferiam acreditar nele do que nos rumores que eu tinha posto a circular. Estou a ver as vossas caras a fazer aquela coisa outra vez, júri. Então, *top-shotter* é a palavra que usamos para falar de um grande traficante. Não tem nada que ver com abater alguém a tiro[1]. É melhor não confundir as coisas.

De qualquer forma, sendo um grande traficante, a sua palavra valia mais do que a minha, se quiserem. Por isso, iam sempre acreditar mais nele do que num zé-ninguém como eu. E não foi preciso muito tempo para Jamil começar a espalhar que tinha ouvido dizer que era eu que tinha a Kira. Jamil sabia do seu desaparecimento, tal como todo o pessoal da minha zona. Todos sabiam que andava feito louco, à procura dela. Tinha andado a chatear toda a gente por causa disso, estava desesperado, percebem? E, na altura, não me importava quem sabia ou deixava de saber. Até queria que as pessoas soubessem. Mas quando a descobri e deixei de procurá-la, JC percebeu que ela devia ter voltado. Era só um maldito palpite, mas quando me viu naquele dia na rua e me perguntou sobre isso, foi nessa altura que soube. Pelo menos, foi o que Curt me disse. «Foi a tua cara, mano. Revelou tudo.» Foi quando decidiu avisar-me. Eles preferiam acreditar nisso e acabar comigo do que acreditar que Jamil a tinha e arriscar a vida. No fundo, não importava se eu a tinha ou não. Era melhor para eles darem cabo de mim, como mais uma dessas coisas. Só para salvarem a face. Tinham de tratar da saúde a

[1] Em inglês, *shooting*, daí a relação estabelecida com *shotter*. (*N. da T.*)

alguém pelo sucedido. E se estavam demasiado assustados para fazê-lo a Jamil, então davam-se por satisfeitos com a minha pessoa.

Bem, para vocês, isto parece ser obviamente mais um indício da minha culpa, já que agora tenho uma razão ainda mais forte para matar Jamil do que o senhor procurador pensava. Por outras palavras, dá ideia de que o matei porque ele andava a contar ao pessoal que eu tinha a Kira. Tipo vingança. E sei que, neste momento, as coisas não estão boas para o meu lado. Isto dá-me *realmente* uma razão para o querer ver morto. Porra! Provavelmente queria mesmo vê-lo morto, na altura. Mas a verdade é esta. Não ia contar-lhes isto, que joga contra mim, se não fosse verdade, certo? Além disso, o que eu tinha em mente não era vingar-me de Jamil. Aos meus olhos, ele continuava a ser um zé-ninguém. O que eu tinha em mente era pôr os Glockz bem longe da Ki. Digo-lhes desde já que o resto da história também não abona muito a meu favor. No entanto, lembrem-se de que a minha vida está nas vossas mãos, por isso escutem-me, por favor.

Pausa: 12:00

17

12:15

Na verdade, foi Ki que imaginou o plano. Eu era completamente contra, nem sequer lhes vou mentir, mas quando pensei sobre isso, percebi que fazia sentido. O facto era que Jamil andava a ser roubado pelos Cotas e sabia disso, tal como toda a gente. Era como uma brincadeira em que todos alinhavam. Bem, há muito que conheço rapazes como ele. Por baixo de toda aquela fachada, não passava de um aspirante a *gangster*. E aquilo que mais lhe importava era o mesmo que importava a todos os rapazes: salvar a face. Ou, para usar as palavras de Ki, «Uma coisa é ser roubado e fingir que é isso que se quer; outra bem diferente é os outros rapazes começarem a envergonhá-lo publicamente por causa disso».

Na verdade, era só uma questão de tempo. Alguém havia de lhe esfregar isso na cara um dia destes, e Ki achava que era melhor sermos nós a fazê-lo, e quanto mais depressa melhor.

Não me agradou muito a ideia de Ki ter arquitetado este plano. Não era por ser mau ou bom, mas sim porque não queria que ela continuasse metida nisto. Ainda agora estava a começar a recuperar. De vez em quando, abria-se um bocadinho sobre o que lhe acontecera e, quando o fazia, sentia a distância entre nós tornar-se um pouco mais curta. Na verdade, foi por isso que acabei por deixá-la envolver-se. Parecia ganhar vida com isso. Dava-lhe alguma coisa em que pensar. E Kira precisava de coisas para encher o cérebro. Era uma dessas pessoas. Não era como eu. Eu sou mais do tipo *PS3*. Ligo-a e desligo-me do mundo. A menos que tenham um carro para me vender, não preciso de ocupar a cabeça com coisas aleatórias para me manter interessado. Onde é que eu ia? Ah, sim, no plano A. No novo.

Para pôr o plano em marcha, precisávamos de encontrar JC. Não sei porque é que Curt sentia que tinha de nos ajudar. Quer dizer, eu sei que éramos chegados, mas ele não tinha nada que ver com isto e, para ser sincero convosco, isto podia tê-lo deixado numa situação um bocadinho lixada junto dos Glockz. Eu continuava sem saber qual era o seu negócio com o gangue. Ele sempre fora completamente contra os gangues, tal como eu, e de repente fazia parte de um. Para mim, não fazia grande sentido, mas o que ele me disse na altura é que não fazia propriamente parte dele e, de qualquer forma, estava a fazer o possível para sair.

Eu e Curt não levámos muito tempo a localizar Jamil. Podíamos correr as capelinhas todas na minha área e ele tinha acabado de sair de lá ou então vinha a caminho no seu *M3*, com os capangas pendurados nas janelas. Decidimos ir a Aylesbury. Vocês conhecem. É o bairro que costuma aparecer no início do genérico do Canal 4. A Ki disse-me que tinha recebido o nome de uma cidade rica ou coisa do género, o que os faria rir se vissem este bairro. Seja como for, decidimos ir aí, porque era o que conhecíamos melhor, já que Curt tinha lá morado a certa altura, antes de ter ido para o norte de Londres.

Fomos a pé até lá e ficámos por ali cerca de uma hora até ele finalmente aparecer. Eram para aí umas cinco ou seis horas, mais ou menos a altura em que Jamil iniciava o turno da noite. Ficámos na berma da estrada, à espera que o carro chegasse. Depois, precisamente quando estávamos a pôr a hipótese de bazar, vimo-lo. Trazia consigo os comparsas habituais, Shilo e Binks, que tinham a cabeça de fora das janelas de trás, como se fossem cães. Estacionou e, passados poucos segundos, vimo-los a descer a rua armados em importantes.

Curt deu-me uma palmadinha no braço e apontou para eles com o queixo.

— Vê só, meu! Não achas que precisam de material a condizer com o exterior? — disse ele, soltando a sua poderosa gargalhada.

— São mesmo idiotas — respondi.

Recuámos para onde sabíamos que eles tinham de passar por nós. Jamil vem à frente, com os seus rapazes logo atrás. Vê-nos e depois, quando se aproxima, dirige-me um cumprimento com a cabeça.

— Mano — diz.

— Mano — replico.

Passam suficientemente perto para conseguir sentir o seu cheiro a sujo. E depois, logo depois de terem passado por nós, Jamil vira-se como sabíamos que faria. Ele é aquele tipo de sacana que não resiste a picar os outros.

— Como está a Kira? — diz ele por cima do ombro.

— Não sei do que estás a falar, rapaz — digo, e viro-me para o enfrentar.

— Ah! Ah! — ri-se. — Estou a meter-me contigo. Escusas de ficar tão sério!

— Estou a falar a sério, rapaz! Se sabes onde ela está, também quero saber, né? — digo, pondo maior ênfase na palavra «rapaz».

— Não me trates por rapaz. Quem diabo é ele para me tratar assim? — diz JC, fazendo uma careta.

Começa a olhar para os seus homens, como que para os meter ao barulho. Shilo aproveita a deixa, vem até onde nós estamos e mete-se à minha frente.

— Não lhe chames rapaz, meu! Fazes isso com ele, é o mesmo que fazeres comigo. E ninguém me trata por rapaz!

Recuo um passo para escapar ao seu hálito, que cheira a cão. Quando o faço, Curt intervém.

— Põe-te a milhas, rapaz — diz Curt, com os braços abertos como Jesus. É quase tão grande como Shilo, mas numa luta limpa apostaria em Curt. No entanto, não tenho a certeza de que Shilo saiba o que é uma luta limpa.

De repente, Binks está em cima de nós. Leva a mão ao bolso e tira para fora um pedaço de metal. Juro que a pistola era deste tamanho. Ele vem e começa a apontá-la diretamente para a nossa cara. Só consigo ver o cano. É do tamanho de um cano de esgoto. Sigo o buraco até à escuridão. Há um inferno lá dentro. Levanto os olhos para o seu rosto. Não está a dizer nada por palavras, mas diz o suficiente com tudo o resto. Aquele rapaz estava pronto para nos matar ali. Eu tinha de fazer alguma coisa, caso contrário acabava-se tudo.

— Eh lá, calma, Binks — digo. — Estamos apenas a ser amigáveis.

Jamil muda de cor durante uma fração de segundo, como se tivesse acabado de perceber que a coisa podia correr mal.

— Sim, guarda a porcaria da pistola, não vamos ser engavetados por causa deste monte de lixo — disse Jamil, empurrando para trás o braço com que Binks segurava a arma. Depois, virou-se para mim. — É melhor teres cuidado com o que dizes à frente dos meus homens. Este é bem capaz de te dar um tiro à conta de alguma piada.

— Nem sequer andamos à procura de problemas — respondo. — Na verdade, estava só a ver se podia fazer negócio contigo.

Ele parou tipo um minuto, como se estivesse a tentar medir bem as coisas. Não tinha a certeza se eu estava a armar-me em esperto com ele, ou não. Depois, finalmente, os seus olhos brilharam.

— Bem, por que raio não disseste logo? Pronto, sem ressentimentos, mano, a primeira é de borla — disse ele, agora a sorrir, e enfiando a mão no bolso para tirar uma pedra.

— Não, meu. Não é esse tipo de negócio.

— Bem, eu não vendo pares de ténis, sabes?

— Não, o que quero dizer é que é esse tipo de negócio, mas ele quer comprar um tijolo — disse, apontando para Curt com o cotovelo.

— Um quilo inteiro?

— Sim.

— Vai-te lixar — disse ele, virando-se para ir embora.

— A sério — digo, e nessa altura Curt faz menção de se afastar, como se já estivesse farto. Eu sentia-me como um malabarista. Parecia que, a qualquer momento, um deles ia escapar-me dos dedos.

— Eh, meu, espera aí! — disse a Curt, e depois virei-me para Jamil. — Ele tem pasta para isso.

Curt para e fica à espera, olhando ora para mim, ora para Jamil. Está a fazer o seu papel. Jamil e os seus homens detêm-se. É como se pudessem ver o dinheiro a voar por ali. Sobretudo Binks, que está ofegante.

— Troquem lá isso por miúdos — diz Jamil, e nesse momento sei que está fisgado.

Curt e Jamil aproximam-se um do outro e começam a falar baixinho. De início, é só a conversa habitual sobre preços e essas merdas, mas depois, quando vemos que Jamil está mais descontraído, lanço um olhar de viés a Curt e começamos a puxar a linha.

— Não, vamos mas é bazar — acabou Curt por dizer. — Cinquenta milenas por um quilo? Este tipo está a gozar comigo!

— É pegar ou largar, meu. Consegues cinquenta por grama depois de cortado. Isso é dobrar o valor, com toda a facilidade. Mas eu também tenho de ganhar uma fatia, percebes? — diz Jamil, de braços cruzados.

— Qual é o grau de pureza? Oitenta por cento?

— Vai-te lixar. Quarenta.

— Quarenta por cento e queres cinquenta milenas? Tenho ar de quem nasceu ontem ou quê? Consigo arranjar oitenta por cento por cinquenta milenas sem problema. Que raio de fatia é a tua, mano? — Curt inclina-se sobre ele, usando o seu físico enorme para o intimidar.

— Nem pensar que arranjas oitenta por cento por cinquenta milenas. Nem pensar!

— Até *te* consigo arranjar a ti, mano! Sessenta milenas, se quiseres.

— Eu estou a vender, e não a comprar — diz Jamil, fingindo que não quer saber disso para nada, mas dá para ver pela cara dele que está interessado.

— Mas tens de comprar, né? Tens de comprar e das duas, uma: ou estás a roubar-me ou andas a ser roubado. É tão simples quanto isso. Mas digo-te uma coisa: não te tomava por um miúdo. Dizem-me que tens ligações e, afinal, não passas de um miúdo que faz negócios de rua. Um simples soldado — diz Curt, e depois faz-me sinal e afasta-se. — Vamos bazar.

Enquanto nos afastamos, vejo aquela testemunha que veio a tribunal dizer que me ouviu a discutir com Jamil. Eu nem sequer sabia que ela lá estava até ter visto as imagens da câmara de vigilância. Mas quando ela veio a tribunal, percebi que conhecia aquela rapariga há muito tempo. Ela é porreira, sabem? Ora bem, eu consigo perceber por que razão ela terá achado que os ânimos estavam um bocadinho exaltados, naquela altura. Havia muitas palavras animosas a serem trocadas e muito agitar de braços, por isso não a censuro pelo que disse. De facto, na minha maneira de ver, ela é uma espécie de testemunha a meu favor. O que ela diz prova aquilo que lhes estou a contar. Houve uma discussão. Bem, uma espécie de discussão, mas o que ela não diz é porque é que foi. E o que eu posso fazer e ela não pode é dizer porquê.

De qualquer forma, passam-se uns segundos enquanto nos afastamos e eu estou a pensar para com os meus botões se teremos estragado tudo. Curt está a dizer-me num sussurro que «Está tudo bem, tudo bem, está fisgado» e para continuar a andar, mas eu não tenho a certeza. Depois, quando já estamos quase na estrada, Jamil vem a correr atrás de nós e grita para pararmos.

— Temos negócio, mano! — diz ele. — Cinquenta e cinco milenas, oitenta por cento.

— Sessenta — diz Curt. — Não vou descarregar um quilo por cinco mil.

— Está bem, sessenta — diz Jamil, sem hesitar. — De quanto tempo precisas?

— Tens o papel? Na próxima semana, então. Onde queres fazer isso?

— Não, amanhã, meu. Tenho o papel comigo, numa das minhas casas — diz Jamil, apontando vagamente para o longe, como se a casa ficasse logo ali.

— Não, meu, isso é demasiado cedo — diz Curt calmamente. — Pronto, daqui a três dias. Em minha casa. Se derem a volta ao quarteirão, tenho lá uma casa de *crack*. Toma o meu número. Liga-me mais tarde — diz Curt, tirando para fora o seu BB, isto é, o seu *BlackBerry*, enquanto fala.

Passam uns segundos sem ninguém dizer nada. Jamil está de cabeça baixa, a digitar o número de Curt. Shilo e Binks estão apenas a assistir, mas dá para ver que se sentem inúteis. Por fim, Jamil levanta a cabeça.

— Qual é o teu gangue?

— Glockz — diz Curt.

— O teu gangue não se deve importar que lhe levem as raparigas, se andas com ele — diz, apontando para mim com a cabeça.

Curt encolhe os ombros, como quem se está nas tintas.

— A menos que também sejas Glockz, não? — diz ele, virando--se para mim.

— Não, meu, não estou em gangue nenhum. Estou apenas a fazer um favor a um amigo. Não faço parte disto. E para tua informação, não tenho a Kira, mas ando à procura dela, mano. Por isso, se sabes alguma coisa… — digo, e com isto vou-me embora, deixando-os aos dois a combinar os pormenores.

Mais tarde, nesse mesmo dia, Curt encontrou-se comigo e disse-me que estava tudo a andar.

— Só precisamos de uma casa de *crack* — disse ele.

Pausa para o almoço: 13:00

18

14:00

Portanto, antes de almoço, estava a contar-lhes que Curt disse que precisávamos de uma casa de *crack*. A propósito, se algum de vocês tiver uma sanduíche a mais ou coisa do género, a comida na prisão é uma porcaria! Não, não, estava a brincar. Estou bem, a sério. Só queria aligeirar esta tensão. Tenho andado de um lado para o outro o máximo que é possível numa cela tão pequena. Sabe bem contar-lhes toda a verdade, mas deixa-me nervoso como tudo.

Onde é que eu ia? Sim, precisávamos de uma casa de *crack*. Vejo que estão confusos. Sei que é muita coisa para digerirem, mas tenho de ter a certeza de que me percebem. Pronto, por isso a questão era esta: se conseguíssemos levar Jamil a pensar que os Glockz o tinham enganado, os Cotas e os Glockz haviam de começar algum tipo de guerra e a pressão sobre Kira iria desaparecer. Na verdade, o plano até era muito simples, o que daria para rir agora se as coisas não tivessem ficado tão negras.

O plano de Ki era transformarmos uma casa vazia numa casa de *crack*, isto é, montar uma fábrica de droga num apartamento deserto, o que significava basicamente espalhar muito pó branco, como se estivéssemos a cortar produto. Só para dar a sensação de um cenário real. Depois, quando Jamil chegasse, visse que o lugar parecia bater certo e começasse a relaxar, eu saía das sombras e punha-o KO. A seguir, podíamos «coletá-lo» e ficar com as suas sessenta milenas. E quando ele voltasse a si, Curt punha-o a andar com a marca dos Glockz na testa.

Era perfeito por toda uma série de razões. Em primeiro lugar, a «coleta» era uma coisa que acontecia. Os traficantes eram roubados por outros traficantes. Nas ruas, toda a gente sabe disso. Vocês não sabem porque quem vai comunicar à polícia que lhe roubaram o produto?

De qualquer forma, isto era uma maneira infalível de deixar os Cotas em brasa. Ninguém ia meter-se com o seu principal traficante, percebem? E assim, ninguém ia ter tempo para se preocupar com Ki. Como estava a dizer, os Cotas eram implacáveis e estávamos à espera que eles retaliassem contra os Glockz e nem sequer tínhamos a certeza se sobraria algum depois disso.

Eu não queria de maneira nenhuma envolver-me nesta cena dos gangues, acreditem! Queria estar bem longe disso. Mas se estivessem no meu lugar, na altura, eram capazes de ter feito o mesmo, não? Já algum dos membros do júri amou alguém? Sei que parece estúpido dizer isto. Mas já amaram? Mesmo? O amor é uma coisa curiosa. Só soube o que era o amor quando conheci a Ki. Mas o amor é o tipo de coisa que nos pode levar a fazer algo pela pessoa que amamos que é o mais errado para nós. Baralha todas as nossas prioridades.

Eu amava aquela rapariga, percebem? Teria feito qualquer coisa para a deixar nem que fosse um bocadinho mais segura. Mesmo que isso significasse meter-me com gangues de que passara a vida inteira a tentar manter-me afastado. Mas para a manter em segurança precisava que os Glockz a deixassem em paz, e a única maneira de o fazerem era se fossem exterminados. E, mesmo que não fossem propriamente exterminados, se estivessem em guerra com os Cotas, já teriam o suficiente com que se preocupar.

Além de que isso também significava que Jamil não teria ninguém com quem dar à língua sobre Kira. Não ia dizer aos Glockz quem tinha a sua rapariga se pensasse que eles o tinham acabado de gamar. Não teria razões para isso. E se os Glockz se cruzassem com Jamil um dia destes, não estariam propriamente impressionados por Jamil ter mandado os Cotas atrás deles. Nessa altura, quem sabe, eram capazes de matá-lo e, assim, a única pessoa que sabia onde estava Ki desaparecia da circulação. O plano era perfeito. Era típico de Kira. Ela era a pessoa certa para arquitetar um plano.

Mas eu disse-lhes que isto ia fazer-me parecer ainda mais culpado. Isto é como se eu estivesse a planear o homicídio de outras pessoas. E, nesse ponto, não posso argumentar. Tenho de admitir que, se me perguntassem, provavelmente dir-lhes-ia que estava convencido de que iam morrer umas quantas pessoas. Na verdade, era praticamente garantido. Mas, no fim de contas, estamos a falar de membros de gangues. E, na minha ideia, deviam ter feito alguma porcaria pela qual ainda não tinham pago, e se fosse eu a fazê-los pagar por isso, paciência, é a vida! Como sempre disse, temos de pagar pelas asneiras que fazemos, de uma maneira ou de outra. Ninguém se deve safar sem castigo.

Uma das coisas que nos impingem todos os dias é que as pessoas são iguais. E as pessoas acreditam nesta treta, apesar de ser claramente mentira. Até sabem que não é verdade, mas acreditam na mesma. Ou dizem que acreditam. Mas se forem sinceros convosco próprios, acreditam tanto nisso como eu. É tudo treta! A meu ver, um traficante de droga não é igual a uma pessoa normal. Nem sequer é igual à maior parte dos criminosos. A maior parte dos criminosos faz porcaria e lá no fundo sabe que o que faz é errado. Quando roubam alguém, sabem que isso está mal. Mesmo quando roubam alguma coisa numa loja, sabem que continua a ser errado, embora possam dizer para si mesmos que as lojas têm seguro. Sabem que é errado porque o que tiraram não é vosso.

Um traficante dá cabo da vida às pessoas e está-se nas tintas para isso. Não quer saber se vende a adultos ou a crianças. Não quer saber se uma criança se torna prostituta aos doze anos, só para conseguir uma dose. Não tem nada que ver com isso. Só quer saber do dinheiro. Pela parte que lhe toca, se as pessoas são suficientemente estúpidas para se meterem naquilo, merecem o que lhes acontece. Por isso, querem saber se me sinto culpado por ter a esperança de que alguns homens maus limpassem o sarampo a outros homens maus? Não! Nem um bocadinho!

É claro que vida é vida e tudo o mais, mas a verdade é que, ficando vivos, provavelmente iam eliminar uma vintena de boas vidas cada um. Podem ver isto na perspetiva de que eu estava a salvar vidas. Não era propriamente essa a forma como eu via as coisas na altura, mas para mim não eram vidas por que valesse a pena chorar. Podíamos mostrar-lhes alguém que era agora viciado em *crack* por causa deles e eles diriam «Não, meu, se estão agarrados ao *crack* a culpa é deles». Mesmo que tivessem sido eles a vender-lhes a droga. Não estamos a falar de verdadeiros seres humanos, pois não? Onde está o lado humano nesse ser? Em lado nenhum. Mas, no fim de contas, desde que não fosse eu a premir o gatilho, a culpa do que acontecesse não era minha. É assim que eu vejo as coisas. Cá se fazem, cá se pagam.

Portanto, voltando ao que interessa, um dos problemas do plano, e eram vários, era que Curt ia ser desmascarado. Agora, Jamil conhecia-o e, se tivesse necessidade disso, podia dizer o seu nome e identificá-lo. E se o identificasse junto dos Cotas, provavelmente eles iam limpar-lhe o sebo. Matá-lo.

Se os Glockz descobrissem que Curt tinha «coletado» alguém como Jamil e que eles não estavam a par, provavelmente também o liquidavam. Eu não me sentia nada satisfeito por ter dois grupos de homens muito maus à procura dele. Discutimos a situação em minha casa, no dia a seguir ao encontro com Jamil. Mas o mais curioso é que Curt não estava muito incomodado com isso.

— De qualquer forma, eu preciso de sair desta cena, mano. Está tudo a ficar um bocadinho descontrolado, percebes o que estou a dizer? — disse Curt, puxando uma cadeira para se sentar à pequena mesa da minha cozinha.

Sento-me ao lado dele e Ki fica em pé, atrás de mim, com as mãos pousadas nos meus ombros como se fosse dar-me uma massagem, mas se tivesse esquecido disso.

— Pois, mas eles vão encontrar-te, quer queiras ou não sair — disse ela.

— Bem, eles não vão à minha procura a Espanha, pois não?

— Espanha? — pergunto. — Que diabo vais tu fazer em Espanha?

— Da maneira como vejo as coisas, não vou pôr a cabeça no cepo sem ganhar alguma coisa com isso, né? — diz Curt. Levanta-se e vai ao frigorífico tirar uma cerveja.

— Não estou a perceber — digo, e olho para Ki à procura de uma pista. Ela não parece tê-la e puxa uma cadeira para se sentar ao meu lado.

— Quando «coletarmos» Jamil, fico com o dinheiro. As sessenta milenas vão dar para arranjar um bar ou alguma coisa assim por lá, e se não for por lá hei de continuar em movimento — diz ele, dando um longo gole na cerveja. Entretanto, não tira os olhos de mim, para ver se vou discutir por causa do dinheiro.

— É justo — respondo. De qualquer forma, não estava interessado no dinheiro. Para mim, ficar com o dinheiro era uma grande chatice. O que teríamos feito com ele? O que poderíamos ter feito com ele? Eu só queria que Ki ficasse em segurança, era a única coisa que tinha na cabeça. E como Curt nos estava a ajudar, parecia justo ficar com o que quisesse. Nunca poderíamos fazer aquilo sem ele.

— E onde vamos preparar a casa de *crack*? — pergunta Ki. Os seus olhos voltaram a ganhar alguma cor. Não são como os diamantes de antigamente, mas recuperaram um pouco de brilho. Estico-me para ela e toco-lhe no braço. Ela não se retrai, e creio que é a primeira vez que isso acontece desde que tudo isto aconteceu.

— Ainda tenho a minha casa antiga. Há umas pessoas que a usam de vez em quando, mas vou libertá-la e podemos prepará-la — diz Curt. Bebe o resto da cerveja, depois arrasta a cadeira para trás e levanta-se. Penso que se vai embora, mas não. Vai até ao sofá, deixa-se cair pesadamente sobre ele e depois liga a televisão. Só queria mudar de assunto, suponho. Dava para ver que estava tenso. Estávamos todos.

No dia seguinte, quando chegámos à antiga casa de Curt, caiu-me o coração aos pés. Era impossível fazer passar aquele lugar por um antro de droga. Era demasiado normal. É claro que era uma boa bosta, mas era uma espelunca ao estilo da casa de um estudante. Continuava a parecer um lugar onde alguém morava ou podia morar. A porta abria diretamente para uma grande sala quadrada, com janelas de caixilhos metálicos. Havia algumas cortinas, mas daquelas que já não se veem em lado nenhum, cheias de flores e feitas de um material brilhante. Havia um colchão bem no meio da sala, com um edredão por cima, e encostada a uma das paredes uma mesa velha com rebordo alto, que tinha pratos por todo o lado. Havia todo o tipo de cartazes de *rock* nas paredes sabe-se lá de quando e a casa cheirava a podre. Cheirava exatamente ao mesmo que o interior dos meus ténis.

Para a esquerda, havia uma pequena cozinha que ainda tinha armários dos anos sessenta, sem puxadores nas portas, apenas calhas metálicas na parte de baixo e de cima por onde se puxavam. Havia um daqueles fogões de bicos que provavelmente tinha sido branco em tempos, mas na altura era basicamente da mesma cor que o interior do forno. O lava-louça devia estar para ali, algures, mas não se conseguia ver devido ao monte de caixas de comida para levar e aos bocados de comida putrefacta.

À direita da divisão principal, havia um quarto. Tinha uma janela, mas dava para uma parede de tijolo, por isso não tinha muita luz. De qualquer forma, não importava, pois o quarto estava apenas cheio de tralha de toda a espécie e as pessoas provavelmente não queriam mais luz para a ver.

Havia um guarda-fatos daqueles que se compram para montar em casa que tinha ar de estar a tentar voltar novamente para dentro da embalagem. Via-se um colchão encostado ao alto a uma das paredes, mas tinha escorregado, de maneira que parecia mais estar sentado do que em pé. No meio do quarto, havia todo o tipo de porcaria, como uma bicicleta e uma daquelas estruturas para secar roupa, e também caixas de cassetes. Até havia um bocado de um carrinho de bebé ou coisa do género no meio daquilo tudo.

Havia uma casa de banho ao lado. E era tudo.

O problema não era o que estava dentro de casa, mas sim a normalidade daquilo tudo. Não dava a sensação de haver ali alguém a preparar *crack* ali dentro. Era demasiado chato. Isso é o que os bairros sociais têm de pior. Pior do que todo o barulho que se ouve a qualquer hora do dia, pior do que os canos rotos e todas as escadas cheirarem a mijo. Para mim, a pior coisa era mesmo aquilo: era chato como o diabo. Quando uma pessoa vive num lugar assim, só quer passar o tempo todo noutro lugar. De várias maneiras.

— Isto não vai dar — digo. — Porra!

Eu e Curt sentámo-nos no colchão que estava no chão. Mas eu estava com receio de ver alguma coisa sair de baixo do edredão, por isso não conseguia descontrair. Dava para ver que ele estava a pensar o mesmo que eu, tanto em relação às ratazanas como à casa, pois mexia--se desconfortavelmente sobre o colchão como se ele estivesse vivo e acabou por se levantar.

Ficou especado no meio da sala, a olhar para o teto amarelo como se lá estivesse escrito o que fazer a seguir, mas ele não fosse capaz de ler. Estávamos tramados, e ele sabia disso.

Foi Ki quem se mostrou à altura da situação. Olhou à sua volta durante alguns segundos e depois foi ganhando vida.

Começou a andar rapidamente pela casa, agitando as mãos no ar como se estivesse a criar alguma coisa. Olhei para ela. Tinha aquela expressão no olhar que lhe transfigurava o rosto. Era a expressão que lhe via sempre que ela punha o cérebro a funcionar. O branco do olho ficava ainda mais branco. As íris claras tornavam-se escuras e perigosas. Nessas alturas, eu sabia que o que ela se preparava para dizer ia sair a cem à hora.

— Não! Isto é perfeito! — disse. — Só precisa de algum trabalho. Tens panelas? — perguntou, entrando na cozinha. Saiu a fazer uma careta e depois disse — Há ali três grandes, debaixo daquela porcaria toda. Vão buscá-las, limpem-nas e comecem a afastar a porcaria toda do fogão.

— O quê? Queres pôr-nos a limpar a casa? — disse Curt com um ar meio assarapantado.

— Não propriamente. Basta fazê-la parecer aquilo que é.

Eu e Curt entreolhamo-nos como quem diz: mas o que está ela para ali a dizer? Ki encolhe os ombros e suspira, como se estivesse a falar com idiotas, o que até podia não estar muito longe da verdade.

— Uma casa de *crack* não é uma espelunca só por ser. É uma espelunca com um propósito. Têm de pensá-la como se fosse... não sei, talvez um estaleiro de obras. Há coisas por todo o lado. É uma confusão. Mas as coisas têm uma razão para lá estar. Por isso, a menos que tenham coisas melhores para fazer, toca a fazer o que eu digo. Agora! — diz ela, e começa outra vez a andar de um lado para o outro com as mãos a desenhar coisas no ar e a gritar ordens.

Curt levanta-se, um bocadinho aturdido. Ele nunca a tinha visto assim e, embora eu já a tivesse visto algumas vezes, a verdade é que ela está com a pica toda.

— Encham-nas de água e ponham-nas ao lume. Precisamos dessa água a ferver. Juntem alguma lixívia. Têm lixívia, não têm? Ponham essa mesa no meio da sala. Precisam de bastante espaço em volta. Essa mesa é a vossa oficina. Tudo o mais que está nesta sala, e é mesmo tudo, tem de desaparecer. Enfiem as coisas noutra divisão. Amontoem-nas. Não, deixem o colchão! Janelas. Tirem essas cortinas! Não ficam bem. Em vez disso, tapem o vidro todo com jornal. E tapem ali o tijolo de ventilação. Agora o pó. Precisam de alguma coisa que pareça um agente de corte. *Vim*. Curt, corre as lojas e compra *Vim*. Se não houver, compra uma coisa chamada pó de arear. E bicarbonato de sódio. O máximo que conseguirem. Precisamos de muito pó branco. Sais de Epsom. Qualquer coisa do género.

— Porra, miúda — disse eu, espantado. — De onde raio vem tudo isso?

— Há uma loja ao fundo da rua, vi-a quando vínhamos para cá.

— Não, miúda. Estou a falar disto tudo. Tipo, como sabes sequer o aspeto que deve ter?

— Não queiras saber — disse ela de imediato. A seguir, após uma pausa, suspira e diz: — Quando estava com aqueles filhos da mãe, levaram-me a umas casas de *crack*.

— Porque te levaram lá?

Ki ignora-me como se não me tivesse ouvido e depois, assim que Curt sai, diz:

— Precisas de algumas raparigas. De máscara.

— Está bem — digo. — Talvez consiga encontrar umas duas.

— Sem roupa.

— O quê?

— Para não roubarem nada — diz ela, fitando-me com olhos mortiços.

Merda!

— Ki, sinto muito — digo eu, e é verdade.

Pausa: 15:05

19

15:15

Portanto, antes da pausa, estava a contar-lhes sobre a casa de *crack* que estávamos a preparar.

A casa de *crack* que criámos não enganava ninguém que já tivesse visto uma a sério, mas estávamos a contar que Jamil nunca tivesse visto nenhuma. É claro que ele ia buscar um quilo aos Cotas quando precisava, mas dizia-se que se encontrava com eles nos seus *Mercedes*, num parque de estacionamento. Nesta altura, já havia confiança mútua, por isso não tinham problema em fazer negócio assim. Mas não iam deixá-lo entrar na sua fábrica.

Para isto resultar, precisávamos de convencer Jamil de que era uma instalação autêntica. Não tinha de ser perfeita, mas tinha de ser suficientemente boa para resistir a um olhar de passagem. O plano era deixá-lo entrar, fazê-lo passar pelo pó todo e pelas operações e levá-lo para o quarto das traseiras. Desde que tudo parecesse bem, achávamos que ele não ia fazer perguntas. No fim de contas, ele não passava de um rapaz. Ainda era um aspirante a *gangster*.

Quando chegou o dia, a casa parecia um antro de droga. O lugar cheirava a lixívia e a todo o tipo de produtos químicos e, em cima da mesa que estava ao meio da sala, havia um monte de pó branco, sobretudo bicarbonato de sódio, umas balanças, uns saquinhos de plástico, umas quantas lâminas, esse tipo de coisas. As janelas estavam todas tapadas e a única lâmpada ao centro do teto iluminava bem a mesa, mas deixava o resto da divisão na penumbra. Eu achava que tinha um ar convincente, mas também nunca tinha visto o interior de uma casa de *crack*. Mas Curt estava satisfeito com o resultado. E Ki também. E eles sabiam como era, embora por razões diferentes, é claro, mesmo que eu não soubesse.

O único problema era as raparigas. Não havia raparigas com quem pudéssemos contar para levar para ali. Pensámos em todas as raparigas que conhecíamos, mas as únicas que estariam dispostas a fazer aquilo eram basicamente prostitutas drogadas, e essas eram demasiado imprevisíveis. Não havia como saber que diabo fariam. Decidi que tínhamos de passar sem elas. Não havia outra alternativa.

— Podemos sempre dizer que estão na sua pausa ou coisa do género, né? — disse.

— Pausa? Isto não é o McDonald's, meu! Essas raparigas não têm pausas. E decididamente não as têm em simultâneo! — diz Curt, enquanto inspeciona rapidamente o local.

— Bem, agora não há nada a fazer, pois não? Ele deve chegar daqui a uns dez minutos. Ki, é melhor saíres daqui. Agora, Ki! — grito para a cozinha, onde ela pôs a ferver umas panelas de água.

— E dá-me as máscaras! — digo. — Pelo menos, talvez possamos espalhá-las por aí.

Se aquilo fosse uma casa de *crack* a sério, aquelas seriam as máscaras protetoras que estaríamos a usar para impedir que o pó entrasse nos pulmões enquanto o estávamos a cortar. Tinha-as comprado para as raparigas usarem, mas, como digo, não conseguimos encontrar raparigas.

— E os aventais — acrescento.

Passo alguns minutos a tentar alinhavar mentalmente o plano durante o pouco tempo que me resta. A sala está pronta. Temos as máscaras e os aventais, embora não haja ninguém para os usar. Tenho a arma.

A *Baikal* faz-me sentir um pouco como se não soubesse quem sou, mas ao mesmo tempo sinto-me quase completo com ela. De certa forma, há uma parte de mim que não sabe como serei capaz de viver sem ela. A filha da mãe continua a sussurrar-me ao ouvido, mas eu e ela chegámos a um acordo em relação a isso. Não vou usá-la. Só está ali como reforço, como um terceiro homem. Embora seja possível que lhe bata com ela na cabeça. Se for preciso…

Nessa altura, Ki entra com um boné de basebol puxado sobre os olhos e uma daquelas máscaras brancas sobre o rosto. Por um segundo, quase me rio, como se ela estivesse simplesmente a brincar. Depois, volto a olhar, vejo-lhe o resto do corpo e fico completamente passado.

— Nem pensar! — digo. — Não vais fazer isso!

Ela puxa a máscara para baixo.

— Tu não sabes o que eu fiz. Não és tu que me dizes o que posso ou não fazer. Eu vou fazer isto. — Depois, num tom diferente, acrescenta — Nem sequer tens escolha.

Olho para Curt na esperança de que diga alguma coisa, mas ele está com ar de quem acha que ela fez a única coisa óbvia que havia a fazer.

— Vá lá, meu, diz-lhe!

— Ela tem razão, mano — diz ele, pondo as mãos no ar.

— Bem, pelo menos para de olhar para ela! — digo, e atiro um avental a Ki.

— Ainda não concordei com isto, Ki. Põe a porcaria do avental, por favor, enquanto penso.

— Não há nada em que pensar — diz ela e, nesse preciso momento, batem à porta.

— Porra! É ele — digo. Piro-me para o quarto das traseiras e escondo-me atrás da porta. Toco na *Baikal* para ter a certeza de que ainda a tenho e depois olho à minha volta, à procura de alguma coisa para pôr na mão. Encontro a barra de metal de um haltere entre o lixo que enche o quarto e seguro-a. Parece maciça, mas talvez seja demasiado pesada.

O meu coração começa a fazer o que é costume. Bum, bum, bum. Aguardo um minuto e depois ouço a porta de entrada a abrir. Porra! Está tudo a ser muito rápido! A seguir, ouço a voz de Curt. Depois, a de Ki. Essa é a parte mais estranha. Ki devia estar de máscara, debruçada sobre a mesa. Não devia estar a dizer nada. Devia estar a desempenhar o papel de uma drogada obrigada a fazer o que lhe mandavam, e não a conversar com os clientes. Estava a começar a ficar preocupado. Devia tê-la levado para ali, comigo. Mas onde tinha eu a cabeça?

Espreito pela frincha da porta, mas não consigo ver nada. O corpanzil de Curt está sempre a tapar-me a vista. Nessa altura, ouço uma voz a chamar e a dirigir-se para a minha porta. Cerro o punho sobre a barra metálica. Sinto o sangue a fugir-me da mão e os dedos a latejar, prontos. Curt devia ser o primeiro a entrar no meu quarto. A seguir, Jamil. Preciso de atingir a segunda cabeça que vir. E, nessa altura, vejo a cabeça de Curt enfiada no meu quarto, com a luz que vem lá de fora a criar uma risca de cor. Alguma coisa está mal. Ele está a chamar por mim, e não devia. Ninguém podia saber que eu estava ali, escondido naquele quarto, com a porcaria de uma arma no bolso. Terei caído numa armadilha?

— Porra, meu! Falso alarme! Baixa essa coisa, meu!

— Merda! — digo, e começo a respirar fundo. Levo algum tempo a recuperar o fôlego. Por fim, digo — Quem diabo era?

— Blessing.

Pausa: 15:40

20

15:45

Portanto, sim, era a Bless à porta. Eh pá, fiquei furioso. A minha irmã? Que raio estava ele a fazer, a envolver a minha irmã naquilo? Já era suficientemente mau Ki estar ali, e agora ela? Merda, tínhamos para aí dois minutos e não tínhamos forma de nos livrar dela. Não a podia deixar ali. E não podia recambiá-la, não fosse ela dar de caras com eles à entrada.

— Mano, que vamos fazer com ela? — digo, empurrando Curt para o lado ao sair do quarto para a divisão principal.

Curt não diz nada, mas indica com o queixo para trás de mim, onde se encontra Bless. Já está despida e de máscara. Nem sequer consigo olhar para ela. Mas que cena marada! Como é que isto aconteceu? Merda! Prego os olhos no chão enquanto falo com ela.

— Bless. Bless, que raio…?

Sinto-me bastante irritado por ver a minha irmã ali. Tenho a cabeça a andar à roda. Estou zangado e assustado, percebem? Nessa altura, olho para Ki, para ver se ela vai ficar do meu lado.

— Não faz mal — diz ela. — Está tudo bem. Eu olho por ela.

— Ki, mas que merda é esta? Bless? Curt, meu, que raio fazemos com estas duas?

— Mano, não temos escolha. O nosso homem vai chegar dentro de dois minutos.

E pronto. Na verdade, não tínhamos escolha. Não podia pô-las no quarto onde ia gamar Jamil. Com a porcaria toda que estava lá dentro, mal havia espaço para mim. Além disso, era o último lugar onde queria que elas estivessem. Num quarto com uma arma e um traficante.

— Escuta, Ki, promete-me que, assim que ele entrar no quarto das traseiras, vestem o casaco e se vão embora. Imediatamente. Nada de ficar à espera, nada de ficar a ver, nada de nada. Por favor, pirem-se as duas daqui, simplesmente. Por favor.

Nesta altura, sinto-me à beira das lágrimas e não sei dizer se é da tensão de estar à espera para atingir alguém na cabeça ou da preocupação com o que possa acontecer às raparigas. A seguir, batem à porta e, desta vez, é a sério.

Curt deve deixá-los entrar. Sabíamos que Jamil e os seus homens, Shilo e Binks, haviam de querer dar uma vista de olhos ao local. Vão revistar Curt à procura de armas, e Curt fará o mesmo a Jamil. A seguir, os dois guarda-costas hão de ir embora. Nessa altura, Curt vai ao quarto das traseiras, com Jamil no seu encalço. Eu atinjo Jamil na cabeça. Tiramos-lhe o dinheiro. Missão cumprida.

Segundo o que Curt me contou depois, o que se passou foi isto. Jamil e os seus capangas tinham entrado, como esperávamos, para inspecionar o local. Conseguia ouvi-los na sala a deitar conversa fora, todos senhores de si. A determinada altura, Jamil aparentemente olha para uma das raparigas e diz a Curt:

— Podes ter de incluir estas duas, está bem?

— Vai-te lixar — diz Curt. — Elas estão a trabalhar.

— Nem uma mamada rápida para os meus rapazes num dos quartos, enquanto fazemos negócio? — diz Jamil.

— Eh, não quero os teus rapazes aqui enquanto negociamos. Tenho de me proteger, meu — diz Curt.

— Como sabes que não vamos dar cabo de ti agora mesmo? — diz Jamil com um sorriso desagradável.

— É fácil — diz Curt. — Não consegues nada a estes preços e, se quiseres mais, vais precisar de mim. De qualquer forma, meu, dás cabo de mim e és um homem morto. Agora, tira-me esses otários daqui e vamos fazer negócio.

Shilo sai e Binks deixa-se ficar um bocadinho para trás, para dizer que vão ficar logo ali, junto à porta. Estou à espera no quarto das traseiras, mas até eu consigo ouvir aquilo. Dois cães de guarda a fazer barulho.

Ouço correr o ferrolho da porta de entrada. A seguir, ouço Curt a trazer-me Jamil. Ao aproximarem-se da porta, ouço Curt perguntar:

— Tens o dinheiro?

— Está no saco — diz Jamil.

— Quero contá-lo primeiro — diz Curt.

Agora, estou a pensar em Ki e Bless. Algures naquela sala, de máscara. Mas sem roupa para se esconderem. E aqui estou eu, com uma arma e assustado como tudo. Detesto estar ali.

Depois, há um segundo em que parece que o tempo parou. E o que ouço a seguir faz-me gelar o sangue nas veias.

— Conta isto — diz Jamil e saca uma arma.

A princípio, não consigo ver a arma. A única coisa que ouço é que, de repente, estão a bater com força à porta da rua. Ouço Ki a gritar e depois o som de uma mesa a ser arrastada, para bloquear a porta. Curt está a tentar acalmar Jamil. Estou a ouvir o que consigo e a imaginar cenários correspondentes aos sons, mas são incompletos e só me apetece sair dali para os meus olhos poderem acompanhar os meus ouvidos. A seguir, ouço a voz de Curt.

— Calma, meu! Leva a porcaria do produto, se for preciso! Mas a menos que estejas preparado para me dar um tiro aqui e agora, hei de ir atrás de ti.

— Eu vou levá-lo, meu! E tu não vens atrás de ninguém. Sabes quem me protege? A porcaria do teu gangue não vai fazer népia. Agora, dá-me o tijolo, meu, ou vais comer balas.

Ouço o suspiro fundo de Curt.

— Aqui dentro — diz ele, e empurra a porta atrás da qual estou escondido. A luz inunda o quarto. Vejo aparecer Curt com as mãos estendidas. Jamil vem atrás. De repente, Curt afasta-se, salta para cima do monte de lixo que enche o quarto e olha para mim, para eu fazer rapidamente alguma coisa. Mas por alguma razão sinto-me como se estivesse a andar no meio de geleia. Nada em mim se mexe suficientemente rápido. Vejo o rosto de Jamil, que começa a mudar de cor como se ele tivesse percebido o que está prestes a acontecer. Ainda não me viu, mas sabe que há algo de errado. A seguir, vejo a arma dele. Na minha cabeça, só consigo ouvir a minha própria voz, a dizer «uma nove milímetros». Ele trouxe uma arma. Por alguma razão, nunca pensei que trouxesse uma arma.

Nessa altura, surge uma faísca algures no meu corpo e põe o motor a trabalhar. Atiro-me para o chão e golpeio as pernas de Jamil com a barra metálica que ainda tenho na mão. É demasiado arriscado atingi-lo mais acima, não vá bater na arma e fazer com que as balas comecem a voar. Jamil grita e depois cai ao comprido no chão. Num segundo, Curt está em cima dele, a esmagá-lo com o seu peso enorme. Leva apenas alguns segundos a deixá-lo KO. Jamil continua a segurar a arma. Eu tiro-lha. No que diz respeito a armas, é um belo exemplar: uma *Browning* niquelada. Onde raio terá arranjado uma fusca daquelas? Enfio-a no bolso. Mesmo ao lado da minha *Baikal.* Quase sinto pena da minha arma merdosa ao pé daquela. Depois, deixo de pensar nisso. De repente, a única coisa que tenho na cabeça são as raparigas e fico envergonhado por tê-las esquecido, mesmo por um segundo.

Olho para Curt e corremos para a porta da entrada, onde se continua a ouvir o som de estarem a tentar abri-la ao pontapé. A fechadura já desapareceu e a madeira da porta está a lascar. A mesa foi empurrada contra a porta e as raparigas estão a fazer tudo o que podem para impedir que ela se abra. Nem sequer percebo como ali chegaram. A única coisa que sei é que estão a pôr toda a sua alma na tentativa de manter a porta fechada. Esta começa a abrir uma fresta, à medida que os homens que estão por trás dela a vão empurrando. A seguir, vejo o cano de uma arma a espreitar pela abertura. Binks está a chamar por Jamil, em voz nervosa e estridente. Assim que percebem que Jamil não responde, os pontapés na porta tornam-se mais fortes e violentos. A porta abre-se e volta a fechar-se quando as raparigas a empurram. Curt corre e afasta as raparigas com um braço.

— Vão sentar-se em cima daquele idiota! — diz, indicando na direção do quarto das traseiras. — Ele está inconsciente. — Curt trata da fresta que os homens estão a tentar abrir fechando-a com um esforço sobre-humano e depois senta-se encostado à mesa, a ofegar.

Atiro os casacos às raparigas enquanto elas se dirigem ao quarto das traseiras e depois lembro-me de uma coisa e corro atrás de Ki para lhe entregar a *Baikal.* Não é tão bonita como a *Browning*, mas sei que a minha funciona.

— Se ele se mexer… — digo.

A seguir, corro para ajudar Curt, que embora tenha todo o seu peso contra a mesa está agora a esforçar-se por aguentar os fortes pontapés na porta. Sei que não vamos conseguir resistir muito tempo. Nem sequer tenho assim tanta certeza de que a porta não se vai partir.

Preciso de pensar, mas a minha cabeça está outra vez lenta. Mais geleia a encravar as peças. Só consigo pensar que, seja como for, a porta não vai aguentar muito mais. Sei que Ki está a vigiar Jamil, mas não faço ideia do que estará Bless a fazer. Quando lhe vislumbrara o rosto de relance, juro que estava a olhar para mim como se fosse a última vez que me via. A porta volta a ceder e eu sei que temos de fazer alguma coisa depressa.

— Vou contar até três e tu afastas a mesa. Eles vão entrar aos tropeções. Tu levantas as mãos e rendes-te. Eu fico atrás da porta. Eles não vão estar à minha espera e eu dou-lhes cabo das pernas — digo num sussurro, mostrando-lhe a Browning.

Curt diz que sim com a cabeça. Põe-se em pé e puxa a mesa para trás. Quando eles entram de rompante, põe os braços no ar. Os dois homens entram desamparados, tropeçando em si mesmos ao fazê-lo. Os seus rostos são a imagem perfeita da surpresa ao caírem no chão em cima um do outro. Eu estou atrás da porta e eles só veem Curt com as mãos no ar. Os seus rostos mudam enquanto se põem em pé. Binks segura uma arma volumosa e está a apontá-la a Curt. A imagem é quase divertida, por um segundo. O tipo magricela a segurar uma arma assim tão grande fá-lo parecer um desenho animado. Está todo nervoso e tem ar de quem já tomou demasiadas drogas.

— JC! — grita, sem tirar os olhos de Curt, mas rodando a cabeça freneticamente à volta da sala.

Aponto a minha arma. Andam ambos pela sala à procura do seu rapaz, o que dificulta a pontaria. Shilo é o alvo mais fácil. É grande. Ainda maior do que Curt e move-se devagar, como um elefante. Desloca-se pesadamente em direção a Curt, provavelmente a pensar o que fazer com ele. Vai ser uma questão de segundos, se tanto, até me verem. Ou, pior ainda, até entrarem no quarto das traseiras, onde estão as raparigas. Só pensar nisso agora deixa-me desesperado por ir ter com elas. Não consigo vê-las e isso está a deixar-me ainda mais nervoso.

Nessa altura, Binks entra na minha linha de visão, mas não me vê. Faço pontaria, mas sempre que me preparo para disparar, ele volta a mexer-se. É irrequieto, mas só preciso que fique parado um segundo. Consigo isso quando ele se vira de repente e me vê. Levanta a arma enorme e aponta-ma. Eu não quero matá-lo. Só preciso de o fazer parar. Olho para as pernas dele e, naquela fração de segundo, primo o gatilho. Primo uma vez, mas saem três balas. Pum, pum, pum. Uma atinge-o na perna e ele cai no chão.

Shilo, que está agora quase à porta do quarto das traseiras, volta-se espantado. Depois, em meio segundo, a enorme mão direita de Curt abate-se sobre a cabeça de Shilo, como se estivesse a bater uma bola de básquete, e ele cai redondo no chão. É como ver Hulk a pôr o irmão fora de combate.

A arma de Binks deslizou pelo chão, como um efeito retardado. Corro a apanhá-la. É pesada como um martelo. Vou ter com Binks, que está agarrado à perna. Há sangue a jorrar da perna e os gritos dele enchem o ar. Tenho de calá-lo, caso contrário sabe-se lá o que nos irá entrar a seguir por aquela porta.

Bato-lhe com a pistola na cabeça, à espera de deixá-lo inconsciente, mas em vez disso ele começa a gritar ainda mais alto e, de repente, não sabe o que fazer com as mãos. Leva-as à cabeça por causa da dor da pancada, mas nessa altura o sangue recomeça a sair da perna em jatos e ele volta a baixá-las para fazer parar o sangue. Volto a bater--lhe, com força. Desta vez, fica mesmo inconsciente.

Curt está a pedir fita adesiva e eu vou à cozinha buscar o rolo que usámos para tapar as janelas. Curt começa a enrolá-la à volta dos braços e pernas de Shilo e depois passa para a cara. De início, pensei que ia apenas tapar-lhe a boca, mas depois vejo que está a fazer a mesma coisa aos olhos. Atira-me a fita e eu começo por enrolar a perna que sangra. Não estou a tentar salvá-lo, só não quero sangue espalhado por todo o lado. A seguir, imito Curt e manieto-lhe as pernas, os braços e depois a cara. Só depois de gastar a fita toda me lembro de repente das raparigas. Curt dirige-se ao quarto, como se me tivesse lido o pensamento, mas nessa altura, precisamente antes de ele abrir a porta, ouve-se o som de um tiro.

Levanto-me e corro para o quarto. Consigo ouvir os gritos de Ki.

Chego lá quando Curt está a entrar. É quando vemos o que se passa. Ki está a segurar a *Baikal* fumegante e Jamil está no chão. Morto.

Pausa longa: 16:45

NO TRIBUNAL CRIMINAL CENTRAL T2017229

Perante: MERITÍSSIMO JUIZ SALMON QC

Alegações Finais:

Julgamento: 33.º dia

Segunda-feira, 10 de julho de 2017

COMPARÊNCIAS

Pela Acusação:	C. Salfred QC
Pelo Arguido:	O próprio

Transcrito de um registo áudio digital por
T. J. Nazarene Limited
Estenógrafos Judiciais e Transcritores Certificados

21

10:15

Aquela imagem de Ki. A expressão do seu rosto. É algo que nunca conseguirei esquecer. O rosto estava sem pinga de sangue e os olhos arregalados totalmente inexpressivos. Como se a vida se tivesse esfumado. Como se quando a vida daquele rapaz abandonou o seu corpo, a dela também a tivesse abandonado. Tirei-lhe a arma da mão e senti o seu calor queimar-me. Aquela maldita arma! Eu sabia o que tinha acontecido. Ela tinha-lhe sussurrado, tal como fizera comigo. *Dispara. Dispara.*

Perguntei-lhe o que tinha acontecido.

— Ele, não sei. Acordou e quis tirar-me a arma — diz ela a chorar. — Eu fartei-me de gritar por ti, mas tu não me ouviste.

Olho para Curt e ele encolhe os ombros.

Estreito-a nos braços.

— Desculpa, desculpa, miúda. Não te ouvi, com tudo o que estava a acontecer.

Tiro-lhe a arma das mãos e guardo-a no bolso. Ainda está quente. Dou-lhe a mão e levo-a para fora do quarto. Ela não diz nada. Creio que nem pestaneja. Ao entrarmos na divisão principal, lembro-me dos dois homens manietados no chão e faço-a entrar novamente no quarto. Seguro-lhe o rosto entre as mãos.

— Ki, escuta. O Curt vai sair agora e arranjar-lhes um táxi. Por isso, daqui a um minuto vou levá-las às duas lá para fora. Mas ouve o que te digo. Quero que fiques de olhos fechados até eu dizer. Está bem? Curt?

Ele dá meia-volta e sai de imediato.

Olho à minha volta para localizar Bless. Está a andar em círculos e a falar por entre dentes consigo mesma.

— Bless! Bless! Vai correr tudo bem. Tu também. Agarra-te a mim e fica de olhos fechados.

Bless volta a si de repente, parece mais calma e vira-se para Kira.

— Kira, vai f-ficar tudo bem. Vou estar sempre contigo. Agora, anda. Vamos tirar-te o c-casaco para vestires a tua roupa. Anda, querida.

Viro a cabeça enquanto elas se vestem e depois espero mais dois minutos antes de as levar pela mão e sair do apartamento o mais rapidamente possível. A cena é digna de um filme. Dois homens inconscientes no chão. Sangue em lugares inesperados. A porta toda rachada. Porcaria por todo o lado. Binks parece estar a dormir, mas geme como se estivesse a ter um pesadelo. Mas Shilo está desacordado, com a cara virada para cima.

Quando chegamos à rua, Curt já está ao lado de um carro, na escuridão. Ajudo as raparigas a entrar e dou uma nota de vinte libras ao motorista juntamente com a morada, tentando agir com normalidade. Indico com a cabeça na direção às raparigas sentadas lá atrás e digo ao taxista:

— O namorado rompeu com ela — e ele faz um sinal de assentimento, como se estivesse farto de ver cenas daquelas.

Eu e Curt voltamos a correr para o apartamento. Shilo e Binks continuam no chão, mas ambos estão a voltar a si e a fazer barulhos. O sangue à volta da perna de Binks mudou de cor e parece estar a secar. A fita adesiva deve tê-lo estancado. Eu e Curt fazemos sinal um ao outro e depois vamos para onde o corpo de Jamil nos espera. Esse é o problema mais premente, e não os dois rapazes a gemer na outra sala, com a cara enfaixada em fita adesiva como múmias. Tínhamos de tirá-lo dali para fora antes que os seus homens acordassem e percebessem que ele estava morto.

A noite já ia adiantada, o que era bom porque significava que podíamos deslocá-lo sem sermos vistos. Eu e Curt concordámos em agarrá-lo cada um por um braço e levá-lo até ao seu *M3*, que estaria provavelmente por perto. Jamil tinha um ferimento de bala no peito. Havia algum sangue, mas não tanto como em Binks, que só fora atingido na perna.

— O coração ainda está a bater, é por isso — explicou Curt. — Porra, meu! Também parece que levaste um tiro. Não podes voltar a sair assim. Esperemos que o taxista não tenha visto isso.

Olho para baixo e percebo que tenho sangue de Binks na roupa toda, de quando lhe estava a pôr a fita adesiva. Estava escuro lá fora, por isso o taxista provavelmente não viu nada.

Olho para Curt, que está a andar de um lado para o outro, como que a tentar decidir o que fazer a seguir.

— Escuta — digo. — Vou pôr fita no JC para estancar o sangue. Se há coisa que não precisas é de te sujar de sangue e eu já estou cheio dele. A seguir, podemos enfiá-lo no casaco e levá-lo lá para fora.

— Combinado, mano — diz Curt, e eu deito mãos ao trabalho.

Enrolar um homem morto e ensanguentado em fita adesiva é um trabalho bastante complicado. Um bocadinho de sangue faz uma porcaria desgraçada. Não sei dizer quantas vezes me esfreguei quando voltei para casa, mas por mais que tenham sido não foram as suficientes para me livrar daquele pontinho minúsculo que encontraram debaixo das minhas unhas quando me prenderam passado mais de um mês. E quando digo que me esfreguei, quero dizer que me esfreguei até a minha própria pele começar a sangrar e, nessa altura, já não sabia se aquele sangue era dele ou meu. Basicamente, ensopei-me em lixívia nessa noite, mas por mais que tentasse não conseguia tirar a sensação nem o cheiro do rapaz morto da pele.

Depois de o ter enrolado em fita adesiva e de tê-lo limpado com lixívia, fui à divisão principal, apanhei um punhado do bicarbonato de sódio que estava espalhado por todo o lado e tratei de cobrir todas as partes molhadas do corpo de JC com ele. Cobri-o mais ou menos de pó até ele estar seco. O cheiro também ajudou a disfarçar o cheiro a sangue. De qualquer forma, lá acabei por correr o fecho do casaco de Jamil e, na minha ideia, achava que visto de longe não estava nada mal. Para um morto, é claro. Puxei-lhe o chapéu sobre os olhos e chamei Curt.

— Ótimo — diz Curt. — Agora, trata de despir essa porcaria.

Dispo a camisola, que estava ensanguentada e ao mesmo tempo coberta de pó, e atiro-a para um saco do lixo. Quando penso que raio vou vestir, Curt entrega-me a sua camisola com capuz. A camisola era dele, percebem? Uma camisola preta com capuz, tamanho XXL, com caracteres chineses nas costas. Lembram-se? A prova número três de que a acusação tanto falou. *Aquela* camisola com capuz. Visto-a sem pensar duas vezes. A mesma que Curt tinha vestida três dias antes, quando nos tínhamos encontrado com Jamil no bairro. A testemunha que me viu nesse dia deve ter-me visto com Curt e confundido quem estava a usar o quê. Não sei como é que essa merda pode acontecer, mas pode, ao que parece.

— Luvas, meu — diz Curt, e entrega-me um par de luvas amarelas de lavar a louça. Também calça um par e ficamos ali especados por um segundo, a olhar um para o outro, com aquelas luvas ridículas calçadas. A seguir, sem dizermos uma palavra, cada um agarra-lhe num braço e descemos os dois lanços até à entrada principal do rés do chão.

Mesmo antes de abrirmos a porta, olho para Curt. Tem uma respiração pesada, mas fora isso parece estar bem. Calmo, de certa maneira.

— E aqueles dois lá em cima? — pergunto.

— Não vão a lado nenhum. Aquela fita não vai sair tão depressa — diz, e carrega o corpo em direção ao ar frio.

Foi a parte mais difícil, meu! Era como arrastar um saco de cimento e tentar mantê-lo direito ao mesmo tempo. Tão difícil que o deixámos cair umas duas vezes enquanto descíamos. Sempre que isso acontecia, ficava à espera de ouvi-lo gritar. Mas nunca o fez. Como se, por uma vez na vida, enfrentasse o castigo como um homem.

Quando chegámos ao fundo, Curt segurou-o enquanto eu enfiava as mãos no bolso do casaco de Jamil e abria caminho entre lenços de papel usados até encontrar as chaves do carro. A seguir, saímos para a rua e procurámos o carro.

— Onde raio estará o carro? — digo, olhando à minha volta.

— Carrega no botão, talvez tenha uma daquelas coisas que faz bipe.

Foi o que fiz e, de repente, duas luzes âmbar começam a piscar do outro lado da rua. Ali estava o seu reluzente *M3*, debaixo de uma árvore. Não sei como não o vimos.

Agora, o que eu devia ter verificado se estivesse a pensar com clareza era os seus telemóveis. Devia ter-me livrado deles. Mas não tenho mentalidade de assassino, percebem? Isto não foi planeado nem nada do género. Devia ser uma simples «coleta», ponto final. Para deixar Ki em segurança. Tratava-se apenas disso. De qualquer forma, foi o meu azar. Mas agora já não interessa, pois não? Agora, já sabem a história toda, né? Oh, merda! E o cabelo. O meu cabelo no carro dele. Nem sequer pensei nisso. Quem ia pensar em cabelo quando não tem praticamente nenhum na cabeça? Talvez devesse ter posto um plástico nos bancos antes de me sentar, ou aspirado o carro depois, mas não pensei nessas coisas com tudo o mais que me ia na cabeça. Só que é assim que eles nos descobrem. Como é que as pessoas dizem? Podemos pensar em algumas coisas. Podemos pensar em quase todas as coisas. Mas ninguém consegue pensar em tudo o tempo todo. Ou qualquer coisa como isto. Vocês sabem o que eu quero dizer.

Seja como for, estacionámos nas traseiras de um dos bairros que conhecíamos e arrastámo-lo para fora do carro até uma espécie de telheiro onde estão todos os contentores. Não fazíamos ideia do que fazer com ele, por isso despejámo-lo ali como se fosse apenas mais um saco de lixo. E quando caiu por terra, aquilo que melhor recordo é o som abafado que fez, como se não estivesse realmente ali, como se já estivesse longe do seu corpo. Foi a única coisa que fez com que eu conseguisse fazer aquilo. Saber que já não era ele que estava ali, mas apenas o seu passado.

Pusemos um saco de lixo por cima do corpo enrolado em fita adesiva, para não chamar a atenção, e voltámos a olhar para ele. Eu disse uma espécie de oração baixinho, mas a única coisa que conseguia ver era lixo. Lembro-me de ter pensado na altura naquela coisa do és pó e ao pó voltarás, e soube que ele tinha partido.

Depois de o deixarmos, tínhamos de nos livrar do carro. Porém, não queríamos ir demasiado longe, pois ainda tínhamos de tratar de Shilo e Binks. Por isso, conduzi um pouco até vermos outro bairro social, e depois estacionámos.

— Aqui? — pergunta Curt.

— E porque não? — digo eu, saindo do carro.

— Este bólide? Aqui? Vão roubá-lo, com toda a certeza — diz ele, levantando-se do banco com dificuldade.

— Exatamente — digo, e sigo em direção à estrada principal, certificando-me que deixo as portas destrancadas e a chave na ignição.

Atiramos as luvas para um caixote próximo, apanhamos o autocarro e voltamos à casa de *crack*. Subimos lentamente até às grandes portas da entrada, a olhar para todos os lados. Para prevenir qualquer eventualidade. Nunca se sabe o que nos pode aparecer pela frente. Mas pareceu-nos tudo em ordem. Estava tudo como antes. Subimos a escada e escutámos à porta, para ver se ouvíamos algum barulho. A última coisa que queríamos era ser atacados por dois tipos enraivecidos. Tenho o ouvido encostado à porta, mas só consigo ouvir a respiração de Curt. Levanto o polegar para lhe dizer que está tudo bem e ele introduz a chave e fá-la rodar. Ao abrirmos a porta, quase estou à espera que eles tenham desaparecido. Mas Shilo e Binks continuam ali, agora completamente despertos, a gemer e a contorcer-se nos seus fatos de fita adesiva. Ignoramo-los e começamos a limpar a casa. Basicamente, despejámos garrafas e garrafas de lixívia por todo o lado até a casa cheirar a piscina. Ao que parece, nada sobrevive à lixívia. Mata noventa e nove por cento de todos os germes, toda a gente sabe disso. Só depois de termos lavado tudo é que Curt olhou finalmente para mim e depois para os homens a gemer no chão. Puxou-me para o quarto das traseiras, para que não nos ouvissem.

— Que raio fazemos com estes dois palhaços?

— Solta-os — disse. — Só queria pôr fim àquilo naquele preciso momento. Queria que eles saíssem dali. Queria que Curt saísse dali. Queria sair dali.

— E se…?

— Eles não sabem népia. Estavam inconscientes — digo.

— Bem, mas hão de acabar por pensar onde anda o chefão.

— Dizemos-lhes que o entregámos aos Glockz. Até são capazes de dar a dica aos Cotas e começar eles próprios a guerra.

— Tens razão — diz ele, e depois volta para a sala e começa a tirar-lhes a fita adesiva da cara. Gritam como se fossem raparigas. A seguir, Curt inclina o seu grande rosto sobre os deles e fulmina-os com o olhar.

— Escutem, seus filhos da puta, da próxima vez que vir as vossas fronhas, hão de estar a mastigar balas, percebem? — diz, agarrando um em cada mão e obrigando-os a levantar-se.

— Onde está JC? — pergunta Shilo esfregando a cabeça.

— Tinha uns assuntos a tratar com os Glockz e eles levaram-no. Agora, se fosse a vocês, talvez quisesse pirar-me daqui para fora antes que os Glockz venham à vossa procura.

Binks está agora a vir a si e começa a ficar outra vez todo nervoso. A seguir, olha para a perna e grita:

— Tu deste-me um tiro, meu! — diz-me ele, chorando como um bebé.

— Pois foi, meu. Dei-te um tiro.

Fazem menção de ir embora, mas Curt agarra-os pelo colarinho.

— Esperem aí, rapazes! O Curt tem umas perguntas para vocês. E é melhor pensarem bem antes de virem com tretas, caso contrário seguem o caminho de JC, rumo ao norte.

Até eu tenho medo quando ouço Curt a falar sobre si como se fosse outra pessoa. Olho para ele, que faz que sim com a cabeça como quem diz «Sim, eu sei».

Pausa: 11:00

22

11:15

Bem, o resto são pormenores, apenas. Ficámos muito surpreendidos por Jamil ter armado aquela confusão, percebem? Nem sequer foi uma daquelas coisas. Sim, estávamos à espera que lhe passasse pela cabeça tentar, mas pensámos que nem ele era suficientemente estúpido para cortar uma cadeia de abastecimento a menos de metade do preço que ele pagava aos Cotas. Era como se nem sequer tivesse pensado realmente no assunto.

Mas aquilo que mais nos espantou foi o saco que ele trazia consigo ter mesmo dinheiro lá dentro. Não as sessenta mil libras, mas metade desse montante. Era como se a possibilidade de perder o dinheiro não o incomodasse assim tanto. Porquê correr o risco de levar aquele dinheiro todo se a única coisa que estava a pensar fazer era gamar as drogas? De início, não fazia sentido para nós. Não podia ter sido uma situação de estar preparado para qualquer eventualidade porque só lá tinha metade do dinheiro.

Ficámos a saber por Shilo que não havia nenhum plano para roubar a droga. O plano era entregar as trinta milenas. Shilo e Binks começavam a bater à porta para armar confusão, e Curt ia ficar demasiado paranoico para contá-lo todo e entregava-lhe a droga. Na verdade, parece que eles até tinham gritado «A polícia está aqui!» ou uma treta dessas, só para apressar as coisas. De qualquer forma, assim Jamil ia-se embora com o que pensava ser um quilo de cocaína e nós ficávamos a arder. A arder, mas não ao ponto de querermos iniciar uma guerra com os Cotas por causa disso. O plano não era mau, mas eles não tinham contado com Curt. Ele não estava ali para lhes dar fosse o que fosse sem receber o «papel» primeiro. E quando Curt não se mostrou abalado como devia, JC sacou da pistola e começou algo que ninguém podia controlar.

Por isso, sim, foi Ki que o matou. Agora, dou-me conta que isto é tudo informação nova para vocês. Sei disso, e sei que não é permitido. O meu advogado disse-me vezes sem conta: «Não pode dar informação nova. Isso é contrário às regras da prova.» É por isso que veem o advogado de acusação a contorcer-se no lugar. Ele não gosta disto. E eu também não. Sei que haverá consequências no final destas minhas alegações. Vai haver porcaria, mas não consigo evitar. É a verdade. Não posso deixá-los sem saber o que aconteceu. Estas coisas precisam de ser esclarecidas, mesmo que me prejudiquem, a mim ou a Ki.

E digo-lhes que a última pessoa que queria meter nisto era Ki, mas como ela já está longe nesta altura, achei que era seguro contar-lhes o que aconteceu.

Está bem, a acusação é capaz de perguntar porque não contei isto tudo sobre Jamil à polícia durante o interrogatório, para eles poderem confirmar. Mas a verdade é que não queria que caísse tudo em cima de Ki. Isto foi tudo para a ajudar e não ia tramá-la, custasse o que custasse. Sobretudo enquanto houvesse a possibilidade de a prenderem por isso, percebem?

Na verdade, na altura, estávamos a fazer tudo o que podíamos para que nada disto se viesse a saber. Queríamos enterrar o assunto. De qualquer forma, quem ia acreditar na minha história? O quê? Senhor agente, estávamos a montar uma armadilha a um traficante de droga que andava a falar da minha miúda que era procurada por outros traficantes e nós íamos roubá-lo para que outros traficantes matassem os primeiros, blá-blá-blá. Além disso, mesmo que tivessem revirado a casa e encontrassem uma data de porcarias, não teriam encontrado aquilo que procuravam. Não teriam encontrado provas. Acabámos por tornar isso impossível.

Depois de termos limpado a casa, Curt deitou fora aquela treta toda: o pó, a lixívia, as roupas e o resto, enquanto eu voltava para casa para ver das raparigas. Não fazia ideia de como estariam, por isso combinámos que eu ia de táxi diretamente para lá, com o dinheiro, e Curt ia ter connosco depois de se livrar do que era preciso, incluindo a *Browning* prateada de JC. Passámos a casa a pente fino, à procura da minha *Baikal*, mas não estava em lado nenhum. Acabámos por imaginar que Shilo ou Binks a tinham levado, de alguma maneira. Ou talvez tivesse ido no meio das outras coisas que tínhamos juntado para deitar fora. Fosse como fosse, não fazia diferença, desde que tivesse desaparecido. É claro que lhe tocara. E é claro que Kira lhe tocara, mas nem eu nem ela tínhamos registo criminal, por isso a polícia não tinha as nossas impressões digitais. Portanto, embora a pudessem utilizar para recolher alguns indícios, caso a encontrassem, sem nós não poderiam descobrir correspondências. Desde que não deixássemos nada que os pudesse levar a nós. E não pensávamos que houvesse. Tínhamos sido cuidadosos. Pelo menos, era o que pensávamos.

Quando cheguei a casa, só lá estava Ki. Bless concordara finalmente em ir para casa da nossa mãe, depois de Kira a ter convencido que estava a sentir-se melhor. Verdade seja dita, Ki parecia mesmo estar melhor, porque já não estava tão traumatizada. Mas agora tinha outro problema qualquer. Falava a cem quilómetros à hora, fazia listas na cabeça e depois debitava-as de repente.

— O que fizeram com ele? — perguntou a certa altura.

— É melhor para ti não saberes — digo, e começo à procura de alguma coisa forte para beber.

— E com os outros? Fizeram-lhes mais alguma coisa? — pergunta. O seu corpo treme enquanto fala, mas mais movido por uma energia nervosa do que pelo medo, por isso a modos que fico um bocadinho mais descansado em relação a ela.

— Nada, amor. Estão bem. — Encontro rum e deito um bocadinho em duas canecas. Ela bebe um gole e faz uma careta.

— E a tua roupa? — pergunta, olhando para a enorme camisola com capuz que tenho vestida.

— Ki, está tudo bem. O Curt tratou disso. Só tens de esquecer essa cena toda, miúda. Não há nada que te ligue a isto. Juro. — Pego-lhe nas mãos e ela baixa os olhos para as minhas.

— Sangue — diz.

Olho para ela, sem perceber.

— As tuas mãos. Unhas. Têm sangue. Tens de lavá-lo. Fazê-lo desaparecer. Há uma escova de unhas debaixo do lavatório. Faz isso! Agora! — diz, novamente frenética.

— Está bem — respondo. Engulo o resto do rum e vou para a casa de banho. Passo os vinte minutos seguintes a esfregar e a deitar o mais que posso de toda aquela noite pelo ralo abaixo. Mas a porcaria estava de tal forma agarrada que a única coisa que eu via à minha volta era fragmentos daquela noite.

De qualquer forma, tinha acabado de sair do chuveiro quando tocaram à campainha. Ki foi à porta e deixou Curt entrar. Eu sequei--me e depois juntei-me a eles na cozinha. Curt estava um bocadinho elétrico, mas o charro que estava a fumar estava a levar a melhor sobre os nervos. Ki continuava lívida.

— Merda! Estou preocupado com a casa, meu! Se aqueles rapazes falam dela a alguém, estamos feitos. Sobretudo tu — diz Curt, passando-me o charro.

— Porquê?

— A casa tem sangue por todo o lado, meu!

— Mas nós desinfetámos a casa toda com lixívia — digo, levantando-me da cadeira.

— Não importa termos lavado aquele otário. O sangue e o ADN têm o hábito de perdurar.

— Andas a ver demasiado *CSI*, meu! Seja como for, eles não têm registo do meu ADN, né? Nem do de Kira.

— É verdade, mas têm do meu. E se aqueles idiotas do Shilo e do Binks são apanhados em alguma coisa e te acusam deste homicídio? Qualquer ADN naquela casa que corresponda ao teu ou ao de Kira vai tirá-los de um buraco e enfiar-te a ti noutro.

— Porra! — digo, e volto a sentar-me. Não tinha pensado nisso. Não importava apenas o ADN que a polícia tinha nos registos, mas também alguém me poder culpar pelo homicídio. Nesse caso, estava lixado. A casa era de Curt, por isso ele podia explicar a presença do seu ADN. Já o meu não seria tão fácil e não me apetecia nada ter de dizer que tinha estado por perto. Muito menos Ki.

— Então, o que fazemos agora? — pergunto.

Nessa altura, Ki levanta-se da cadeira e vai abrir uma janela para deixar sair o fumo do charro. Quando volta para a mesa, olha para nós os dois com ar amedrontado.

— Deve haver alguma coisa que possam fazer — diz.

— Como por exemplo? — pergunta Curt.

— Para começar — digo —, precisamos de sair de Londres. Talvez até do país. Estou mesmo a pensar em Espanha.

— E vamos fazer o quê, aí? Viver de quê? — diz Ki, levantando-me a voz. — Somos os lendários assaltantes do comboio, ou quê?

— Bem, temos aquele saco de dinheiro que Jamil trouxe — respondo. — Deve dar para nos mantermos todos fora de circulação durante uns meses, até termos a certeza de que não andam à nossa procura.

— O que nos traz de volta ao ADN, meu. Que raio vamos fazer em relação a isso? — diz Curt, dando uma longa passa no seu charro.

Vem-me uma inspiração repentina.

— Manda os teus amigalhaços voltar para o apartamento — digo.

— Para quê?

— Vais querer que esteja ocupado se a polícia aparecer por lá. Se estiver vazio, vai parecer o local de um crime. Se estiver lá gente, vai servir para tornar a confusão ainda maior.

Curt pensa nisso por um segundo e depois assente lentamente.

— Vou tratar disso — diz Curt, e agarra no telemóvel.

— Espera. Podem fazer uma coisa ainda melhor — diz Ki, com os olhos novamente esbranquiçados.

— O quê? — perguntamos ambos.

— De certa forma, é o que acabaste de dizer — responde, olhando para mim. — Tornar a confusão ainda maior.

Olhamo-la perplexos até ela se explicar.

— Inundar a casa de ADN.

Na zona onde moro, toda a gente tem um amigo que é barbeiro ou conhece algum, por isso arranjar aparas de cabelo foi fácil, embora tenha recebido alguns olhares de viés. Mas os barbeiros são esquisitos, por isso é preciso fazer alguma cena muito marada para eles estabelecerem limites. De qualquer forma, depois de conseguirmos juntar a quantidade suficiente, eu e Curt fomos no dia seguinte com o saco das aparas ao apartamento e espalhámo-las por todo o lado. Foi nojento, é verdade, mas se encontrassem fios de cabelo, os testes de ADN haviam de produzir resultados estranhos, percebem? É claro que a polícia podia encontrar o meu ADN se fosse à procura, mas se houvesse ADN de uma centena de rapazes naquela casa, eles não tinham caso. Quer dizer, não sou advogado nem nada disso, mas parecia-me lógico.

Obviamente, arranjar sangue foi um pouco mais difícil, mas conseguimos. Primeiro, passámos a tarde a comprar bocados de carne no talho *halal* e a besuntar as paredes com eles, mas acontece que não se consegue tirar muito sangue de carne desmanchada. A seguir, Curt lembrou-se que conhecia alguém que trabalhava num matadouro de frangos e mais tarde, nessa mesma noite, tínhamos um balde cheio de sangue. Perguntei-lhe qual a razão que dera ao fulano para precisar daquilo, mas a única coisa que ele me disse foi: «Não queiras saber, meu!»

Digo-lhes uma coisa: aquela porcaria cheira ao que o sangue de frangos mortos deve cheirar, mas levámo-lo e, quando já estava a coagular, esfregámos a casa inteira com ele. Depois disso, voltámos a lavar tudo com lixívia. Se um CSI ou coisa parecida encontrasse alguma coisa, havia de ficar todo baralhado, acreditem. Isso era garantido.

Passámos o dia seguinte com os nervos em franja. Nem consigo explicar. Ao princípio, não nos tínhamos apercebido realmente de que alguém tinha ficado pelo caminho, isto é, morrido. Nem sequer tivemos essa perceção enquanto nos livrávamos do corpo lá no bairro. Só depois do trabalho feito, de termos espalhado o cabelo e o sangue e de termos lavado a casa, é que caímos em nós. Lembro-me perfeitamente.

Estávamos sentados à roda da mesa, em minha casa, e Ki ainda estava por lá. Tínhamos imensas coisas para fazer. A primeira da lista era reservar passagens para Espanha, para os três. Só conseguimos arranjar dois bilhetes de imediato, o terceiro tinha de esperar mais dois dias. Concordámos que Ki e Curt precisavam de se ir embora o mais depressa possível. Ki por estar agora sob suspeita por ter disparado e Curt por não ter sítio para onde ir. A sua casa ali no sul, aquela que tínhamos transformado em antro de *crack*, era demasiado perigosa. A sua casa no norte de Londres era visitada a cada hora por Glockz que estavam agora a começar a ficar furiosos. O telemóvel não parava de tocar com ameaças e até a mãe andava atrás dele. Por isso, precisavam com urgência de se pôr a andar.

— As coisas estão a ficar feias, mano. Nem dá para explicar o quanto. Os Glockz andam a ligar-me de dois em dois minutos — diz Curt depois de rejeitar mais outra chamada.

— Como raio é que esses rapazes te podem culpar tão depressa por isto?

— Provavelmente foram aqueles dois, né? Devem ter ido direitinhos ter com os Cotas. Mas o plano era esse — diz, indo ao frigorífico e tirando um folhado antes de o enfiar inteiro na boca.

— Mas tão depressa? E sem saberem o teu nome… — digo, virando-me para olhar para ele.

— Ah, pois! Achas que precisam de saber o meu nome para me identificar? — diz, abrindo os braços de tal forma que parece ter o dobro do tamanho. — Devíamos ter-lhes limpado o sarampo, mano!

— Porra, meu! Nós não somos assim! Nós não fazemos essas merdas. É verdade que houve um rapaz que foi desta para melhor, mas não foi nada que tivéssemos planeado. As coisas correram mal, simplesmente. E eu conheço-te, Curt. Tu não és um *gangster*, mesmo que tenhas alinhado com essa gente.

Ele deixa-se cair numa cadeira ao nosso lado, junto à mesa.

— Pois, meu, eu sei. Estou apenas assustado, mano. Os Glockz são gente cruel e nem imagino o que planearam para mim.

— Está tudo bem, meu. Vamos tirar-te daqui em breve. E pelo tempo que for preciso. Ou pelo tempo que trinta milenas te conseguirem manter em forma.

Mas o dinheiro não era propriamente um dado adquirido. Não podíamos enfiá-lo simplesmente numa mala e subir a bordo de um avião com ela. A coisa precisava de ser bem conversada. Foi nessa altura, enquanto estávamos a mexer no dinheiro, a contá-lo e a dividi-lo, que tomámos consciência do sucedido. Um por um. Bum! Bum! Bum!

— Ele está morto — diz Curt.

Olho-o como se ele tivesse enlouquecido.

— Nós sabemos — digo devagarinho.

— Não, meu! Ele está mesmo morto — diz, esfregando a cara. — Quer dizer, ainda há pouco estava vivo e agora morreu. Tudo o que ele conhecia continua aqui, mas ele desapareceu simplesmente. Este dinheiro estava aqui e aqui continua. Ele estava aqui com este dinheiro. Agora, o dinheiro está aqui e ele não. Desapareceu simplesmente. Desapareceu mesmo, percebem?

De início, continuei a olhá-lo como se ele tivesse perdido o juízo. Claro que estava morto. Tínhamos passado o dia anterior a encher o apartamento de cabelo e sangue de frango. Se percebia? Não, não percebia. E depois, precisamente quando me preparava para dizer isso mesmo, percebi. Pela primeira vez. A coisa encaixou como um pistão no cilindro.

Curiosamente, Ki foi a última a perceber. Mas também é verdade que aquilo por que tinha passado lhe deixara o mundo às avessas na cabeça. Têm de perdoá-la um bocadinho por isso. Além disso, era ela quem estava a tratar de tudo o que era preciso. Foi ela quem reservou os voos. Foi ela quem tratou dos passaportes. Era ela que andava a ver as atualizações noticiosas e a pesquisar a Internet para ver se encontrava alguma informação sobre Jamil, também conhecido como JC, R.I.P, e tudo o mais. Suponho que, para o cérebro dela, a coisa ainda não estava devidamente terminada. Continuava a decorrer. Mas depois de fazer a confirmação final do voo, recostou-se, olhou para nós e também percebeu. Bum! Aquelas luzes brancas nos seus olhos desapareceram e começou a soluçar. A chorar lágrimas suficientes por todos nós, suponho.

Mas, a seguir, aconteceu uma coisa estranha que mudou tudo.

Ki e Curt iam embora no dia seguinte. Tinha de ser rápido. Tão rápido que não nos importámos de pagar quase o quádruplo do custo normal do bilhete. De qualquer forma, fazia tenção de acompanhá-los ao aeroporto, para me despedir. Continuávamos todos bastante nervosos e não sei se teríamos dormido três horas em três dias.

Na verdade, aqueles três dias pareciam três semanas. Os segundos pareciam prolongar-se de tal forma que conseguíamos encaixar uma centena de pensamentos em cada um deles. Pensar era a nossa atividade principal. Ninguém falava, se não fosse preciso. Se o fizéssemos, era como se estivéssemos a trazer Jamil para junto de nós. Já era suficientemente mau tê-lo na cabeça vinte e quatro horas por dia. Completamente enfaixado na fita adesiva. Coberto de lixívia, pó e sacos do lixo, sentado junto aos contentores como um saco de cimento. Mas não podia trazê-lo para ali. Nenhum de nós podia.

Naqueles três dias, não houve lugar para gestos inocentes. Se alguém ligava a televisão, era porque estava à procura de notícias. Se alguém ia tomar um duche, era porque estava a tentar fazer desaparecer o sangue. Até lavar a louça dava a sensação de estarmos a fazer alguma coisa de errado. Era como se quanto mais evitássemos o assunto, mais ele estivesse presente e nos atingisse em cheio. Uma vez, não aguentei mais e falei.

Curt e Ki estavam sentados, com a televisão ligada. Na verdade, ninguém estava a ver nada, era apenas barulho de fundo. Ki estava com ar de que tinha morrido alguém. O que não era nada assim tão estranho, mas eu não suportava vê-la assim.

— Não tiveste culpa, Ki — disse eu para o ar.

— Não quero falar sobre isso — responde, a olhar para a televisão.

— Podia ter sido eu.

— Mas não foste. Fui eu — diz ela, virando-se para olhar para mim.

— Sim, mas o que estou a dizer é que podia ter sido. E, no fim de contas, ele puxou de uma arma e quando se faz isso tem de se estar preparado para levar um tiro.

— É assim tão fácil para ti? — diz ela, com os olhos a faiscar no rosto pálido.

— A sério! Eu tinha-lhe dado um tiro se fosse preciso.

— Mas não deste. Eu é que dei. E nem sequer me perguntaste por que razão o fiz.

— Não importa. Ele merecia.

— Para ti, as coisas são todas a preto e branco, não é? — diz ela, pondo-se em pé. — Para mim, não. Um homem está morto por minha causa.

— Não, Ki. Um homem está morto por causa *dele*.

— Mas fui eu que o matei. Compreendes? É isso que interessa.

— Mas isso também não é assim tão a preto e branco, pois não? — digo, levantando-me igualmente e agarrando-a pelos cotovelos para a puxar para mim.

— Não, não é, mas tu não pareces acreditar em zonas cinzentas — diz ela libertando-se, com a exaltação a sumir-se-lhe da voz, de repente.

Agora sou eu que estou a começar a ficar zangado. Não compreendo porque é que ela pensa assim.

— Então, diz lá porque achas que ele não merecia morrer. Será que o Curt merecia morrer quando ele se preparava para o matar?

— É precisamente isso que estou a dizer. Ninguém merece morrer por aquilo que fez. Pode merecer alguma coisa, mas não isso — diz ela, escorregando novamente no sofá. Puxa os joelhos nus para junto do queixo e fecha os olhos.

— Nesse caso, o que era que ele merecia? O que merecia por todo o *crack* que andava a impingir às pessoas? Umas palmadinhas no rabo?

— Vai à merda! — diz ela baixinho, como se a sua bateria estivesse no fim.

— Não, Ki! Vai tu! Ele nunca pagou pela porcaria que fez. Pagou agora.

Depois disto, as coisas ficaram bastante tensas. Verdade seja dita, estávamos a enervar-nos uns aos outros. O apartamento era demasiado pequeno para ter tantas pessoas ali dentro vinte e quatro horas por dia. Ainda mais depois de uma delas ter matado alguém.

Por isso, quando chegou o dia de sair de casa, de certa forma ficámos todos aliviados. Estávamos nervosos, é verdade, mas mesmo assim preferíamos estar lá fora. Aquilo estava a tornar-se claustrofóbico.

Ainda não tínhamos ouvido dizer nada sobre o homicídio, apenas rumores, mas não havia polícia metida e não havia nada nas notícias. De qualquer forma, pelo sim pelo não, Ki tinha reservado um voo de madrugada para haver menos risco de serem detetados.

Ki acordou-me a mim e a Curt com um café e depois pôs-nos umas torradas debaixo do nariz, para tomarmos o pequeno-almoço. Mas era muito cedo e, além disso, ninguém estava com disposição para comer. Os sacos já estavam atulhados e prontos junto à porta, à espera que pegassem neles. Tínhamos decidido que o dinheiro ficava comigo para já, uma vez que não podiam propriamente levá-lo como bagagem de mão. Mais tarde, depois de eles se instalarem, pensávamos numa forma de o fazer lá chegar. O melhor que nos ocorreu foi fazer o mesmo que a minha mãe fazia com a família dela, na Nigéria, e enviar-lhes o dinheiro por intermédio de uma loja de câmbio. Um bocadinho de cada vez até termos uma ideia melhor. Ki pesquisou e parecia que podíamos enviar cerca de duas mil libras sem problemas.

Depois de vestidos e prontos, ambos me olharam com ar de que talvez não me voltassem a ver. Embora fosse com eles até ao aeroporto, Curt deu-me um enorme abraço e disse simplesmente: «Até breve, mano.» Juro que quase comecei a chorar, mas depois virei-me para Ki. Está de calças de ganga e *sweatshirt*, mas o seu aspeto é tão inocente e bonito que me faz morrer por dentro por alguma razão que não consigo explicar. Fito-a de forma insistente e tento gravar aquela imagem na memória, para poder guardá-la comigo e evocá-la quando for preciso.

— Ki — digo, e depois ela corre para mim, estreita-me com força e começa a chorar. Chora até a minha camisa ficar com o colarinho molhado. Se pudesse levá-la dali para um lugar secreto, acreditem que o teria feito.

Parecia tão pequena nessa altura. Senti-a chorar e tremer nos meus braços, e parecia uma criança. Tinha passado por tanta coisa na sua vida. E porquê? Por tentar sobreviver e ser boa pessoa?

E vocês, meu! A olhar para mim dessa maneira… O que sabem vocês disso? As coisas por que ela passou…

Nem sequer sei porque estou a chorar à vossa frente. Será que penso que vai fazer alguma diferença para vocês? Falar convosco como se fosse capaz de os convencer? O quê? Então, conseguem ouvir-me com esse ar educado e depois, no final, vão condenar-me na mesma? Vão-se lixar, meu! Não consigo fazer isto mais tempo, senhor juiz. Eles que façam o que têm que fazer. Culpado, se quiserem.

Pausa longa: 13:15
(Dia mais pequeno. Decisão pessoal dos jurados.)

NO TRIBUNAL CRIMINAL CENTRAL T2017229

Perante: MERITÍSSIMO JUIZ SALMON QC

Alegações Finais:

Julgamento: 34.º dia

Terça-feira, 11 de julho de 2017

COMPARÊNCIAS

Pela Acusação:	C. Salfred QC
Pelo Arguido:	O próprio

Transcrito de um registo áudio digital por
T. J. Nazarene Limited
Estenógrafos Judiciais e Transcritores Certificados

23

10:15

Bem, quero apenas pedir desculpa. Não sei o que me deu ontem. Foi por me ter lembrado de Ki nos meus braços, foi... não importa.

Só preciso de consultar as minhas anotações por um segundo.

Voltemos àquele dia.

Ninguém estava com disposição para conduzir durante a longa viagem até ao aeroporto, por isso decidimos ir de metro. Saímos do apartamento e, quando damos por isso, estamos sentados no metro, a olhar uns para os outros, à espera que ele saia da estação Elephant & Castle. A seguir, arrancamos. O comboio desliza a toda a velocidade nos carris e para rapidamente nas estações, pois não há quase ninguém àquela hora da manhã. Ki e Curt tinham os sacos no colo e estavam calados, a olhar em frente, com os olhos a tremularem conforme passávamos pelas estações. De vez em quando, entravam umas quantas pessoas. Eram sobretudo operários a caminho de alguma obra ou, uma vez por outra, algum moinante a voltar para casa, ainda com os olhos vidrados do *ecstasy*.

Chegamos a Piccadilly Circus e mudamos para a linha azul-escura, para ir para Heathrow. As plataformas já estão a ficar cheias quando saímos, por isso temos de abrir caminho por entre a multidão, que é como a multidão em Londres que toda a gente conhece. Alguns bêbedos. Alguns sem-abrigo. Alguns estudantes. Alguns trabalhadores. Pequenas amostras do mundo inteiro ali mesmo, no subsolo. Atravessamos até à plataforma certa e depois esperamos cerca de um minuto até vermos o metro aproximar-se e parar. Ainda não pronunciámos palavra e depois de entrarmos e procurarmos lugares ao lado uns dos outros, limitamo-nos a entreolhar-nos até o comboio arrancar de novo.

Vemos as estações suceder-se, uma por uma. Green Park, Hyde Park Corner, Knightsbridge, South Kensington. Todos esses nomes que não significam nada para pessoas como nós, a não ser riqueza. Um tipo de riqueza de que nem mesmo o dinheiro nos fará aproximar. Conhecemos os nomes e os lugares, mas não somos convidados.

A seguir, quando paramos em Earl's Court, pelo canto do olho vejo um rapaz à espera para entrar com uma rapariga. Não significa nada para mim. É só mais um casal. Depois, enquanto esperam que as portas se abram, vejo Curt retesar-se.

— Porra! — diz. — Conheço aquele rapaz.

As portas abrem-se e o rapaz entra com a sua miúda atrás dele. Curt enterra a cabeça nas mãos gigantescas, mas quem quer que tenha estado uma vez que seja com Curt sabe que é impossível não dar por ele. Era como um elefante a tentar esconder-se com a tromba. O rapaz salta para dentro e depois senta-se à nossa frente, com as pernas abertas. Veste um blusão de aviador *Avirex* que o faz parecer entroncado em cima, mas dá para ver pelas pernas magras que não há nada debaixo do cabedal. A rapariga com quem está tem uns saltos muito altos e um vestido curto. É óbvio que passaram a noite em discotecas. Têm aquele ar aturdido meio embriagado, meio induzido pelo *ecstasy*. De repente, o rapaz repara em Curt.

— Ei — diz, esticando o braço e tocando no joelho de Curt.

Curt finge vê-lo pela primeira vez e diz «olá» com um movimento de cabeça. O rapaz interpreta isto como um sinal, levanta-se e senta-se ao lado dele.

— *Dread*, sabes que andam a passar as ruas a pente fino. Montes de gente à tua procura.

Curt encolhe os ombros, como que para mostrar que isso não lhe interessa, mas o rapaz não se cala. — Até o teu general anda a passar a palavra. Onde te meteste?

Curt cruza os braços e faz um olhar capaz de derrubar uma pessoa.

— Já nem ando com esses tipos, meu! Não sou pau-mandado de ninguém, percebes?

O rapaz recua e põe as mãos no ar.

— Tudo bem, meu. Então, queres que fique de boca calada, mano?

Curt assente e depois pergunta:

— Mas qual é o problema? Sabes alguma coisa sobre isso?

— Sim, há uns pagãos que andam a dar que fazer aos Glockz — diz o rapaz, voltando a sorrir.

— Ah, sim? Porquê?

— Um chavalo somali levou um tiro e os manda-chuvas dos Cotas partiram para a guerra. Acham que foram os Glockz que deram o tiro no rapaz e os Glockz acham que és capaz de saber de alguma coisa. O rapaz disse que estava numa casa qualquer a fazer negócio e que foi atingido quando a coisa deu para o torto.

Curt assente, tentando fazer um ar de «como queiras, meu», mas percebe subitamente o que acabou de ouvir.

— O rapaz disse? Qual rapaz é que disse? — perguntou.

— O somali. O que levou o tiro. Acho que se chama JC.

— Não, meu. Volta atrás. O rapaz que levou o tiro é que disse isso?

— Sim.

Curt olha para mim com ar perplexo. A seguir, volta a virar-se para o rapaz do *Avirex*.

— O que eu ouvi dizer foi que o rapaz tinha ido desta para melhor.

— Não, meu. Foi atingido, mas a bala entrou e saiu. Sobreviveu. Merda, a minha miúda sai nesta estação, mano, vemo-nos por aí. Não te preocupes que eu não digo nada — acrescenta, piscando o olho, e depois puxa a rapariga para fora do metro, ao mesmo tempo que nos diz adeus.

Eu e Ki olhamos para Curt. Não admira que não conseguíssemos encontrar nada sobre o homicídio nas notícias. O filho da mãe continuava vivo. Curt pensa por um momento, depois levanta-se e atira o saco sobre o ombro.

— Deixa-me ver esses bilhetes — diz para Ki, que tira da mala os bilhetes impressos e lhos entrega. Curt olha para eles e depois rasga-os.

— O que estás a fazer, mano? — pergunto, franzindo o sobrolho.

— Já não precisamos disto. A bófia já não vai vir atrás de nós, pois não? Vamos voltar para tua casa. Mas vai haver merda não tarda.

— O quê? Já não vamos para Espanha? — diz Kira, saindo do metro atrás de nós, toda confusa.

— Se isto for verdade, não precisamos de fugir da polícia, porque a polícia não anda à nossa procura — diz Curt enquanto atravessa a plataforma para apanhar o metro de regresso ao sítio de onde viemos.

— Como sabes que a polícia não anda à nossa procura? — pergunto, seguindo-o.

— Porque ele nunca iria falar à polícia num negócio de droga que tinha corrido mal. E, de qualquer forma, ele é escumalha, mas não é chibo, né? — diz e olha para Ki de uma forma que nos mostra que está a falar de Spooks.

— E os gangues? E os Glockz? E os Cotas? — diz ela, ainda preocupada.

— Os Cotas não andam atrás de nós, pois não? Andam atrás dos Glockz. JC deve ter dito aos Cotas que foram eles. Os Glockz podem vir à nossa procura, mas suponho que tenham problemas maiores do que nós — diz, e precisamente nessa altura o metro aparece e entramos todos. Ainda é muito cedo, mas agora as pessoas que vão para o trabalho estão a começar o dia e a carruagem está mais cheia do que antes.

— De qualquer forma — diz Curt em voz baixa, enquanto as portas do metro se fecham —, se não há polícia metida nisto, então a Bless e a tua mãe e a minha e o teu irmão estão todos metidos em apuros.

Eu e Ki entreolhamo-nos. Sabemos que ele tem razão.

Pausa: 10:45

24

11:00

Nós não conseguíamos acreditar naquela história, mas tivemos a confirmação no dia seguinte pelo diz-que-diz. Jamil estava vivo. Bem, digo que foi pelo diz-que-diz, mas neste caso foi por intermédio de Blessing.

Bless sabia que estávamos a planear fugir. Como já disse, Ki e Curt iam primeiro, e a seguir ia eu, passados uns dias. No entanto, decidimos que era demasiado perigoso encontrarmo-nos com Bless. Para já, tínhamos a possibilidade de negar o seu envolvimento. Ninguém a tinha visto. Ela não tinha disparado sobre ninguém, tinha estado de máscara o tempo todo e saíra do apartamento a toda a velocidade. Ainda por cima, era uma pessoa que não gostava de se meter em problemas. Era simplesmente uma rapariga que vivia com a mãe. Nem sequer saía. Nem sequer tenho a certeza de que alguém a conseguisse identificar num alinhamento policial. Por isso, a última coisa que queríamos fazer era tirá-la do pé da mãe e fugir com ela. Não havia necessidade, percebem?

Mas depois de percebermos que a polícia não estava metida no assunto, o caso mudou de figura. Sem polícia por perto para os afugentar, os gangues iam começar a fazer aquilo que os gangues gostam de fazer. Os Glockz haviam de vir à procura de Curt. Os Cotas haviam de vir à procura de todos nós. Jamil devia ter-nos culpado pelo sucedido. Mas, para mim, o maior problema era Bless e a nossa mãe. Se estivéssemos em Espanha quando os Cotas viessem à minha procura, o próximo lugar onde iam bater à porta era a casa da minha mãe. Só para se divertirem.

Portanto, estávamos outra vez num impasse.

Se a polícia andasse atrás de nós, os gangues escusavam de perseguir as nossas famílias. Quando a «Trident» ou outra unidade policial se envolve, os gangues afastam-se. Não querem a bófia a meter o nariz nos seus negócios, percebem? Mas se não houver polícia nem prisão perpétua, o inconveniente é que há boas hipóteses de os gangues nos quererem matar. E às nossas famílias. Era por isso que tínhamos de voltar. Não tinha a certeza do que era pior. Era daquelas coisas... Quase que tinha sido melhor chamar a polícia e acabar com aquilo. Mas também não sou pessoa que aguente uma perpétua, percebem? Nem Ki, como é óbvio. Ela não é dessas, acreditem.

Seja como for, quando voltámos da viagem de metro, liguei para Bless para lhe dizer que afinal não nos íamos embora.

— Ainda bem — disse ela. — Fico s-satisfeita. — Depois, desligou como se não houvesse mais nada para dizer sobre o assunto.

Chegámos ao apartamento e Curt e Ki largaram os sacos. Agora, não havia nada a fazer senão esperar. O problema era não sabermos qual seria o próximo passo até conseguirmos mais alguma informação. Será que os Glockz andavam mesmo à procura de Curt? Será que Jamil já tinha falado de mim e de Ki aos Cotas? Estaria ele vivo, sequer? Aquela treta que o rapaz nos tinha contado no metro seria mesmo verdade? E se estivesse vivo, estaria vivo a que ponto? Seria capaz de falar?

Nós os três passámos o resto do dia a tentar arranjar um plano B, ou mesmo um plano E ou F, percebem? A primeira coisa que precisávamos de saber era se Jamil estava mesmo vivo e, se estava, o que tinha contado aos Cotas.

— Talvez até não lhes tenha contado nada — digo aos outros, enquanto jantamos a piza que tirámos do frigorífico.

— Como assim? — diz Curt, que leva à boca longas fitas de queijo da piza, como se fosse elástico.

— Bem, ele foi «coletado» e os amigos foram atingidos a tiro. Perdeu o dinheiro e, ainda mais importante, a reputação. Talvez queira guardar segredo sobre isso.

Curt decide que comer piza da maneira normal é demasiado difícil, junta duas fatias de piza para fazer uma sanduíche e enfia tudo na boca.

— Hum, talvez — diz. — Talvez.

— Ou talvez não — diz Ki, que se levanta da mesa e deita o jantar no caixote do lixo.

Acabamos a noite sem ter decidido nada, a não ser que precisamos de mais informação. E mais outra coisa. Caso ele já tenha contado sobre nós aos Cotas, precisamos de encontrar um sítio para onde ir. E depressa.

Quando Curt começa a ressonar no sofá, sabemos que está na altura de ir para a cama. Faço sinal com a cabeça a Ki e vamos para o quarto sem fazer barulho. Nessa noite, enquanto eu estou a tentar lembrar-me de algum lugar onde possamos ficar, Ki vira-se na cama e levanta-se sobre um cotovelo, com a cara virada para mim.

— Não podemos ir simplesmente para Espanha? — pergunta baixinho.

— Não, não podemos. Quer dizer, eu não posso, por causa da minha mãe e de Bless. Estão em situação de risco. — Mas depois ocorre-me o seguinte. — Mas tu podes. Tu podes ir. Porque não vais? Instalas-te num sítio qualquer e nós vamos ter contigo mais tarde — digo, sentando-me de repente na cama.

— Cala-te — diz ela com um suspiro. — Sabes que não vou sem ti.

Volto a deitar-me e fico a olhar para o teto durante um bocado. Passado pouco tempo, a respiração de Ki diz-me que ela adormeceu. E eu também adormeço pouco depois, com a cabeça de Ki sobre o meu peito.

Nessa noite, tive uns sonhos esquisitos. Ki era uma espécie de pássaro de penas coloridas e estava a tentar voar para longe, só que não conseguia porque eu tinha-lhe atado um fio ao pescoço e, sempre que ela se tentava afastar, o fio ficava mais apertado. Parecia que estava a estrangular-se a si mesma, ou talvez fosse eu que estava a fazê-lo. Mas acordei antes de a matar. Pelo menos, isso.

Na manhã seguinte, bateram à porta tão suavemente que quase não ouvi. Tinha acordado e dado com o espaço vazio onde Ki devia estar e, por um segundo, lembrei-me dela na pele daquele pássaro. Afastei aquela imagem da cabeça como uma teia de aranha antiga e fui até à cozinha, onde encontrei Ki a fazer o pequeno-almoço. Foi nessa altura que ouvi o bater silencioso. Uma simples pancadinha. Na verdade, só ouvi porque Ki levantou os olhos da torrada em que estava a pôr manteiga para perguntar:

— São os canos? Ou é alguém a bater à porta?

Olho para Curt à procura de uma confirmação, mas nada no seu rosto me diz se estará sequer acordado. Está a mastigar bocados de torrada junto à mesa, mas os seus olhos ainda não ganharam vida.

Toc-toc, novamente. Porque não arranjei um daqueles óculos para pôr na porta? Lembro-me de pensar que tinha de tratar disso, apesar de estar em pânico. Faço sinal aos outros dois para se esconderem algures e vou até à porta em meias, tentando não fazer barulho. A seguir, batem outra vez. Toc, toc, toc. O meu coração é mais bum, bum, bum. Espero. Encosto o ouvido à porta. Precisamente nessa altura, ouço o sussurro de uma voz.

— Sou eu. Bless.

Abro a porta e ali está ela, minúscula, mas envolta na nuvem fofa de um blusão de penas.

— Entra depressa — digo, e puxo-a pelos pulsos, que espreitam das mangas como delicados raminhos. — Que estás aqui a fazer?

— É por causa daquele r-rapaz, Jamil — diz ela, de olhos muito abertos.

Nessa altura, Curt sai da casa de banho, onde estava escondido, seguido de Ki. Ambos têm a mesma expressão perplexa, é o que se lhe pode chamar.

— Olá, meninos — diz Bless, e recebe um abraço de Ki, que lhe afaga o rosto como se ela fosse uma criança.

— Bless, não é seguro. Porque estás aqui, minha querida? — diz Ki, que depois olha para mim, à procura de respostas. Eu não as tenho.

— Não mereço um abraço? — diz Curt de repente e avança em direção a ela. As faces de Bless ficam vermelhas quando ele se aproxima, mas não sei porquê. Talvez esteja nervosa. Curt tem o costume de deixar as pessoas nervosas.

Olhamos para ela e esperamos até ela falar.

— É o J-Jamil. Ouvi um rumor.

— Que rumor? — pergunto.

— Está vivo e s-sai do hospital amanhã.

— Merda! Como sabes isso?

— É apenas um rumor. Conversa de miúdos. É tudo o que dizem. Já o viram e s-sai do hospital amanhã.

— Aquele rapaz no metro não estava a enfiar-nos o barrete — digo para Curt, que assente lentamente para si mesmo, ainda a mastigar a torrada.

— Escuta, agora tens de te ir embora. É perigoso — digo, segurando-a pelos ombros.

— Não te preocupes, eu v-vou. Não quis telefonar — explica, e dá meia-volta para se ir embora. — Ah! A mãe diz para lá irem jantar. E para levares o cavalo — disse, olhando para Curt e voltando a corar.

Olho para Curt, que sorri de orelha a orelha ao pensar na comida da minha mãe.

— Talvez — digo. — Logo se vê.

Jamil estava vivo. Não só estava vivo, como já estava recuperado, como viemos a descobrir depois de Curt fazer uns quantos telefonemas. Dizia-se, tal como o rapaz do metro contara, que a bala tinha entrado por um lado e saíra pelo outro. Ao que parece, ter-se-ia esvaído em sangue se não o tivéssemos enrolado em fita adesiva. De qualquer forma, acontece que na manhã depois de o largarmos, os homens do lixo encontraram alguns sacos muito pesados naquele bairro. Pensaram que fosse apenas lixo. Mas quando se preparavam para os largar no triturador, parece que um dos sacos se começou a mexer. Os pobres diabos apanharam um susto, deixaram-no cair, e o rapaz quase morreu pela segunda vez. Gerou-se um grande alvoroço por todo o bairro. Bófia por todo o lado. E, quando deram por isso, o rapaz estava na UCI. A seguir, esteve uns dias numa enfermaria normal. E agora ia sair, sem mais delongas. A bófia andava a farejar, como de costume, mas ainda não estava a trabalhar a sério porque, tanto quanto se sabia, Jamil não tinha culpado ninguém pelo sucedido. Deviam ter tentado pô-lo a prestar depoimento, mas o tipo era traficante de droga e não podia denunciar ninguém se quisesse manter a reputação que tinha nas ruas. Curt estava certo em relação a isso. A questão era o que iria acontecer a seguir.

Eu e Ki ficámos escondidos no meu apartamento durante mais um dia ou dois. Quando precisávamos de comprar alguma coisa, levantava-me cedo e saía. O pessoal dos gangues gosta de dormir até tarde e antes do almoço não se encontra um único «soldado» em nenhuma rua de Londres. Por isso, desde que me levantasse cedo, sabia que estava em segurança.

Curt preferia andar de um lado para o outro em vez de ficar em sua casa, pois sabia que podia ser um alvo e que podiam estar a vigiá-la. Mas não tinha muitas opções, por isso acabou por ficar na minha mais tempo do que queria. Ainda tinha alguns aliados nos Glockz que lhe podiam fazer chegar mensagens e transmitir informações e, embora Curt não estivesse para já a ser acusado pelo tiroteio, o seu nome andava de boca em boca.

Depois, um dia, cerca de uma semana depois do incidente, quando estávamos todos em minha casa a fazer o habitual, isto é, a jogar *PS3* e a comer piza, esforçando-nos apenas por passar o dia, Curt recebeu uma chamada de Guilty, o seu «general». Ele ficou siderado quando viu o número, com a mão a pairar sobre o telemóvel, sem saber se havia de premir o botão para atender. Mas passada uma dúzia de toques, engoliu em seco, atendeu a chamada e olhou para mim arqueando as sobrancelhas. Andava a evitar aquele telefonema há dias, mas sabia que desta vez tinha de atender.

Curt leva o telefone ao ouvido e faz que sim com a cabeça. Passam-se alguns segundos e volta a assentir, como se a pessoa com quem está a falar estivesse ali na sala. Por fim, lá acaba por falar:

— Não, mano, não tenho nada que ver com isso. O pessoal só me acusa disso porque o roubei aqui há uns tempos. Não me ando a esconder, mano. Estou em Gales... funeral de um primo... não, a sério, mano... sim, está bem. Vou falar contigo quando voltar.

Pousou o telemóvel e voltou a respirar. Tinha ar de quem tinha conseguido esquivar-se a uma centena de balas. Quando recuperou a cor normal, Ki perguntou-lhe se os Glockz desconfiavam dele, mas Curt parecia achar que não.

— Não, ainda não sou suspeito. É certo que Guilty está pior que estragado, mas não é por causa disso. É porque pensa que eu abandonei aquela vida. Pensa que deixei os Glockz.

Eu e Ki soltamos um suspiro de alívio em conjunto.

— Mas se não quiser levantar suspeitas, tenho de aparecer em breve — diz. — E quanto antes, melhor.

Eu não gostava da ideia de Curt voltar para os Glockz. Tanto quanto sabíamos, eles podiam estar à espera que ele voltasse para casa para lhe limparem o sebo. Mas, no fim de contas, sabíamos que ele tinha razão. Ele tinha de voltar e mostrar a cara. Pelo menos, assim, tinha uma hipótese. Se continuasse a evitá-los, podiam começar a desconfiar e isso era a última coisa de que precisávamos.

Curt ficou connosco na noite em que recebeu o telefonema do seu «general». Estava a sentir-se um bocadinho nervoso e não estava com disposição para ir à procura de um lugar para dormir. De qualquer forma, ainda tinha a bagagem no meu apartamento, por isso era mais fácil para ele ficar ali.

Na manhã seguinte, quando ele partiu, Ki abraçou-o e disse-lhe para ficar bem. Eu olhei-o nos olhos e perguntei se ele tinha a certeza de se querer ir embora. De qualquer forma, eu tinha alguns amigos ali, gente de confiança, e se houvesse um perigo real, creio que me teriam dito.

— Está bem, mano, se tens a certeza...

— Eu vou dando notícias se e quando tiver mais informações — diz ele, e depois atira o saco de viagem sobre o ombro e vai-se embora.

De certa forma, gostava de não ter de mandá-lo outra vez para lá, mas era a única coisa que fazia sentido. Ele tinha de regressar, caso contrário iam ficar desconfiados de que andava escondido por ser o autor dos disparos. E havia a questão de ter alguém lá dentro.

Precisávamos que Curt estivesse bem com os Glockz, para nos poder avisar se as coisas começassem a ficar más para o nosso lado. Bem, sobretudo para Ki. Se estavam a pensar vir à nossa procura, precisávamos que Curt nos avisasse e também que os mandasse na direção errada, percebem? Mas isso não quer dizer que não estivéssemos preocupados com a sua vida. Estávamos.

Durante as vinte e quatro horas seguintes, eu e Ki ficámos à espera de ter notícias dele como quem espera pelos resultados de um exame clínico. Curt tinha-se livrado do seu cartão SIM, o que significava que não tínhamos forma de o contactar. Tínhamos simplesmente de esperar que ele nos ligasse. No final desse dia, sem nenhuma notícia, tive a certeza de que estava morto. Porém, telefonou na manhã seguinte.

— Ei, mano — diz ele —, tenho de ser rápido.

— Chuta — digo. — Bem, não é chutar, chutar, mas... Desculpa, meu. Diz.

— Bem, tenho boas e más notícias.

— Quais são as más? — pergunto com o coração tão pesado que mal consigo articular as palavras.

— O Jamil identificou-me como autor do tiroteio. Não se lembra de grande coisa, mas lembra-se de mim.

— Merda! Quais são as boas?

— Na verdade, são duas. A primeira é que Guilty não acredita nessa história e a segunda é que ninguém mencionou que havia raparigas envolvidas.

— Isso é bom — digo bastante aliviado. — Então, e porque é que Guilty não acredita? Porque acha que não és o responsável?

— Não sei. Ele acha que JC está a tentar virá-lo contra o seu próprio gangue. Escuta, depois passo por aí e conto-te tudo, mas agora tenho de me pôr a andar — diz, e deixa-me a olhar para o telefone mudo na minha mão, com a cabeça a mil à hora.

Chamei por Ki para lhe contar as novidades, mas vi que ela estava ao telefone. Por fim, lá desligou.

— Era a tua mãe. Insiste para lá irmos jantar.

— Merda! Não te preocupes, hei de pensar nalguma coisa.

Não quero sair dali, se puder evitar, e é claro que não quero sinalizar às pessoas que possam andar à nossa procura o sítio onde a minha mãe e Bless moram.

— Não precisas, pois já lhe disse que lá estaremos. Amanhã — diz ela com um meio sorriso. — Traz o cavalo — acrescenta com sotaque nigeriano.

Era só o que nos faltava.

Na verdade, talvez fosse mesmo o que me faltava, alguma normalidade de volta à minha vida. Não podia continuar assim por muito mais tempo. Aquelas paredes estavam a sufocar-me.

Pausa para almoço: 13:00

25

14:00

Bom, foi assim que, oito dias depois do tiroteio, eu, Kira, Curt e Bless nos encontrámos sentados à volta da mesa da minha mãe, a jantar como outra família qualquer.

Só que não éramos como outra família qualquer e aquele não era um jantar qualquer. Eu estava paranoico por sair do apartamento. Depois de sair, podíamos ser vistos a qualquer altura e, se fôssemos, estávamos fritos. Até agora, não tinha aparecido ninguém à nossa porta, mas *acreditem* que, mal tivessem a mais pequena ideia do meu paradeiro, lá estariam. Depois, havia a questão da minha mãe e Bless. Desconhecia se alguém sabia onde a minha mãe morava, mas até agora não tinham sido incomodadas, por isso tinha esperança de que não soubessem. Se assim fosse, a última coisa que queria era ser visto, muito menos à porta da minha mãe.

Eu não queria participar naquilo. Pela minha mãe, não havia problema. Disse-lhe que não podíamos ir jantar, que era perigoso para Ki, mas foi a única coisa que disse. Ela não fez muitas perguntas. Sabia que Ki estivera desaparecida daquela vez e, lá no fundo, devia saber que o que quer que eu estivesse a fazer era para a proteger. Como já disse, a minha mãe adorava Ki e a última coisa que faria seria pô-la em perigo. Mas o problema era Ki. Ela queria aquilo.

Planeámos tudo como se fosse uma operação militar. Primeiro que tudo, o jantar não ia ser à hora de jantar. Ia ser ao pequeno-almoço. Lembram-se do que lhes disse, que o pessoal dos gangues não gosta de se levantar cedo porque passa a noite no tráfico? A ideia era Curt dar uma volta de carro junto à casa da minha mãe e ver como estavam as coisas. Se parecesse perigoso, cancelávamos o plano.

Se tudo parecesse tranquilo e não houvesse ninguém a vigiar, ele estacionava junto à entrada das traseiras dos nossos apartamentos. Havia aí uma longa viela que levava à estrada principal. Ele ia estacionar de modo que bloqueasse a viela. Nós saíamos a correr, saltávamos para o banco de trás do carro e arrancávamos rápido como uma bala. Desculpem, não queria falar em balas.

O carro de Curt tem vidros fumados na parte de trás, por isso depois de entrarmos ficávamos mais ou menos invisíveis. Depois, dávamos umas quantas voltas à casa da minha mãe e, se tudo continuasse tranquilo, ele deixava-nos nas traseiras. O portão da parte de trás estaria aberto e nós entrávamos.

Embora corresse tudo de acordo com o planeado, as coisas continuavam tensas. Eu e Kira continuámos com os capuzes das camisolas enfiados na cabeça durante toda a viagem. Sentado na parte de trás do *Range Rover Sport* de Curt, não tirava os olhos da rua, à procura de algum sinal. Àquela hora, só se viam pessoas a ir para o trabalho e alguns miúdos de escola, mas naquela altura até o carteiro me deixava desconfiado, percebem? Mesmo depois de termos dado uma volta à casa, ainda não tinha a certeza e queria dar mais outra.

— Não, meu, não podemos — disse Curt com um suspiro. — Se dermos mais alguma volta, algum vizinho intrometido ainda vai ligar para a polícia. Temos um ar suspeito, meu.

Só depois de estarmos todos sentados na acolhedora cozinha da minha mãe é que consegui descontrair.

— Mãe, vem sentar-te e comer connosco — digo, enquanto ela está de costas a fritar mais comida no fogão. O cheiro a fritos de manhã parece surreal, mas como não comemos nada desde o almoço do dia anterior, o meu estômago não é picuinhas.

— Como é que me posso sentar, hein? Se me sentar, quem vai dar de comer ao cavalo? — diz ela, e depois vira-se novamente para os seus cozinhados. Acho que está a sorrir, mas não lhe consigo ver a cara. Mas vi quando Curt entrou pela porta das traseiras e ela ficou com ar de quem ia chorar.

Olho à volta da mesa. Bless parece ter-se esforçado imenso por minha causa, e quase me deixo comover. Nunca a tinha visto tão… bem, talvez bonita não seja a palavra certa quando falamos de uma irmã, mas sim, bonita. Ou, pelo menos, há muito tempo que não a via tão bonita.

Parece estar a usar um vestido novo. É de um rosa acinzentado muito suave que parece fazer brilhar as suas faces. E Ki também. Alguma daquela preocupação desapareceu-lhe do rosto e ela olha para mim pela primeira vez desde há que tempos como se estivesse satisfeita comigo. O seu olhar é tão intenso que nem o consigo suster. Na minha cabeça, mudo de assunto como quem mete uma mudança. Ao fazê-lo, ouço um ruído surdo.

— Então, Curt, e o que me dizes de Guilty? — digo, tentando certificar-me de que a minha mãe não está demasiado atenta. Verdade seja dita, não precisava de me preocupar. Ela nunca nos ouve. Trata-nos como se fôssemos extraterrestres. «Vocês já nem sequer falam em inglês!» Mas, aproveitando a minha mãe não estar agora nesta sala, sempre lhes digo que ela me dava umas boas tareias por causa do meu péssimo sotaque nigeriano, não é verdade, Bless? Oh, bolas! É ela que está agora a entrar na sala de audiências. Então, onde é que eu ia?

Sim, naquele momento a minha mãe vem até à mesa e larga para aí uns cem bocados de frango frito sobre a mesa. Curt dá ideia de estar a escolher entre falar ou comer. Acaba por agarrar em duas coxas e dar-lhes umas grandes dentadas antes de se lembrar que estávamos a conversar. Limpa a gordura da boca com a manga e depois de a minha mãe voltar para o pé do fogão, continua.

— Sim, o JC foi dizer aos Cotas que fui eu que o roubei. E isso chegou aos ouvidos de Guilty.

— Merda — digo.

— Pois, mano, pois. Mas o mais estranho é que Guilty vira-se para mim e diz: «O cabrão do somali que se lixe! Há muito que anda a meter o bedelho na nossa área. Da próxima vez que o vir, limpo-lhe o sarampo.»

— A sério? — digo.

— Sim, a sério. E depois acaba por dizer: «Tenho praticamente a certeza de que foi esse cabrão que me levou a garina de debaixo da ponte. Nenhum outro se teria atrevido. Os homens pensam que ele é um *gangster*, mas não passa de um maricas de um chavalo que tem os Cotas a protegê-lo. Pensa que pode brincar com homens a sério, e estes enfiam-lhe um balázio.»

— Merda! — digo, afastando a cadeira da mesa e dando uma palmada na perna.

— Pois, por isso digo: «Porra, mano, se quiseres, limpo-lhe o sarampo. Seria um prazer.»

Curt desata a rir e depois, quando nos damos conta, estamos os quatro a rir de tal maneira à roda da mesa que até há lágrimas. Dá a sensação de que não conseguimos parar de rir.

Por fim, a minha mãe vira-se junto ao fogão com uma grande colher na mão que começa a brandir na nossa direção.

— Eh! Parem com isso, por amor de Deus! Conhecem o ditado: ri agora, que depois choras.

Depois de terminado o «jantar», percebemos que não nos podíamos ir embora. Havia muito movimento lá fora e era demasiado perigoso. Por isso, ficámos. Parecia uma espécie de Natal ocioso. Fomos ficando. Descalçámos os sapatos e deitámo-nos no sofá ou nas almofadas no chão, enquanto a minha mãe nos trazia qualquer coisa para comer e chá. Sabia bem. É difícil de explicar. Parecia que alguém tinha premido o botão de pausa nas nossas vidas e podíamos fugir delas durante algum tempo. Ser normais, outra vez. Não queria que o dia chegasse ao fim.

Quando saímos de lá para ir para casa, na manhã seguinte, há muito tempo que não me sentia tão bem. Creio que acontecia o mesmo com todos nós. Bless acompanhou-nos à porta e despediu-se de mim e de Ki com um abraço.

— Mano? Anda, é melhor pirarmo-nos daqui para fora — disse.

— Não, meu. Estou bem aqui — disse Curt, parecendo evasivo. — Toma. Leva as minhas chaves, depois vou buscá-las. Acho que vou ficar aqui mais um tempinho se a tua mãe não se importar. Há muito tempo que a não via, sabes?

— Claro — digo, e depois olho para Bless, que se esgueira rapidamente para a cozinha, onde a minha mãe, por alguma razão, está novamente a cozinhar. — E tu consegues voltar sem problemas?

— Sim. Apanho um táxi.

— Então — digo, puxando Curt para o pé de mim — achas que podemos estar safos?

— Sim, é possível. Guilty não acredita nos boatos de que eu estava na casa de *crack*. Acho que, em parte, até gostava de ter sido *ele* a roubar Jamil. Odeia-o cá de uma maneira!

— E se os Cotas tiverem mão pesada? Como é que é?

— Não, meu. Os Glockz são um gangue a sério. Não me parece que vão recuar diante dos Cotas. Vai haver uma guerra, sim, mas acho que estamos safos desde que fiquemos sossegados no nosso canto — diz, e vira-se para voltar para a cozinha.

— Passa por lá amanhã, se puderes. Ainda temos alguns pormenores para acertar, né? — digo para as suas costas, e depois vou-me embora.

E digo-lhes uma coisa. Juro que, naquele momento, pensei que a coisa estava arrumada e que nós estávamos a salvo. Mas desconhecia o tipo de homens a que Jamil estava ligado. Foi isso que mudou tudo, suponho. Um homem que as pessoas conheciam simplesmente como Face.

Pausa: 15:00

26

15:30

Portanto, no dia seguinte Curt passa pelo apartamento para podermos resolver umas quantas coisas. Por um lado, tínhamos de fazer alguma coisa ao dinheiro todo que estava em minha casa. Não gostava da ideia de o ter lá, para ser sincero. Queria-o de lá para fora e, a meu ver, o dinheiro era de Curt, ele que fizesse o que quisesse com ele.

Juntei o dinheiro todo com elásticos enquanto Ki fazia o pequeno--almoço para todos. Ao mesmo tempo que o ia dispondo sobre a mesa, olhei de relance para ela e pareceu-me linda de novo. Quer dizer, ela era sempre linda, mas parecia ter recuperado o brilho. Nem sequer estava a usar nada de especial, apenas umas *leggings* cinzentas e um *top* roxo e sedoso que lhe deixava os braços nus. Mas digo-lhes que, por um minuto, o rosto dela à luz da janela parecia um daqueles quadros antigos. Lindo, quero eu dizer, e não antigo.

Deixo Curt entrar e ele vem juntar-se a mim, à mesa.

— Merda! Quase me tinha esquecido disso! — diz, indicando na direção dos montes de dinheiro.

— Pois. Já decidiste o que vais fazer com ele? Está aqui muito papel. Posso arranjar-te um carrão cheio de estilo, se estiveres interessado, mano. Um *M3*, um *RS4*, o que quiseres.

— Não, meu. Tenho planos para isso.

— Por exemplo? — pergunto, intrigado.

— Vou comprar a minha liberdade, mano. Sair desta vida, percebes?

— Por que raio estás a falar de liberdade? Não és nenhum escravo, pois não? — digo, sorrindo.

— Não, meu. É o preço. Tenho a certeza de que te contei isso. No ano passado, disse a Guilty que queria sair e ele respondeu: «Claro, mano, és livre de ir embora em troca de cinquenta milenas» — diz Curt, fazendo cinco lotes de dez com os seus enormes dedos.

— Não percebo — disse, e não percebia mesmo. — É preciso *pagar* para ir embora?

— Sim, é preciso — diz ele, levantando-se da cadeira para ir buscar uma cerveja ao frigorífico, embora sejam dez da manhã.

Pagar para ir embora? Isto soava-me mais a Máfia do que a Camden, mas ele sabia coisas que eu desconhecia. Deixo-o a beber a sua cerveja, vou buscar uma mochila velha para pôr o dinheiro e começo a carregá-la. Quando acabo, fico espantado com o seu peso. Mas o processo de pôr o dinheiro lentamente na mochila deixa-me a pensar.

— Olha, uma coisa que nunca percebi — digo — foi como te envolveste nessa cena do gangue. Lembro-me do tempo em que preferias levar uma naifada do que misturares-te com eles.

Curt bebe um gole e depois solta um fundo suspiro.

— É uma longa história, meu. Talvez te conte, noutra altura.

Nesse exato minuto, o telemóvel dele começa a tocar e ele atende-o após vários toques e escuta. Enquanto assente e vai dizendo que sim ao telefone, Ki vem para a mesa com um monte de torradas num prato e para aí uma dúzia de ovos noutro.

— Precisamos de mais comida — articula em silêncio, para não perturbar o telefonema de Curt. Eu digo que sim com a cabeça, mas não lhe estou a prestar atenção, pois estou a tentar ouvir o telefonema de Curt. Vejo o rosto dele mudar de cor. Quando ele pousa finalmente o telemóvel, tenho o sentimento de que o que quer que tenha sido dito naquele telefonema não vai ser uma daquelas coisas que conjuga boas e más notícias. Desta vez, vão ser só más.

— Más notícias — diz Curt finalmente. — Estamos tramados.

Ki senta-se à mesa como que em câmara lenta. A cor foge-lhe do rosto.

— Que queres dizer com isso? — digo, tentando impedir que o coração me caia aos pés.

— Era Guilty.
— Sim, já calculava. E? — pergunto.
— Bem, sabes aqueles Cotas a que JC está ligado?
— Sim.
— Não são uns Cotas quaisquer.
— Como assim?
— Não se trata de um gangue normal dos Cotas.
Olho para ele sem perceber.
— É o gangue do Face — diz, e nessa altura compreendo.
Ki olha para nós dois, ainda com ar inocente.
— Quem é o Face? — diz ela lentamente.
— Face... — diz Curt pondo a cabeça entre as mãos. — Queres saber quem é o Face? Está bem, então deixa-me contar-te uma história sobre esse filho da mãe.

»Um dia, no verão passado, o Face estava num clube com o seu «tenente» quando um pagão qualquer esfaqueou o seu homem enquanto ele estava na casa de banho.

— E depois? — diz Ki. — Um *gangster* esfaqueia outro. É normal.

Antes que eu possa explicar, Curt intervém.

— Não, meu. Foi um problema dos diabos. Esfaquear o «tenente» de um *gangster* é coisa séria. Um «general» e o seu número dois são praticamente como irmãos. Sabes como é — diz ele para mim. — Um morre pelo outro. Até cumpre a sua pena de prisão, se for preciso.

Digo que sim com a cabeça, mas verdade seja dita não estou tão a par de tudo isto como Curt.

Curt bebe um gole de cerveja e depois continua a contar a história.

— Seja como for, esse tipo é esfaqueado e Face fica possesso. Se estivesse ao lado dele, talvez nada disso tivesse acontecido. Mas não estava, e agora o seu número dois está quase morto. E Face parte para a guerra.

»Bem, embora pudesse ter perdido algum tempo a tentar descobrir quem fizera aquilo, desta vez não teve de fazer népia. Descobriu no dia seguinte.

— Como? — pergunta Ki, inclinando-se para a frente.

— Fácil, o próprio homem fez questão de o anunciar. Mandou fazer uma data de *t-shirts* com a cara do homem e as letras R.I.P. e distribuiu-as pelos elementos do seu gangue.

— Sim, ouvi falar sobre isso — digo, lembrando-me de repente.

— Mas Face não é um *gangster* qualquer. Pode dizer-se que é uma espécie de génio. Um estratega. E para resumir a história, Face adivinhou que o homem ia tentar armar-lhe uma emboscada. E sabia que os tipos do outro gangue não iam fazer nada, a menos que achassem que podiam vencer.

»Por isso, Face foi mais esperto do que o outro homem. Reuniu alguns dos seus jovens soldados, os Minorcas, e enviou-os com a missão de seguir todos os movimentos do tipo.

Estão outra vez a olhar para mim com ar de caso. Foi por causa dos Minorcas? Pronto, está bem. Os «Minorcas» são aspirantes a soldados. Na verdade, não passam de miúdos, mas os gangues gostam de utilizá-los por uma série de razões. É lixado, mas é assim que as coisas são.

Voltemos então à história que Curt estava a contar.

— Ele queria saber onde o homem estava a qualquer altura. A que discotecas ia, onde o seu carro tinha sido visto pela última vez, quantas pessoas estavam com ele, onde ia quando saía de um clube noturno, onde era a sua base…

— Mas espera aí — diz Ki. — Ele usa miúdos?

— Sim, porra, usa miúdos. Face foi o primeiro a utilizá-los. «Querem ser respeitados ou levar uns balázios?», era a deixa para os recrutar.

— Não! Dizes que é uma espécie de génio, e afinal usa crianças?

— Por aí é que se vê a genialidade dele, meu. Como não passavam de miúdos, ninguém olhava duas vezes para eles. Eram mais ou menos invisíveis. Nenhum gangue estava à espera que os problemas viessem de miúdos de dez anos, vestidos com o uniforme da escola.

»E foi assim que numa semana Face descobriu onde o homem vivia. Depois, uma manhã, muito cedo, ainda antes de o sol nascer, Face enfia uma balaclava na cabeça e vai a casa dele com dois dos seus homens. Arrastam-no para fora da cama, amarram-no a uma cadeira e passam vinte minutos a aquecer a ponta de uma chave de rodas com um maçarico mesmo à frente dele.

»E enquanto ia aquecendo, Face vai-lhe sussurrando: «Onde tens o papel? Onde está? Onde tens o produto? Vá, diz lá.»

»A seguir, sem conseguir respostas e depois de o ferro estar em brasa, pega nele e segura-o a uns centímetros do olho do homem.

— Curt — digo nesta altura, sabendo o que vem a seguir. — Acho que já chega.

— Não, eu quero saber — diz Ki, de olhos bem abertos.

— Bem, o que te posso eu dizer? Ele segura o ferro à frente do olho do homem, aquecendo lentamente o ar à frente dele até o olho rebentar. Depois disso, com aquela porcaria toda a sair da órbita para cima do peito, o homem desenhou-lhe praticamente um mapa de onde tinha as coisas. Essa «coleta» rendeu umas cem milenas em droga e dinheiro. E em armas. Mas isso não foi o suficiente para Face.

»Quando o homem parou de gritar, Face mandou os seus rapazes sair de casa e depois tirou a balaclava e enfiou-a na boca do homem amarrado. Nesse momento, ele deve ter percebido que não tinha escapatória, pois Face mostrara a cara. Agora, nunca o ia deixar com vida, percebem?

»«Isto é pelo meu número dois», disse ele, e agarra no maçarico até ele deitar uma chama azul. A seguir, depois de fazer o que tinha a fazer, deu-lhe três tiros na cabeça.

»No dia seguinte, todos os elementos do gangue do Face estavam a usar uma *t-shirt* com a fotografia no peito de um homem com as letras R.I.P gravadas a fogo. Ninguém do gangue do morto fez fosse o que fosse para retaliar. Passadas duas semanas, o gangue foi por água abaixo. Basicamente morreu, percebem? O Face é assim.

— Por outras palavras, se Face descobrir que nós os dois estávamos lá quando JC foi «coletado», estamos fritos — digo.

— Sim, e por falar nisso…

— O que foi?

— JC começou a lembrar-se de mais coisas.

— Por exemplo? — dizemos ambos.

— Por exemplo, que foi uma das agarradas que lhe deu um tiro. Uma rapariga com olhos cinzentos.

Olho para Ki, que está agora pálida. Inicialmente, não diz nada. Levanta-se simplesmente e começa a andar de um lado para o outro na sala.

— Isto não é bom. Isto não é bom — diz ela vezes sem conta.

Levanto-me e ponho um braço à volta dela, mas ela afasta-o e continua a andar de um lado para o outro na sala. Eu sei que é mau. Por um lado, temos de nos pirar daquela casa. Nem pensar em ficar ali. Depois, há a mãe e Bless. E se esse tal Face for à procura delas quando não me conseguir encontrar?

— Não te preocupes, Ki. Estás em segurança, aqui — digo, mas no mesmo momento em que pronuncio essas palavras olho à volta do meu apartamento e sei que não é verdade. A porta de má qualidade da entrada e as janelas frouxas que deixam entrar o som do que se passa nas ruas lá em baixo diz-me que sou mentiroso.

— Sim, miúda. Ninguém sabe que estás aqui. Ainda não há problema — acrescenta Curt e lança-me um olhar tipo «desculpa, mano».

— Há problema, há — diz ela, ainda a andar de um lado para o outro.

— Escuta — digo, fazendo-a parar, agarrando-a pelos ombros e olhando-a diretamente nos olhos —, eles não sabem que estás aqui.

— E se as coisas ficarem feias, metes-te num avião — disse Curt.

Ki fita-me e aguenta o meu olhar.

— Não é comigo que estou preocupada. É com o meu irmão. Eles vão chegar a ele — diz numa voz que parece um grito dentro de uma caixa.

— O que queres dizer? — pergunto. — Que tem o Spooks que ver com isto?

Logo de seguida, percebo o que ela quer dizer.

Pausa longa: 16:31

NO TRIBUNAL CRIMINAL CENTRAL T2017229

Perante: MERITÍSSIMO JUIZ SALMON QC

Alegações Finais:

Julgamento: 35.º dia

Quarta-feira, 12 de julho de 2017

COMPARÊNCIAS

Pela Acusação:	C. Salfred QC
Pelo Arguido:	O próprio

Transcrito de um registo áudio digital por
T. J. Nazarene Limited
Estenógrafos Judiciais e Transcritores Certificados

27

10:00

Ontem, no final, estava a contar-lhes que JC começava a lembrar--se de coisas. De uma rapariga de olhos claros. Era o tipo de dica que ninguém conseguia esquecer e a rapariga era uma rapariga que ninguém conseguia esquecer. E quando as pessoas se lembrassem dela, iam lembrar-se de tudo o que sabiam sobre ela e tocar onde mais lhe doía.

Ki tinha razão. Se não conseguissem encontrá-la, a primeira coisa que os Cotas fariam era ir ter com Spooks. Assim que descobrissem quem era a rapariga de olhos claros, saberiam tudo sobre o irmão. Mesmo que não soubessem onde ela estava, sabiam onde o encontrar. E não importava se Spooks sabia, ou não, onde ela estava. Isso não os impediria de aplicar alguma pressão nos seus pontos mais sensíveis, se é que me entendem. Todos sabíamos disso, e naquela altura ficámos sem nada para dizer. Curt foi se embora pouco depois. Parte de mim desejava poder ir embora, também.

Passei a maior parte da noite a tentar pensar no que dizer para fazer com que Ki se sentisse um bocadinho melhor, mas sabia que nada iria resultar. Ela estava a fazer o costume, recolhendo-se e escondendo-se na sua própria cabeça. Pensei que, provavelmente, era a melhor coisa, por isso deixei-a em paz. Eu não estava autorizado a entrar naquele lugar na sua cabeça. Nem sequer tenho a certeza de querer lá ir, mesmo que estivesse. Às vezes, tínhamos de deixar Ki fazer a cena dela e esperar que voltasse a sair.

O mais surpreendente foi que, na manhã seguinte, quando acordei, encontrei-a a ler um livro na sala, como se nada tivesse acontecido. Era quase como se tivesse percebido que as coisas eram como eram e não valia a pena preocupar-se com isso. Eu sabia que era melhor não tocar outra vez no assunto, por isso quando ela sorriu para mim e me perguntou se queria café, limitei-me a dizer que sim com a cabeça e a retribuir o sorriso.

Claro que tinha medo que ela pudesse ir-se abaixo outra vez nos próximos dias, mas depois logo se via. Só tinham passado duas semanas desde a «coleta», por isso não fazia ideia se aquilo era sinal de cura ou alguma cena marada que a ia deixar de rastos. Só podia fazer figas. Voltei a sorrir-lhe. Ela olhou para mim calmamente e eu tentei fazer o mesmo. Estar calmo. Duplicar a calma naquele espaço, mesmo sabendo que não havia boas razões para isso. Sentia-me como um pai a bater palmas para o filho se esquecer que tinha caído e arranhara o joelho.

Aquilo que melhor recordo é a sua expressão. Era mais do que... Como lhe chamam? ... resignação. Era uma expressão que dizia que já não estava preocupada com Spooks. Tinha o ar que costumava ter quando sabia o que ia acontecer a seguir. Como se tivesse as coisas sob controlo, percebem? Entregou-me uma chávena de café e sorriu descontraidamente.

— E tu não vais tomar?

— Não. Vou sair durante umas horas. Regresso por volta da uma.

Esfrego os olhos e fito-a desconcertado.

— Sair para ir onde?

— Sair apenas. Preciso de espaço.

Começo a ficar mais acordado e depois, quando o seu rosto volta a ficar nítido, digo em pânico:

— Ki, sabes que não podes sair! É demasiado perigoso!

— Hum, desculpa? Com quem pensas que estás a falar? Não estou a pedir. Posso ir e vou. Podia ter ido enquanto estavas a dormir. Por isso, vais ter de lidar com isso.

— Mas vais ser vista...

— Não, não vou. Ponho o capuz na cabeça e uns óculos escuros. Não vai haver problema. Além disso, como estás sempre a dizer, não há *gangsters* acordados a esta hora — diz ela, e vai-se embora sem mais demora.

Tentei retê-la, mas não serviu de nada. Agarrei-a pelo braço e olhei-a com ar de quem não estava para brincadeiras, mas ela lançou-me um olhar duas vezes mais duro e soltou-se.

— Até logo — disse ela antes de se ir embora. E eu rezei para que assim fosse.

— Mas onde vais? — pergunto enquanto ela abre a porta, mas não responde. Nem sequer olha para trás.

Passo o resto a manhã com os nervos em franja. Tento ligar-lhe umas quantas vezes de hora a hora, mas vai parar ao correio de voz. Envio-lhe umas mensagens, mas não obtenho resposta. Onde terá ido? Não pode ser um simples passeio, caso contrário não tinha dito que voltava à uma hora. Não conseguia pensar. Talvez estivesse em casa de uma amiga. Talvez tivesse ido visitar a minha mãe e Bless. Na realidade, achava pouco provável, sobretudo depois da confusão da última viagem e de todas as coisas que tínhamos sido obrigados a fazer para garantir a nossa segurança. De qualquer forma, dei voltas à cabeça, mas sabia que a minha cabeça não tinha espaço para tanta coisa, por isso acabei por desistir e por ficar junto à janela, à espera de a ver voltar.

Chega a uma hora. E depois as duas. Às três, estou mesmo a ficar preocupado com ela. Já saiu para aí há cerca de seis horas. Parece a repetição da primeira vez que desapareceu. Porra! Não devia tê-la deixado ir, meu! Devia tê-la obrigado a ficar, mesmo que tivesse de segurá-la e trancar as portas. Fiquei junto à janela praticamente durante a hora seguinte, sempre a ligar e a enviar mensagens, sem obter nenhum tipo de resposta. Depois, ao espreitar pela janela, vejo-a. Mas quase não vejo. O que é uma cena mais marada do que lhes possa parecer. Sabem? É que para entrar no meu bairro só há um caminho, se vierem da estrada. E eu consigo ver esse lugar da minha janela. Fica mesmo à frente da minha linha de visão. Mas ela não vinha daí, e foi por isso que quase me passou despercebida; vinha da parte de trás. Avistei-a quando apareceu por esse lado. E deixem-me explicar-lhes que aquilo não é lugar onde ela devesse ter estado. É o lugar onde os chavalos passam o tempo, fumam ou traficam, e tudo o mais. Não há outra razão para estar ali, e dali nem sequer se consegue chegar à estrada. Tem acesso aos bairros lá de trás, mas é preciso andar por terreno acidentado. Para mim, não fazia sentido. Nem um bocadinho.

Quando passou a porta, só me apetecia disparatar com ela. Não estava propriamente zangado, apenas confuso. Não me ocorria nada que ela pudesse dizer para se explicar, a menos que dissesse que tinha saído para comprar droga, percebem? Mas houve alguma coisa na sua expressão que me fez parar. Parecia preocupada e calma em simultâneo. Por isso, fui descontraidamente ao seu encontro.

— Onde estiveste, Ki? — perguntei, à espera que ela viesse com uma treta qualquer. Mas o que ela diz a seguir deixa-me sem reação.

— Fui ver o Spooks.

— O quê? Estás doida, Ki? Sabe-se lá quem te viu na prisão!

— Tinha de ir — diz, como se fosse óbvio, e despe o casaco.

— Tinhas de ir? Será que sabes o que fizeste? — Eu estava furioso. Como podia ela pôr a vida em risco daquela maneira? Como podia ela expor a minha mãe e Bless àquele tipo de risco?

— Esquece. Já tinha uma autorização de visita e tinha de ver se ele estava bem.

Virei-lhe as costas tentando acalmar-me, pois estava tão zangado que não sabia o que poderia dizer ou fazer. Por fim, quando o sangue deixou de me subir ao rosto, virei-me para ela.

— E se alguém te viu?

— Ninguém me viu — diz ela passando por mim para entrar na cozinha e pôr a chaleira ao lume.

— E ele estava bem? — pergunto por fim, ainda a ferver com a sua audácia, mas fazendo os possíveis por me acalmar.

— Sim, está ótimo. Vão mudá-lo na semana que vem. Para uma ala de alta segurança.

Nessa altura, olho para ela, mas nada transparece no seu rosto.

— Pronto, nesse caso já o viste. Acabaram-se estas tretas, por favor, Ki.

— Além disso, tive de ir buscar mais uns livros — diz ela, esticando um saco da Oxfam com uma dúzia de livros lá dentro.

Meu, para uma rapariga inteligente, às vezes Ki fazia coisas muito estúpidas. Ir a uma prisão para ver Spooks, um espaço cheio de *gangsters*, alguns dos quais provavelmente à procura daquela mesma rapariga? Merda! Era impossível não dar por ela. Ela entra num supermercado e toda a gente olha para ela. Imaginem o efeito que terá numa sala cheia de homens, numa prisão. Era como... nem consigo arranjar uma comparação. Era como uma rapariga linda a entrar numa prisão masculina.

Nessa altura, lembro-me de a ter visto pela janela, a vir lá de trás. Daquele lugar onde não devia ter estado. Estava prestes a confrontá-la, mas Ki não era rapariga que pudéssemos acusar assim, sem mais nem menos. Tinha de fazer a coisa com delicadeza.

— Mas diz-me só uma coisa. Vieste por onde? — acabo por perguntar, sem saber se quero ouvir a resposta.

Por um segundo, fica com ar de quem foi apanhada a fazer alguma coisa que não devia, mas depois recupera a compostura de tal forma que acabo por ficar com a sensação de que fui eu que percebi mal.

— Apanhei boleia de uma das visitas.

— Que visita? — pergunto, siderado pelo que ela acabou de dizer.

— De um fulano que estava lá, na prisão. Não há problema, eu conheço-o. É amigo de Spooks.

— Spooks? Apanhaste boleia de um amigo de Spooks? Ki, deves estar doida, meu!

— Já disse que o conheço. É de confiança. Tem sido mais irmão para mim do que Spooks.

Não sei o que dizer mais. Em todos os anos que passámos juntos, ela nunca mencionou nenhum amigo de Spooks que fosse como um segundo irmão, mas não posso mandar nela. No entanto, preciso que esteja vigiada se quiser que esteja em segurança. A seguir, lembro-me do caminho que ela fez. Aquilo não explicava o seu trajeto.

— Vieste por onde? — torno a perguntar.

— Por onde? — replica.

— Sim. Por onde?

— Oh! — exclama, e depois o seu rosto ilumina-se rapidamente. — Não te preocupes. Pedi-lhe para me deixar noutro bairro. Ninguém me viu chegar aqui. Cortei caminho pela parte de trás.

— Ah! — digo, e nessa altura aquilo bastou, para mim. Só mais tarde, quando estava a pensar no assunto, é que me interroguei sobre os livros. Se tinha apanhado boleia de um visitante, como tinha ido buscar os livros? Será que ele a tinha levado à Oxfam? Era possível, suponho. Mas depois tinha ficado à espera dela para a trazer para casa? Aquilo não fazia sentido.

Pausa: 11:00

28

11:30

Tenho a sensação de que vocês estão à espera do final. Uma das últimas coisas que o meu advogado me disse foi «Não os deixe perder o interesse» e não sei se vocês estarão a perdê-lo. Mas estou quase lá, a sério. Deem-me só mais um tempinho, está bem? Então, onde é que eu ia?

Ah, isso mesmo. Aquela cena com Spooks. Bom, foi no dia a seguir a tudo isso que Curt apareceu a bater-me à porta.

— Então, parece que as coisas estão a aquecer — diz. — O Face anda a passar tudo a pente fino, à procura de Guilty. A coisa está prestes a acontecer.

— Ótimo. Já não era sem tempo.

Na nossa perspetiva, quanto mais depressa aqueles dois homens acabassem um com o outro, melhor. Há quase dez dias que estava fechado no meu apartamento. As paredes davam ideia de se estar a fechar sobre mim e todo o espaço que havia entre elas parecia envenenado. Não respirávamos ar puro desde que aquilo começara, a não ser no dia em que tínhamos ido à minha mãe. Precisávamos que aquilo acabasse. E para acabar só precisava de começar. Os dois gangues atacavam-se mutuamente e nós ficávamos livres. Só tínhamos de esperar que, com aquele tipo de guerra a decorrer, Face estivesse demasiado ocupado para pensar na rapariga de olhos claros. Com sorte, até podia ser que um dos Glockz acabasse com ele, percebem?

As coisas começavam a parecer mais positivas na minha cabeça. Olho para o sítio onde Ki está sentada, no sofá, e é óbvio que está muito mais calma, agora que viu Spooks. Até parece como era antigamente. Está mais nítida, menos desvanecida. Os seus contornos estão mais definidos.

Olho para ela e digo:

— Mais uns dias, talvez duas semanas, e esta treta chega ao fim, miúda.

Ela levanta os olhos do livro e entra na conversa como se tivesse estado a ouvir o tempo todo.

— Pelo que vocês dizem, o Face e os Cotas são barra pesada para os Glockz — diz ela calmamente.

— Barra pesada? Basta Face. Mas com um gangue por trás? Esta cena vai ser brutal. Aqueles rapazes são medievais — digo.

— Bem, e isso não será um problema para nós? — diz ela, pousando o livro ao seu lado, no sofá, e pestanejando lentamente na minha direção.

— Onde queres chegar, Ki? — pergunto, detestando a forma como ela guarda as suas conclusões.

— Guilty vai morrer? — pergunta Ki.

— Vão fazer-lhe a folha, isso é certinho — diz Curt, suficientemente interessado para pousar o charro.

— Se ele morrer — diz ela friamente —, quem vai tratar da saúde a Face?

Paramos e ficamos a olhar simplesmente uns para os outros e a respirar em silêncio.

O que Ki queria dizer era que o plano só funcionava se os dois gangues se aniquilassem mutuamente. Se Face sobrevivesse e Guilty fosse morto, Face continuaria à nossa procura. A única coisa que interessava Face era o dinheiro e seria apenas uma questão de tempo até Face perceber que Guilty não tinha o dinheiro. Éramos nós que o tínhamos e isso significava apenas uma coisa. Com Jamil a sussurrar ao ouvido de Face quem estivera por trás do tiroteio, Face não tardaria a vir à procura de todos nós. De mim, de Curt e de Kira.

É claro que nós já sabíamos disso, de certa forma. Mas eu e Curt estávamos esperançados que Face levasse com um ou dois balázios durante o fogo cruzado. Além disso, talvez ganhar uma guerra de gangues fosse suficiente para Face. Talvez ficasse satisfeito só com isso e com a oportunidade de fazer a sua própria «coleta» aos Glockz.

— Pois, mas quanto a isso não podemos fazer nada — diz finalmente Curt. — Face e os seus homens são como Exterminadores. São imparáveis.

— Mas isso não significa que consigam fazer com que as balas ressaltem neles — acrescento, pensando se haveria uma maneira de deter o gangue de Face.

Curt esfrega a cara com a sua mãozorra e depois diz baixinho:

— Não sei, meu. Talvez consigam.

Ki puxa o casaco à volta dos ombros e depois levanta-se muito direita, depois de pensar por um instante.

— Então, temos de fazer alguma coisa para atrasar Face e os seus homens.

Atrasar Face era uma daquelas coisas mais fáceis de dizer do que de fazer. Como havíamos de fazê-lo? Por um lado, estávamos escondidos. Nem sequer podíamos andar livremente pelas ruas, percebem? Estávamos presos naquela casa. Por outro lado, os Cotas de Face eram um gangue a sério. Com armas e essas cenas. *MAC-10.* Pistolas-metralhadoras. Que podíamos nós fazer contra isso? Eu disse alguma coisa do género a Ki.

— Alguma ideia? — acrescentei depois, a olhar para ela.

— Quem, eu? — diz ela.

— Bem, estou a falar para todos — respondi rapidamente olhando para Curt.

— Compreendido — diz Ki, como se pedir-nos para dar ideias fosse a coisa mais estúpida que alguma vez ouviu —, mas digo-lhes uma coisa: não vou ficar aqui sentada à espera que me matem. E também temos de pensar na tua mãe, ou já te esqueceste disso? — acrescenta.

— E em Bless — diz Curt baixinho. Ele e Ki trocam um olhar como se houvesse alguma coisa que não me estão a contar.

— Sim, e em Bless — diz ela, agarrando no telefone que acabou de emitir o som de uma mensagem. — Escutem, eu não consigo pensar enfiada neste lugar. Tenho de ir apanhar ar — diz rapidamente.

— Não podes sair daqui. É demasiado perigoso — digo, mas com um olhar que lhe mostra que não vou tolerar mais aquela treta de ela sair dali durante horas, como da vez em que tinha ido ver Scoops.

— Não há problema. Só preciso de um sítio calmo para pensar — diz ela, e começa a vestir o casaco. Preciso de trabalhar melhor o meu olhar, penso. É como se ela se estivesse a esforçar por não entender os meus olhares fulminantes.

— Mano — digo para Curt com as mãos estendidas, incitando-o a fazer alguma coisa.

— Eu não, mano — diz ele.

— Não há problema. Vou para um sítio sossegado.

— Como por exemplo? — pergunto preocupado. Não quero que ela corra o risco de ser vista, agora que as coisas estão a aquecer cada vez mais. Não estão propriamente ao rubro, afinal estamos em Inglaterra. Mas estão suficientemente quentes para nos queimar.

— Talvez a igreja — diz Ki.

— A igreja? Aqui? Ao domingo? És maluca?

Ki para como se estivesse a digerir o sentido do que estou a dizer. A igreja em Camberwell num domingo é mais movimentada do que o McDonald's.

— Porque não experimentas a mesquita? — diz Curt. — Essa não vai ter grande movimento ao domingo, não é? Eu levo-te lá de carro. De qualquer forma, tenho de passar para ir ver Bless — diz, e acrescenta rapidamente — e a tua mãe.

Pausa para almoço: 12:50

29

14:00

Portanto, Curt ia deixá-la numa mesquita. Parece confuso, certo? Quer dizer, uma mesquita? Para mim, havia ali alguma coisa de suspeito. Essas maluquices todas que lemos. Agora, desde que estou preso, já sei mais sobre o islão. Só que aqui chamamos-lhe «prislão». A maior parte das pessoas adere ao islão simplesmente para ter comida melhor. Há outras que o fazem para poder reunir com os seus homens com alguma paz e sossego. Algumas fazem-no para se organizarem. Na verdade, só um ou outro paquistanês ou somali é que adere realmente, sabem? Para orar pela salvação.

Mas, na altura, eu não sabia nada acerca disso. Conhecia as coisas básicas, como o tapete de oração e Maomé, mas não mais do que isso. Para mim, nessa época, era apenas uma coisa que os terroristas e tipos com barba comprida e sem bigode faziam.

Mas querem saber se estava contente por Ki ir para uma mesquita à procura de alguma paz e sossego, como ela dizia? Verdade seja dita, nem por isso. Sair dali era demasiado perigoso para ela. Quer dizer, eu percebo. Ela estava fechada naquele apartamento minúsculo, onde só me via a mim. Era horrível. Na altura não sabia, mas em alguns aspetos era pior do que a prisão. Na prisão, pelo menos saímos todos os dias para apanhar ar. Mas estar naquele apartamento era simplesmente claustrofóbico. Simplesmente claustrofóbico.

E depois, com tanto sítio, logo tinha de ser na mesquita. Não me parecia um lugar seguro para uma pessoa. Na minha ideia, era um daqueles lugares com «minuetes» ou lá como lhes chamam. Vocês sabem, com as torres e aquela lamúria toda. E com homens. Por alguma razão, na minha cabeça só havia homens nesse tipo de lugar. Só havia mulheres quando eram obrigadas a estar lá, ao lado dos homens. Praticamente o oposto de uma igreja, em que os homens só lá estão porque foram arrastados pelas mães e esposas.

Por outro lado, não havia possibilidade de ela ser reconhecida numa mesquita, uma vez que não conhecíamos ninguém do Bangladesh nem de outros lugares assim.

De qualquer forma, resumindo, Ki sai com Curt e, quando dou por mim, já está sentada numa mesquita, a pensar. Deixam-me novamente sozinho no apartamento. A olhar para o telemóvel de minuto a minuto. Sinto-me mal durante cada minuto que ela ali não está. Como é que ela vai voltar? Nem sequer sei se Curt a vai buscar ou não.

No final, fico tão farto de esperar que faço o que qualquer tipo faria: vou buscar a minha *PS3*. Tinha o *Call of Duty* e, embora fosse bastante bom com esse jogo, sentia que já tinha tido armas e porcaria dessa que chegassem para uma vida inteira. Por isso, escolhi o *FIFA*. A minha equipa, o Chelsea, era forte e de confiança, tinha os melhores jogadores que o dinheiro podia comprar.

Eu tinha o Ronaldo, o Messi, o Agüero, o Bale, o Silva, o Suárez, o Neymar, é só escolher. Tinha tantos atacantes que não tinha muito espaço para defesas, por isso tinha pessoal como Fàbregas e Touré lá atrás. Não era como as equipas que víamos na vida real, mas quem quer saber da vida real quando está a tentar fugir dela?

Mas aquilo que notei nesse dia, e que nunca tinha notado antes, é que só se consegue jogar como deve ser quando a cabeça está desanuviada. Isto não significa que seja necessária uma grande concentração. Não é. A questão é que, quando se está preocupado com alguma coisa, não é possível usar o jogo para fugir à vida real. Só se consegue fazer isso quando não há grande coisa a acontecer na nossa vida. Suponho que seja por isso que as pessoas jogam *PS3* quando estão a cumprir pena, depois de terminado o julgamento. Sim, acreditem! É verdade, há *PlayStation* na prisão. Mas, como digo, só é bom quando não temos mais nada para fazer e precisamos que a nossa vida avance o mais depressa possível.

Desliguei-a e vagueei pelo apartamento, à procura de alguma coisa para fazer. Já tinha lavado a louça toda. O fogão estava limpo. Não havia nada para fazer, a não ser esperar. Passado um bocado, entrei no quarto e comecei a bisbilhotar. Do lado da cama ocupado por Ki havia livros empilhados no chão, e eu peguei num. *Por Favor, não Matem a Cotovia.* Virei-o ao contrário e li a parte de trás.

Houve algumas palavras que me chamaram a atenção. Bondade e crueldade. Amor e ódio. Parecia o tipo de livro que ela gostaria de ler. Um livro de opostos. Como eu e ela. Abri-o na primeira página e comecei a ler, mas não conseguia acompanhar o fio da história. Era a mesma coisa que tinha acontecido com a *PS3.* A minha cabeça não estava suficientemente desanuviada para se agarrar às palavras. Sempre que retinha alguma coisa, o meu pensamento fugia novamente para Kira. Por fim, a única coisa que consigo fazer é ficar junto à janela a ver se a vejo ou a alguém com quem tenha de me preocupar. Não gosto da ideia de ela estar fora tanto tempo. Preocupa-me poder acontecer outra vez. De a poderem levar. E não tenho a certeza se consigo aguentar novamente outro desses dramas. A seguir, escurece e começo a ficar nervoso. Não consigo ficar ali dentro muito mais tempo, por isso decido sair. Só para apanhar um bocadinho de ar. Provavelmente, a escuridão é suficiente para me proteger.

Quando chego lá fora, decido cortar caminho pelas traseiras. Aquele lugar onde a vi da última vez que ela voltou. Não sei exatamente porquê, suponho que ainda me sentia curioso em relação a isso. Aquilo não batia certo e só queria dar uma vista de olhos. Nem sequer tinha a certeza se havia um atalho para chegar ao outro bairro. Há que séculos que não ia para aqueles lados. Chego aos contentores do lixo e há um muro baixo que trato de saltar. E depois fico numa espécie de descampado à volta do outro bairro. Não há nada, a não ser latas velhas, garrafas e diversas amostras de lixo. Parecia um daqueles lugares em que tinham pensado fazer um jardim quando construíram, mas depois não se deram a esse trabalho. Atravesso-o em cerca de cinco minutos, a andar depressa, e depois fico a pensar no que fazer a seguir. Não há nada para ver, ali. Mas, de repente, passa a haver.

*

Um carro.

Ora, o que acontece é que eu conheço a maior parte dos carros que circulam pela minha zona. Não é que conheça todos os carros, como é óbvio; é mais o saber quando vejo um carro por ali que não me parece certo. Perturba-me um bocadinho, como quando descemos uma escada e pensamos que há mais um degrau, mas afinal não há e o nosso pé move-se como se ele estivesse lá. Bem, vejo aquele carro a parar ali à frente, mas na outra ponta da rua, e não me parece certo. Ou talvez nem seja isso. Talvez seja aquilo a que chamam intuição, não sei. Mas a questão é que reparei. Reparei nele, mas palpita-me que não haveria muitas pessoas a fazê-lo. Nem mesmo pessoas que se interessam por carros teriam reparado. Teria de ser alguém muito, mas muito interessado para ter reparado, porque é um tipo de carro concebido para não se dar por ele.

Era um *Alpina D3* azul último modelo, com motor biturbo de dois litros. Para qualquer pessoa que olhe para ele, é basicamente um *BMW Série 3 Touring*. Um vulgar *BMW*. Se o vissem, não iam reparar nele. Mas na realidade trata-se de um carro da marca *Alpina*; essa empresa agarra num *BMW* e modifica-o.

A principal alteração que lhe fazem é debaixo do capô. Pegam num motor naturalmente aspirado e transformam-no num turbo. Tem tudo que ver com criar binário elevado com rotações baixas. Bom, a questão é que não dá para ver, a menos que a pessoa chegue suficientemente perto e procure a chapa que diz *Alpina*. Mas se os conhecerem, se os conhecerem realmente como eu conheço, conseguem perceber pelas rodas. Eles põem-lhes jantes de vinte polegadas. Estas eram de dezanove. Este carro era um carro para alguém que sabia de carros. Por isso, reparei nele. E estava a pensar que devia valer para aí umas vinte e cinco mil libras ou coisa do género. Mas o que me chocou foi que, um minuto depois de parar, a porta de trás abre-se e vejo Kira sair. Ela inclina-se lá para dentro, para tirar qualquer coisa e depois começa a andar na minha direção. Não consigo ver o que é, mas parece um lençol preto ou coisa assim, o que me deixa confuso. Baixo-me rapidamente atrás de uma carrinha que está estacionada no parque, antes que ela me veja.

Agacho-me e vejo-a passar por mim. Os meus olhos seguem-na enquanto ela mexe naquela coisa que parece um lençol preto e começa a andar em direção à parte da frente do meu bairro. Merda! Penso que preciso de chegar antes dela. Há algo em mim que precisa de ver o que o seu rosto me vai dizer quando passar por aquela porta.

Apercebo-me que só tenho cerca de cinco minutos para fazer o caminho de volta e chegar a casa antes dela. Mas só quando começo a correr é que me lembro que não corro há imenso tempo. Consigo chegar ao apartamento em cerca de dois minutos, a arfar.

Abro a porta para o apartamento e o meu pensamento continua a correr, embora eu já esteja parado. Que raio se passa? Porque estava ela num carro daqueles? Enfio a cabeça pela porta e vejo que consegui chegar primeiro. Agora, só preciso de pensar no que lhe hei de dizer. Por isso, espero. E depois, passados uns minutos, ouço a porta.

Quando ela entra, é outra pessoa. E não estou a falar espiritualmente. Era mesmo outra pessoa. Nem sequer a reconheci. Na verdade, quase gritei. Durante uma fração de segundo, pensei que estava no meio de um pesadelo. Só quando ela tirou a parte que lhe tapava a cabeça percebi que era Ki. De burca. Juro. Parecia o Darth Vader.

— Oh, porra! — digo mal lhe vejo o rosto. Sinto-me como se tivesse estado à beira de um ataque cardíaco. Ela sorri para mim com um daqueles sorrisos que diz *fico mesmo ridícula*, e nem sequer sei se hei de rir.

— Sim, já sei — diz ela na boa, despindo o resto da burca. — Achei que ias ficar contente.

— Contente?

— Queres melhor disfarce do que este? Posso sair todos os dias — diz, pendurando a veste preta e brilhante num cabide junto à porta.

— Bem, não tenho a certeza se... — respondo, mas ela corta-me a palavra mostrando-me a palma da mão.

— Cala-te, mas é. Escuta, acho que estou prestes a descobrir uma maneira de sairmos desta confusão — diz, e os seus olhos brilham como antes. A antiga Ki está de volta e, naquele momento, esqueço completamente o *Alpina*. Para já, não consigo que faça sentido, por isso ponho o assunto temporariamente de lado.

— Caramba, já encontraste uma saída? És mesmo boa, Ki! Admito isso. Esperta. Sempre disse isso. O que é?

— O que é? Nada, ainda. Eu disse que estou *prestes* a descobrir uma saída. Só preciso de algum tempo. Dá-me só uns dias para pensar no assunto como deve ser. Depois disso, logo te digo. Agora, mudando de assunto, o que achas que se passa entre Bless e Curt? — diz ela fazendo um daqueles sorrisos. Vocês sabem como é.

— De que estás a falar, miúda? Não se passa nada. Ele vai só passar lá por casa para ver a minha mãe. Eh, para com esse sorriso, juro! — digo e, nessa altura, empurro-a para cima do sofá, os dois a rir como miúdos pequenos.

Bem, esse foi mesmo o ponto de viragem. O dia em que ela voltou da mesquita. Daí em diante, tudo mudou. Eu devia ter-me dado conta. Se tivesse um cérebro como o dela, teria percebido, mas, como já lhes disse, não tenho uma dessas mentes… O meu cérebro é a preto e branco. O dela… o dela é de todas as cores.

Pausa: 15:00

30

15:15

Assim, nos quatro ou cinco dias seguintes, Ki vai à mesquita durante horas de cada vez. Veste a sua burca e vai-se embora levando apenas o telemóvel com ela. Tento perguntar-lhe porquê, porque tem de ir à mesquita, mas ela ignora a questão, como mais uma daquelas coisas.

— O quê? Queres que eu vá para o parque, para a biblioteca ou para outro lado qualquer assim vestida? — diz ela, como se fosse a coisa mais estúpida que já ouviu.

— Mas porque tens de sair? — digo eu ao fim do terceiro dia. — Não podes fazer o que tens a fazer aqui, no apartamento?

— Não, não posso. Preciso de espaço. Preciso de paz. Como posso pensar contigo atrás de mim o tempo todo?

— Eu sei disso — digo. — Mas não percebes que é perigoso saíres daqui? Perigoso para ti, para a minha mãe, para Bless, para Curt. Para toda a gente, Ki. Será que isso vale a pena em troca de teres espaço para respirar ou lá como queiras chamar-lhe?

— Não há problema, amor, tenho isto vestido — diz ela, puxando pela burca. — Sou invisível.

Ainda tentei acompanhá-la até lá, mas ela não aceitou. Era demasiado perigoso, disse. Estava a virar as minhas próprias deixas contra mim.

Depois, voltava sempre de olhos brilhantes, como que banhada em luz. Como se tivesse ganhado vida novamente. Mas não era a única coisa. Começou a agir de forma estranha, percebem? Agitada e nervosa. E sempre que lhe perguntava se o plano já estava mais avançado, dizia simplesmente: «Em breve. Dá-me só mais algum tempo. Estou quase lá.»

Ao quarto ou quinto dia, comecei a ficar preocupado com Ki. Verdadeiramente preocupado. Até pensei se não seria a pressão a que Ki se submetera para arranjar um plano que a estava a incomodar. Só Deus sabia como nos íamos desenvencilhar daquilo tudo. E porque havia eu de achar que Ki tinha a resposta? Que havia ela de fazer? Arranjar um plano que tirasse Face de cena, sem mais nem menos? Derrubar um gangue qualquer era uma coisa, mas Face pertencia à divisão de honra. Nem pensar que podíamos confrontar Face. Um rato não pode lutar contra uma cobra, disse para comigo. Um rato não pode lutar contra uma cobra.

Mas quanto mais pensava que era impossível, mais óbvio se tornava o que tinha de ser feito. Como fazê-lo, isso já era outra história, mas pelo menos sabia o que precisava de ser feito.

Espreitei pela janela e reparei que o céu tinha escurecido, como se estivesse a preparar-se para uma tempestade. Esperava que Ki não fosse surpreendida por alguma trovoada. Tinha praticamente a certeza de que ela não tinha levado guarda-chuva. Dei por mim a pensar se as burcas seriam à prova de água. Nessa altura, bastou uma coisa tão simples como pensar em Ki a ser surpreendida pela chuva para pensar qual seria o seu estado de espírito quando voltasse.

Ela tinha estampado na cara o ar de quem encontrara a luz. Já não parecia preocupada. E parecia menos assustada e mais focada a cada dia que passava. Aqueles olhos cinzentos deslizavam preguiçosamente sob as pálpebras e quase conseguia ver-lhe o cérebro a analisar os problemas e a filtrar as soluções. Seria a pressão de estar fechada no apartamento que a andava a deixar estranha ou seria alguma treta que se passava na mesquita onde ela ia? Aquilo fez-me pensar. No fim de contas, esses lugares sabem como produzir gente doida, não é verdade?

Não encarei a situação como se estivesse propriamente a segui-la. Estava mais a certificar-me de que ela estava bem, pelo menos era o que me ia na cabeça. Sabia lá o que se passava naqueles lugares, depois de terminadas as orações... Será que se juntavam todos na mesma sala, com um mapa na parede, e começavam a planear o próximo ataque terrorista, ou seria apenas para tomar chá e bolinhos? Quem poderia dizer, porra? Eu não, pelo menos. Só queria ter a certeza de que não estavam a lixar-lhe o juízo, percebem? Ela já tinha porcaria suficiente a acontecer sem ter de ajudar islamitas bombistas a fazer as suas cenas.

A mesquita mais próxima de nossa casa ficava apenas à distância de uma curta viagem de autocarro, em linha reta. Não era um desses lugares cheios de cúpulas e «minuetes» que eu tinha na ideia. Parecia-se mais com um pequeno centro comunitário de aspeto lúgubre que tinha sido convertido. Embora não tivesse a certeza de ser ali que ela ia, era o meu melhor palpite. Não sei porque nunca lhe perguntei. Talvez tivesse medo que ela pudesse pensar que a estava a pressionar se começasse a perguntar-lhe onde ela ia exatamente.

Bom, meia hora depois de ela ter saído pelo quinto dia consecutivo, creio que era uma sexta-feira, decidi ir atrás dela. Como digo, não era para a seguir nem para a vigiar, mas só para ter a certeza de que estava bem.

Puxei o capuz sobre os olhos e desci a escada até às portas comunitárias. Empurrei as pesadas portas metálicas e a luz atingiu-me de repente. E a seguir todos os cheiros que quase tinha esquecido. Era estranho estar ali fora durante o dia. Tinha a sensação de que não via luz do dia a sério há muito, muito tempo. O mais próximo que estivera disso foi naquele dia com o *Alpina*, mas já era quase noite. Olhei para o céu, que estava a ficar cada vez mais escuro, e aconcheguei bem a roupa à minha volta. Corri até à paragem de autocarro mais próxima e pus-me debaixo do abrigo precisamente quando os primeiros pingos começaram a cair. Por alguma razão que não sabia explicar, sentia-me muito apreensivo. Como se fosse acontecer alguma coisa má.

Entrei no primeiro autocarro que vi e sentei-me na parte de baixo, longe dos miúdos que viajavam na parte de cima e que estavam a fazer o tipo de barulho que só pessoas sem preocupações conseguem fazer. A única coisa que queria era certificar-me que ela estava bem, disse para comigo enquanto espreitava pela janela. A viagem era curta, talvez duas paragens. A seguir, vi aparecer o edifício baixo e quadrado. Toquei a campainha e depois saí e fui a correr até lá, mantendo-me junto às paredes para tentar evitar a chuva. Ainda tinha as palavras «Centro Comunitário» lá no alto, sobre os tijolos, mesmo por cima das palavras «Mesquita da Comunidade de Camberwell». Respirei fundo e aproximei-me das portas principais.

As orações ainda estavam a decorrer quando lá cheguei, por isso fiquei cá fora e esperei ali perto, numa entrada, para fugir à chuva. Não queria interromper as orações. Toda a gente sabe que é melhor não nos metermos com irmãos muçulmanos quando estão a meio das suas orações. Pelo que sei, eles não reagem bem a esse tipo de coisa.

Passados cerca de dez minutos, as pessoas começaram a sair. Centenas delas. Fazia-nos pensar como conseguiam meter tanta gente num lugar tão pequeno. Havia literalmente centenas de pessoas. Havia mais gente ali do que na igreja que a minha mãe frequentava, e acreditem que essa igreja fica completamente à pinha todos os domingos. Aquela mesquita devia ter o triplo das pessoas que eu via numa igreja. Não entrei, mas espreitei de relance pelos vidros das portas duplas.

É tal e qual como na televisão. Filas e filas de pessoas, a poucos centímetros umas das outras, todas a rezar. Devo dizer-lhes que, por um segundo, cheguei a pensar que aquela religião tivesse alguma coisa de especial. Aquelas pessoas todas enfiadas num espaço minúsculo, a rezar? Nem sequer tinham cadeiras, percebem? Era só o chão. Ninguém ia a um lugar daqueles só para ter uns momentos de sossego ou porque a mãe o obrigava a ir, podendo ainda assim passar pelas brasas e pensar no almoço de domingo que aí vinha. E nem sequer havia cânticos, percebem? Parecia-se mais com um ginásio. O tipo de lugar onde a pessoa vai fazer o que tem para fazer e depois se vai embora.

Seja como for, esperei para ver se conseguia avistar Ki, mas depois percebi que só estavam a sair homens. E não estou a dizer que eram sobretudo homens, mas sim que eram todos homens. Por isso, quando vi sair os que tinham ficado mais para trás, interpelei um dos mais jovens.

— Olhe lá, há mulheres neste lugar? — perguntei, mantendo os olhos baixos.

— A entrada das irmãs é nas traseiras — diz ele enquanto calça os sapatos e depois mistura-se com o resto da multidão.

Quem havia de dizer que havia uma entrada para mulheres? Merda! Corri até lá mesmo a tempo de ver a porta a abrir. E depois, lentamente de início, começam a sair até haver umas sessenta ali fora. E é nessa altura que percebo que sou um idiota!

Todas aquelas mulheres vestem uma burca preta. Há dúzias de Kiras. Todas a fugir em diferentes direções, para escapar à chuva. Merda! Não posso segui-las a todas, por isso decido que não tenho outra opção senão regressar. E depressa.

Mantive-me discreto, de cabeça baixa e capuz enfiado na cabeça, sem olhar para ninguém. Em menos de dez minutos, estava a galgar a escada para o meu apartamento. A ofegar devido à falta de exercício físico, na altura. Eu sei que agora, quando me veem com estes músculos todos que ganhei na prisão, pareço um super-herói, mas naquela época, fechado naquele apartamento, parecia mais o Bucha do que o Batman.

Mas aquilo que me perturbou quando voltei foi Ki ainda lá não estar. Talvez tivesse ficado lá dentro, a falar com algumas das irmãs até a chuva parar, pensei. Era possível, uma vez que eu não tinha entrado no edifício. E, de qualquer forma, ela não ia lá para orar, por isso talvez estivesse nalguma divisão algures, onde as pessoas fossem para meditar ou coisa assim.

Por isso, quando ela apareceu passada uma hora, eu não disse nada. Ninguém quer ser um daqueles tipos que anda a perseguir a própria namorada, não é?

Ela entrou com a burca pendurada num braço e veio até à cozinha, onde eu estava a aquecer a sopa para o almoço. «Querido, cheguei!», disse por brincadeira, e depois dobrou a burca sobre uma cadeira e sentou-se noutra, junto à mesa.

— Olha, anda sentar-te, temos de conversar — diz ela a sorrir para mim.

Sento-me ao lado dela e consigo sentir o calor que vem do seu corpo. A seguir, ela põe a mão na minha perna e, de repente, abre-se uma cascata na minha cabeça. Os pensamentos saem em catadupa. O rosto dela perto do meu. Os seus olhos a prenderem-me. O perfume da sua pele. A minha cabeça começa a andar à roda ao lembrar-me dela, de nós. De como éramos antes de tudo se ter complicado. Há tanto tempo que ela não me tocava que quase me tinha esquecido que já tínhamos sido um ser vivo, em tempos. Um ser que expelia fogo. Olho para ela e ela faz aquele seu sorriso. Um sorriso de antigamente.

Por um segundo, aquilo faz-me esquecer tudo o que se passa de errado. Depois, alguma coisa me incomoda e estou de volta à realidade, sentindo-me como quem adormece e depois acorda.

— Essas coisas são à prova de água? — pergunto, apontando para a burca.

— O quê? Hum... não. — A seguir, ela percebe o que quero dizer e acrescenta — Ah, apanhei uma boleia. Mas cala-te com isso e escuta-me por um segundo. Acho que já arranjei uma solução.

Olho-a por um instante, sem perceber, até que a sua expressão me faz lembrar. Temos coisas mais sérias com que nos preocupar.

— Claro — respondo. — Bem, acho que também já percebi o que fazer — acrescento, puxando uma cadeira para o pé dela.

— Ah, sim? Chuta lá, génio — diz ela, ainda a sorrir. — E enquanto o fazes, arranja-me uma tigela daquela sopa com ar delicioso que tens ali.

Este era um daqueles momentos em que a antiga Ki parecia materializar-se. Era quase como se tivesse voltado a ser como era. Se ao menos pudesse agarrá-la e mantê-la ali, sabia que tudo estaria bem.

— Bem — digo, enquanto deito a sopa numa caneca —, na minha opinião, Guilty não vai conseguir de maneira nenhuma derrotar um gangue de vinte homens, todos eles armados. Não podemos fazer nada para contrariar esses números, percebes?

— Continua.

— Mas...

— Sim? — pergunta, curiosa.

— Um rato consegue comer uma cobra?

Ela olha para mim como se eu tivesse perdido o juízo.

— Sentes-te bem? — diz ela com um meio sorriso.

— Escuta, Ki, e se a cobra não tivesse cabeça?

— Hum... o quê?

— E se a cobra não tivesse cabeça? — Digo aquilo e percebo que pareço um bocadinho alucinado, mesmo sabendo o que quero dizer.

— Nesse caso, claro que sim — diz ela devagar, mas dá para ver que acha que está a falar com um atrasado mental.

— Então, é isso que é preciso fazer. Precisamos de encontrar uma forma de tirar a cabeça à cobra.

— De que estás a falar?

Por isso, explico-lhe. Conto-lhe que estava a perguntar a mim mesmo como podia um rato vencer uma cobra e que tinha chegado à conclusão que era impossível, a menos que a cobra não tivesse cabeça. E na altura exata em que digo isto, parece-me estúpido, por isso paro a meio.

Ainda leva um minuto, mas depois ela sorri para consigo e diz:

— Afinal, és um génio!

— Dispenso a ironia.

— Não, estou a falar a sério. Isso é precisamente o que eu tinha pensado.

E é nessa altura que ela diz as palavras que mudam as nossas vidas. Depois de se dizer uma coisa destas, é impossível desdizer-se. Ganha vida própria. Como plantar uma semente. A única coisa que se pode fazer é recuar e vê-la germinar.

— Nós temos de eliminar o Face. Quando ele morrer, acabou o jogo. E podemos ter alguma normalidade de volta às nossas vidas. Deixar de andar sempre escondidos e de viver como fugitivos.

— É isso! Era aí que eu queria chegar! — exclamo, espantado por, pelo menos por uma vez, não ser completamente estúpido. Mas, nessa altura, tomo consciência do que ela disse. — «Nós?» Eu nunca falei em nós — digo de repente, sem gostar do que me parece que ela está a querer dizer.

— Então, quem? Guilty? Achas que ele é capaz de fazer isso? — diz ela a olhar para mim.

— Sim, acho. Podemos atrair o Face de alguma forma e deixar Guilty eliminá-lo. Um para um. Elemento de surpresa.

— Guilty? — diz ela de olhos arregalados. — Pelo que ouvi dizer de Guilty, nem sequer é capaz de levar os caixotes do lixo para a rua. Não, querido. Não podemos correr o risco de deixá-lo tratar disso.

— Não sei o que ouviste, Ki, ou com quem tens andado a falar, mas Guilty não é para brincadeiras. O homem é extremamente violento.

— Não tem que ver com isso. Quero lá saber se ele é violento ou não! Quero é saber se é suficientemente esperto para fazer alguma coisa contra Face. E mesmo só por aquilo que me contaste, não é — diz, e sei que ela tem razão.

— Então, quem? — pergunto. — Quem vai fazer isso?
— Nós. Tem de ser — diz, e depois sai dali.

Pausa longa: 16:05

NO TRIBUNAL CRIMINAL CENTRAL T2017229

Perante: MERITÍSSIMO JUIZ SALMON QC

Alegações Finais:

Julgamento: 36.º dia

Quinta-feira, 13 de julho de 2017

COMPARÊNCIAS

Pela Acusação:	C. Salfred QC
Pelo Arguido:	O próprio

Transcrito de um registo áudio digital por
T. J. Nazarene Limited
Estenógrafos Judiciais e Transcritores Certificados

31

10:15

Então, ontem estava a falar-lhes sobre o plano de Ki, o plano para eliminar Face. Não sei dizer quando ou porque começámos a deixar-nos guiar por Ki. Pode ter sido por ela ser inteligente ou porque não tínhamos ideias. Mas se disserem que era Ki que dirigia as operações na altura, têm toda a razão. Ela era o «general» no nosso pequeno gangue de três elementos.

Continuava sem saber bem o que Ki entendia por termos de ser «nós» a tratar de Face. Quer dizer, não achava que ela quisesse dizer que tínhamos de ser literalmente nós a fazê-lo. Talvez tivéssemos apenas de arranjar as coisas para outro elemento qualquer dos Glockz tratar do assunto. Ou algo assim. Algo que não implicasse termos de ser nós a executar fisicamente o plano.

Sim, eu queria matá-lo. É verdade. Mas estava a dizer que achava que ela não queria dizer que tivéssemos de ser nós a fazê-lo. É só para não pensarem que estou a mentir.

Portanto, sim, vou voltar a dizê-lo, isto faz-me parecer culpado. Mas, como disse, não pensava que ela estivesse a dizer para sermos *nós* a matá-lo. Por isso, no dia seguinte, pedimos a Curt para passar lá por casa, para podermos discutir o assunto com ele. Não conseguimos contactá-lo pelo telefone e calculámos que ele andasse a desfazer-se dos cartões, como de costume. Mas Ki acabou por localizá-lo quando telefonou para casa da minha mãe, onde por acaso ele estava.

— Passa por cá — disse eu. — Precisamos de falar. — E desliguei. Ki fez outro daqueles seus sorrisos que eu devia ser capaz de descodificar, mas não sou.

Quando chegou, Curt vinha todo nervoso.

— As coisas estão a ficar feias — diz enquanto despe o casaco e o atira para cima de uma cadeira.

— Antes de falarmos sobre isso, o que andas a fazer em casa da minha mãe? — pergunto, entregando-lhe uma cerveja.

— Ou melhor, em casa de Bless — diz Ki a sorrir, como se aquilo tivesse alguma piada.

Curt quase deixa cair a cerveja.

— Nada, meu. Só a certificar-me que elas estão bem — diz, fazendo-se muito vermelho. — Seja como for, o que corre por aí é... — começa, quando Kira desata de repente a rir.

— Porque estás a falar assim? — pergunta ela.

— Assim como?

— Como se fosses um chulo dos anos setenta numa série americana...

Por alguma razão, aquilo também me faz rir.

— Sim, meu. Para que são essas tiradas?

— Como queiram, mas as coisas estão mesmo a ficar feias.

— Feias a que ponto? — pergunto.

— Feias, feias. Face disparou contra Guilty esta manhã.

— O quê? Ele morreu? Mas que raio, meu? — digo de olhos arregalados, e já sério.

— Não, meu! Ele disparou *contra* ele, não lhe deu um tiro. Bem, não foi propriamente Face, mas um dos seus Minorcas. Apareceram quatro de bicicleta. Passaram pelo clube noturno precisamente quando ele vinha a sair e um deles disparou para aí uns cem tiros contra ele. Não houve um que lhe acertasse, dá para acreditar?

— Merda! — digo e olho para Ki.

Eu sei que isto lhes parece estranho. *Gangsters* de bicicleta. Mas, como já lhes disse, o mundo da droga é como um exército. Têm «generais», «tenentes», «soldados». Bem, os generais, os tenentes e alguns soldados andam de carro. Outros soldados, os mais novos, aqueles a que chamamos, isto é, a que eles chamam Minorcas, andam de bicicleta.

São capazes de ter visto esses miúdos a passar de bicicleta nas vossas ruas. E a vocês pode parecer que são apenas miúdos da escola. Mas o que precisam de saber é que nem sempre é por acaso e que esses miúdos nem sempre são apenas miúdos da escola. São traficantes de droga, miúdos de dez anos aspirantes a soldados. E quando andam de bicicleta, andam em *formação*. Dependendo de quantos são, pode haver dois que vão à frente para bater o território. O rapaz armado vai um pouco mais atrás, escoltado por outros dois elementos de cada lado. São eles que o encobrem e identificam o alvo. Passam por ele e o rapaz com a arma dispara e põe-se a mexer. Os restantes tiram-lhe toda a droga e dinheiro que encontram e desaparecem num ápice.

E o caos que se segue com todos eles a fugir de bicicleta em direções diferentes também não é por acaso, é uma coisa pensada. Dispersam-se para não serem apanhados. Se a situação se complicar, livram-se da arma. Esta não tem impressões, pois esses rapazes usam luvas de látex. Esses rapazinhos são espertos.

Portanto, Curt diz-nos que alguns Minorcas acabaram de tentar matar Guilty. E Ki fica furiosa.

— Precisamos que Face desapareça da circulação. E é já — diz ela, fitando-nos de olhos semicerrados. — Se deixarmos isto prolongar-se por muito mais tempo, Guilty morre e nós somos os próximos. Temos de avançar.

— É só isso? Porque não disseste? Espera aí um segundo enquanto eu ligo para uma empresa de aluguer de assassinos! — Ki fulmina-me com o olhar.

— Não, meu, tudo bem — diz Curt passado um bocado. — Podemos fazer isto.

— Como?

— Vou dizer a Guilty que está a ser incriminado e ele pode organizar uma cilada e fazer uma emboscada a Face — diz Curt. — Ou coisa assim.

Eu e Ki olhamos ambos para Curt e ele compreende o que lhe estamos a querer dizer e prega os olhos no chão.

— Escutem, todos sabemos que apesar de ser um bandido e tudo o mais, Guilty nem sequer conseguiria soletrar a palavra emboscada. Não! Temos de ser nós a fazê-lo — diz Ki.

— Nem pensar — digo. — Nem pensar!

— Não temos outra opção — diz ela cruzando os braços num nó apertado.

De repente, senti como se ela estivesse a escapar-me das mãos. Eu só queria a nossa vida de volta. Queria voltar aos dias em que íamos juntos ao Barnardo's enquanto ela escolhia livros. Às noites em que nos podíamos deitar simplesmente no sofá, a ver um filme, sem ter aquele peso sobre as nossas cabeças. Queria ser capaz de olhá-la nos olhos e ver-me neles. Queria reconhecê-la.

Escutem, eu sabia que Guilty não seria capaz de eliminar Face usando os seus próprios meios. Face era demasiado esperto e teria contrariado as suas táticas num instante. E também sabia que não havia dúvida de que Face tinha de ser eliminado, se quiséssemos sobreviver. Do ponto de vista teórico, sabia que tudo isso era verdade, mas ainda não era capaz de dar o salto daquilo que parecia lógico no papel para ler a notícia nos jornais. Parecia-me uma loucura. Uma loucura o simples facto de estarmos a falar em matar uma pessoa. Porra! Já quase tínhamos matado um rapaz! Sem querer, quero eu dizer. Mas isto era outra história.

Por um lado, não estava muito satisfeito por arrastar Ki para mais uma situação. Ela já tivera drama suficiente para uma dúzia de vidas. Não precisava de acrescentar a isso um homicídio planeado. E por mais indestrutível que parecesse, eu sabia que até ela tinha os seus limites. Podia dar a sensação de solidez a quem estava de fora. Como um motor *V8*. Mas sabem que se pusermos qualquer motor sob pressão, ele acaba por estourar. Podemos levá-lo de vez em quando ao seu limite, mas não podemos fazê-lo o tempo todo. E ela já estava no vermelho há algum tempo. Não queria levá-la novamente aos seus limites. E, na minha maneira de ver, era eu o responsável por tudo isto. Não a podia meter em mais trabalhos.

Depois, havia o risco envolvido. Face não era apenas suficientemente inteligente para iludir Guilty. Face talvez fosse demasiado inteligente, mesmo para Ki. É claro que ela tinha capacidades, mas por maiores que elas fossem eu conhecia os seus limites. O que eu não conhecia era os limites das dele. Até onde ele iria? E se as coisas dessem para o torto, não estávamos propriamente num jogo, onde podíamos recarregar, ganhar outra vida e tentar outra vez. Se as coisas corressem mal e Face nos fizesse a folha, morríamos. Sem dúvida. Limpava-nos o sarampo num segundo.

E depois havia o simples facto da vida. No fim de contas, era uma vida. A vida dele não deixava de ser uma vida. Sei que Ki tinha enfiado uma bala em Jamil e quase o matara, e sei que depois o tínhamos largado como se estivesse morto, mas isso tinha sido mais um acidente do que outra coisa. Ela não tivera intenção de o matar. Não creio que quisesse sequer disparar. E sim, vejo que ele sobreviveu à bala dela, e isso também foi um acidente. Dizem que talvez o tenha ajudado a sobreviver, quando apliquei a fita adesiva sobre o buraco da bala e isso fez parar a perda de sangue. Não sei se tudo isso é verdade, mas o que tenho a certeza é que se o ajudei a sobreviver, isso também foi um acidente. Não planeei salvar-lhe a vida, mas também não planeei matá-lo.

Mas isto era diferente. Eu sabia que este tipo me ia matar a mim, a Ki, a Curt e às nossas famílias num piscar de olhos. Isso dava o direito de o matar? Não sei, meu! Mas, mesmo assim, a menos que ele estivesse à minha frente, a apontar-me uma arma, não me sentia bem em matá-lo assim. Com tudo planeado. Era como matar um tipo pelas costas. Não me parecia bem. Planear a morte de um ser humano não era acidente nenhum. Também não era a mesma coisa que provocar uma guerra para que outra pessoa premisse o gatilho. Quando planeamos fazê-lo, estamos a passar ao nível seguinte. Isso, pelas minhas regras, é um homicídio.

Pausa: 10:45

32

11:20

Mais tarde, Curt foi-se embora, depois de combinarmos que íamos pensar no que era preciso fazer e voltávamos a reunir na manhã seguinte. Mas quanto mais analisava a situação, mais me convencia de que era realmente preciso fazer aquilo. Mas ainda não conseguia pôr a cabeça em ordem. Porque me sentia tão mal com aquilo? Ele ia matar-me, se me pusesse a vista em cima. E ali estava eu, a sentir-me culpado por causa daquilo. Seria assim tão diferente de dar um tiro àquele tipo debaixo da ponte, quando trouxe a Ki? Sentir-me-ia bem com isso se o homem estivesse à minha frente, a brandir uma arma? Conseguiria dar-lhe um tiro, nesse caso? Teria de esperar que isso acontecesse? Continuará a ser uma espécie de legítima defesa se soubermos que a pessoa nos vai matar, se tiver oportunidade? E se tentarmos a nossa sorte, antes disso? Para dizer a verdade, não sei. Estou muito confuso.

Nessa noite, eu e Ki sentámo-nos e conversámos mais sobre o assunto. Ela tinha passado duas horas a anotar num bloco alguns pormenores relativos ao plano e obrigou-me a lê-los. Mas quanto mais lia, mais aquilo me parecia uma loucura. Precisávamos de uma arma. Precisávamos de saber onde estaria Face. Precisávamos de uma estratégia de fuga. E precisávamos de ter mais sorte do que um ser humano podia esperar durante dez vidas. E, de repente, não consegui conter-me por mais tempo.

— Não vamos fazê-lo — disse-lhe, atirando as suas notas para cima da mesa.

— Que queres dizer com isso?

— O que disse. Não vamos fazê-lo. Não vamos dar cabo de dois homens sem necessidade disso.

— Sem necessidade disso? E a tua vida? E a minha? Será que a minha vida não é uma razão suficientemente boa para ti? — Os seus olhos estavam novamente elétricos.

— Ki, a tua vida é uma coisa. Nós temos as nossas vidas. Podemos ir embora. Escócia, qualquer lugar. Espanha, éramos para ir para Espanha. Ainda podemos ir. Temos o dinheiro. Temos escolha. Vamos e pronto. Não consigo matar ninguém. E não posso deixar que te envolvas num homicídio.

— Eu? — diz ela, levantando a voz. — Não podes deixar que me envolva num homicídio? Não devias ter pensado nisso antes? Antes de teres ido tirar-me aos Glockz com as armas a cuspir fogo?

— O que mais podia ter feito? — perguntei, com a voz a seguir a dela em direção às alturas. — Deixar-te lá? Que escolha tinha?

— E que escolha tens agora? A sério? Desapareces e vão matar Bless. E a tua mãe também. Face não vai parar. Tu sabes disso. Ele é uma máquina. É só uma questão de tempo até ele mandar os seus pequenos ciclistas fazer uma visita à tua mãe. Queres esperar até eles terem disparado uma centena de tiros sobre a tua mãe? Ou tens esperança de que também não lhe consigam acertar?

— Até ele me apontar uma arma, é só uma pessoa, Ki.

De repente, ela para o que quer que estivesse a fazer e olha-me nos olhos.

— É esse o problema? Estás preocupado com a tua alma? — diz ela quase a rir, mas não de uma forma que me deixe confortável.

— Alma? Não falei em alma. Estou a falar de uma vida. De um ser humano de carne e osso. Tu estás a falar de matar uma pessoa. De planear essa morte e de executá-la. De executá-lo. Se fizéssemos isso, seríamos iguais a ele, Ki.

— Somos muito diferentes dele. Ele assassina pessoas por dinheiro. Ele assassina pessoas para se divertir. Ele é um traficante de droga. Tu és um vendedor de carros. Tu não és ele. Nós não somos ele. Ninguém vai chorar por ele. Acredita no que te digo. Ninguém. Nem sequer a mãe. Ele é que ditou este fim. Não fomos nós. Foi ele — diz, num tom um pouco mais calmo. Respira fundo e depois lança-me um olhar um pouco mais doce do que antes. — Bem, queres olhar outra vez para os pormenores, ou não?

— Não! — digo, e tiro-lhe da mão o bloco que ela está a brandir à minha frente. — Já os li.

— Ótimo. Amanhã, começamos a rever isto como deve ser. De manhã, quando Curt chegar, ficas com ele até terem afinado isto na perfeição.

— Então e tu? Onde vais estar?

— Na mesquita — responde, e depois levanta-se e sai do quarto, deixando-me a olhar para as suas anotações. Isto vai ser um desastre, consigo senti-lo.

Na manhã seguinte, Curt bate à porta mesmo a tempo de tomar o pequeno-almoço. É como se tivesse sentido o cheiro dos ovos a serem cozinhados. Faz um cumprimento a Ki e puxa uma cadeira.

— Então, a Ki tem um plano? — diz-me, fazendo sinal em direção a Kira, que está a pôr ovos num prato para ele.

— Sim — respondo e mostro-lhe o bloco de notas.

Ele senta-se à mesa e começa a ler. Quando termina, está a sorrir.

— Miúda — diz-lhe ele, ostentando o bloco —, tens o meu respeito.

— Come o teu pequeno-almoço — replica Kira. — Tenho uns planos de última hora para fazer. Mas quando voltar, vocês os dois têm de ter isto memorizado — acrescenta, e depois, antes que eu lhe possa dizer adeus, desaparece com a burca debaixo do braço.

— O que se passa? — pergunta Curt a olhar para mim, vendo que estou com os nervos em franja.

— Nada.

— 'Tá bem. Então… o que se passa com o ambiente?

— Estou a stressar por causa da Ki.

— Porquê?

— Por tudo, meu. Este plano para matar Face. É uma loucura, mano. Nós não podemos andar por aí a dar tiros em *gangsters*. Isto não é nenhum filme.

— Estou contigo, mano, mas que outras opções nos restam?

— Bem, podíamos simplesmente bazar daqui para fora. Fugir.

— Merda, mano! Sabes que não vais deixar a tua irmã. Nem a tua mãe, quero eu dizer. Neste momento, não temos outra opção a não ser fazer isto.

— Está bem. Vamos supor que tens razão. Não temos escolha, percebo. Não podemos fugir. Não podemos ir ter com a bófia. Não podemos ficar à espera que nos façam a folha. Por isso, fazemos isto. Nesse caso, diz-me uma coisa. Como raio vamos fazer isto? — pergunto, brandindo o bloco de notas à frente dele. — Este plano? Como vamos liquidar esse Face, meu?

— Damos-lhe um tiro. Tal como a Ki diz.

— Sim. Mas como vamos *encontrá-lo*? Não podemos telefonar propriamente à sua secretária, para saber onde ele está.

— A Ki trata disso — diz, como se a resposta estivesse à minha frente o tempo todo.

— Tens muita piada, mano, ah, ah, ah! Pronto, está bem. Como é que a *Ki* vai descobrir isso?

— Ela sabe.

Curt põe uma garfada gigantesca de ovo na boca e depois inclina a cabeça para mim, como se agora fosse ele que estava confuso. E depois diz isto:

— Bem, todas as informações que ela me tem dado têm-se confirmado. São dicas sólidas.

Respiro fundo, tentando perceber o que ele está a dizer.

— O quê? A Kira tem-te dado informações? Que tipo de informações, mano?

— Do tipo: «Não vás lá hoje. Fulano assim-assim vai lá estar.»

— A Ki? Tens a certeza?

— Sim, tenho a certeza. Achas que Guilty evitou as balas por acaso? *Kevlar*, mano.

— O quê? — digo surpreendido. Estava mesmo chocado. Nem sequer sabia do que ele estava a falar para poder fazer as perguntas certas.

— *Kevlar*. Colete à prova de bala. Guilty tinha um vestido. Estava à espera de ser atacado por Face. Foi assim que ele conseguiu fintar as nove milímetros — diz Curt, alisando a camisa como que para me mostrar onde uma pessoa usa o colete.

— Sim, meu. Eu sei o que é *Kevlar*. Mas estás a dizer que foi Ki que te avisou que Face ia atacar Guilty? — pergunto, sem acreditar no que acabei de ouvir.

— Isso mesmo, meu. Data e hora.

— E onde raio te disse ela que tinha sabido disso?

— Na mesquita.

— O que estás para aí a dizer, mano?

— Na mesquita. Ela tem contactos e tem ouvido rumores. Como digo, tudo tem batido certo. Pergunta-lhe quando ela voltar. Merda! Pensava que sabias. Não sabias?

— Não, não sabia!

Não fazia ideia nenhuma do que se passava. Ki estava a passar informação a Curt para este a passar a Guilty sobre os sítios onde Face ia atacar? Onde raio tinha ido buscar essa informação? Não acreditava que tivesse sido na mesquita. Que diabo, eu não nasci ontem!

O quê? Tinha ido até lá um dia e, de repente, sabia informações sobre o responsável do maior gangue do país? Não, meu! Não acreditava nessa treta! E, de qualquer forma, mesmo que recebesse informação de algum homem ou mulher na mesquita, como sabia que não estava a ser tramada pelo fulano em causa? Isto era uma jogada típica de Face. Ele era o comissário da informação, percebem? E esta transmissão de informação falsa era exatamente o que esperaria dele. Teria criado o tipo de história que as pessoas haviam de contar sobre ele passados anos. Tal como a de Face e das *t-shirts* a dizer R.I.P.

— Escuta, mano, espera por mim aqui. Já volto — digo. Olho em volta à procura das chaves e começo a andar em direção à porta.

— Onde vais, meu? — diz ele desconcertado, mas não o suficiente para parar de comer os ovos.

— Vou descobrir onde ela está — digo, e vou-me embora.

Pausa para almoço: 13:00

33

14:10

Espero que tenham tido um bom almoço. O meu foi Gordon Ramsay, como é óbvio.

Portanto, decidi ir à procura dela. O tempo continuava típico do Reino Unido. Estava cinzento com aquela chuva que ainda não se decidira a sê-lo verdadeiramente. Puxei o capuz para cima, baixei a cabeça e saí do bairro. Apanhei o autocarro e, quando dei por mim, já lá estava, à espera no sítio onde as mulheres entravam e saíam, nas traseiras. Todo o trajeto até lá era um vazio. Não me lembrava de nada.

Enquanto espero, estou a pensar como irá correr a conversa. Sei mais ou menos o que preciso de lhe dizer, mas neste momento não consigo imaginar o que pode ela dizer que não torne esta cena ainda mais marada do que já é. E aquilo que mais me deixava em brasa era porque andava ela a fazer aquilo nas minhas costas. Percebem o que quero dizer? Pelo menos, podia ter-me contado.

— Irmão, não pode esperar aqui, à entrada das mulheres.

Olho para trás, assarapantado, e vejo que aquele tipo ali especado está a falar comigo. Mas está a sorrir para mim, por isso não está a faltar-me ao respeito. Desloco-me para a parte da frente. Está a começar a chuviscar, por isso abrigo-me junto à entrada e espero. Através das portas de vidro, consigo ver aquilo outra vez. Filas de pessoas em pé como garrafas numa garrafeira, com os ombros a tocar-se. Todas elas se movimentam em uníssono: põem-se em pé, ajoelham, voltam a pôr-se em pé. Mesmo quando estão a fazer a pose do «Não sou digna», todas elas se baixam e levantam em simultâneo, como se tivessem um circuito interno.

Quando saem, finalmente, algumas dirigem-me um cumprimento com a cabeça. Até reconheço algumas delas, pois já as tinha visto da última vez. Depois, um tipo baixo, com um barretezinho branco e uma túnica de algodão e um sorriso que lhe faz covinhas nas faces, dá ideia de vir ao meu encontro. Mesmo antes de eu me chegar para o lado, ele estende-me a mão.

— Assalamalaikum, irmão.

— Slamalaikum — respondo, ou qualquer coisa do género.

— O imã gostava de lhe dar uma palavrinha — diz ele, ainda a sorrir.

— Quem?

— O imã. O... hum... sacerdote.

— Para quê? Não estou a fazer nada — digo, fazendo uma careta e virando-me, como que para me ir embora.

— Não, ele só quer conversar. Talvez tenha algumas perguntas, não? — diz ele, ainda a sorrir.

— Perguntas?

— Sobre o islão?

— Não, meu. Estou só à procura de alguém — digo, e tento ir embora novamente.

— Eu vi-o aqui da última vez, irmão. Talvez a pessoa que procura seja Alá... — diz com aquele sorriso de Buda.

— Acredite que não ando à procura de Alá — replico, e desta vez dou mesmo meia-volta. Depois, ao afastar-me, sinto uma pressão suave no braço e vejo que ele está a segurá-lo. Reprimo os meus instintos para o sacudir e lhe dar um murro.

— Entre só por cinco minutos. Pergunte o que quiser ao imã e depois pode seguir com o resto do seu dia. São só cinco minutos.

As pessoas já tinham desaparecido todas, de forma que já só estávamos ali os dois. A chuva caía agora com mais força e suponho que, naquele momento, isso foi o suficiente. Além disso, podia não ser má ideia dar uma vista de olhos lá dentro e ver o que se passava naquele lugar que Ki andava a frequentar.

O imã não era o anhuca barbudo com mão de gancho e pala no olho que eu esperava. Era apenas... normal. Talvez tivesse uns trinta anos e usava uma barba aparada. Não era alto nem gordo. Mediano. E não estava em nenhum camarote nem ao cimo de um lanço de escadas, a brandir um pau. Estava sentado ao canto, a dizer adeus ou algo assim a alguns frequentadores habituais.

— Ah, irmão — diz ele, levantando-se e estendendo-me a mão. — Assalamalaikum.

Dei o meu melhor a tentar retribuir a saudação.

— É o jovem de que Abdul me falou. Ele disse-me que tem esperado lá fora. O Abdul pensou que talvez me quisesse fazer algumas perguntas...

Olho em volta, à procura do tipo que me levou ali, mas desapareceu.

— Nem por isso. Estava só à espera de alguém — digo, e começo a mexer-me desconfortavelmente no lugar, em meias.

Ele continua a sorrir e uma parte de mim começa a sentir pena dele. Sinto que tenho de lhe perguntar alguma coisa para ele se sentir melhor por me ter mandado entrar. Penso numa pergunta que lhe possa fazer.

— Na verdade, tenho uma pergunta. Porque é que as pessoas ficam tão juntas quando estão a rezar? Precisavam de um espaço maior, não?

— Os muçulmanos gostam de dizer que, se houver um espaço entre duas pessoas que estão a rezar, o Diabo enfia-se lá.

— 'Tou a ver.

— Mas, na verdade, esse ditado não significa isso. Significa que se as pessoas deixarem espaço umas para as outras enquanto estão a rezar, algumas delas dirão: «Oh, não quero ficar ao lado daquele homem, está sujo ou cheira mal», ou qualquer coisa do género. Na realidade, o Diabo está no comportamento do homem, e não de pé na mesquita, com cornos e cauda — diz ele, fazendo uns corninhos com os dedos.

— Mas, às vezes, talvez as pessoas não queiram ficar ao lado de uma pessoa que cheire mal, e sim ao lado de gente limpa — replico. Se alguma vez tivessem estado num autocarro em Peckham, saberiam do que estou a falar.

— As pessoas limpas não passam de pessoas sujas que se lavaram. E as pessoas sujas não passam de pessoas limpas que ainda não se lavaram — diz ele exibindo um sorriso.

— Então, somos todos iguais, é isso que está a dizer?

— Não, não somos iguais. Mas podemos ser.

Quando me vou embora, sei que Ki não está ali. Já se foi embora. Voltei a não a conseguir encontrar. Ia perguntar ao imã onde as mulheres se reuniam, mas pensei que talvez desse ideia de ser algum pervertido se o fizesse, por isso limitei-me a apertar-lhe a mão e a sair dali.

Quando regressei ao apartamento, Ki já lá estava, embrenhada na conversa com Curt. Entro e vejo-os sentados à volta da mesa, a folhear as anotações que ela fez. Ki levanta os olhos e começa a falar, como se soubesse o que vou dizer.

— Olha, sei o que vais dizer — diz, levantando-se e dando um passo na minha direção — mas posso explicar.

— Duvido. Porque esta treta vai precisar de mais explicações do que as que tens para me dar. Mas diz lá, Kira. Diz-me. Que raio se passa aqui?

— Eu não tinha a certeza se o que me andavam a dizer era verdade. Tinha de testar. Foi por isso que contei ao Curt, para ele me poder dizer se as coisas batiam certo. E batem! — diz com os olhos arregalados de excitação.

— Espera, espera, espera. Não sabias se o que te andavam a dizer era verdade? Quem te andava a dizer essas coisas? Quem, Kira? Quem te anda a passar estas informações? — pergunto, agora com a voz no máximo.

— Uma das raparigas na mesquita. Ouvi-a a falar com uma das amigas. Foi ela. Foi por ela que soube. É por isso que lá tenho ido todos os dias. Para apanhar umas coisas aqui e ali.

— Uma das raparigas? Estás maluca, Ki? Uma rapariga qualquer começa a falar com a amiga e, de repente, ficas a saber que um *gangster* está a planear atacar Guilty? Esperas que eu acredite nisso?

— Não é uma rapariga qualquer — diz ela calmamente, e depois o seu tom muda um bocadinho — e, de qualquer forma, o que importa se acreditas ou não? As coisas batem certas.

— És assim tão estúpida? Acreditas numa rapariga que não conheces? Como sabes que não é o próprio Face que te está a armar uma cilada? E quem é essa rapariga? Ainda não disseste.

— É a namorada do Face. Ou, para te dar o seu nome verdadeiro, a namorada de Faisal. Olha, acredites ou não, o facto é que confio naquilo que ouço. Ela não me está a armar nenhuma cilada porque não faz ideia de quem sou. Nem sequer falo com ela. Sento-me apenas por perto e ouço.

— Então, como sabes que é a namorada do Face? Ou que o Face é esse tal Faisal? Vá lá, Ki, és mais inteligente do que isso — digo, agora zangado com aquela estupidez toda.

Precisamente nessa altura, o telemóvel dela recebe uma mensagem e ela desliga-o rapidamente e enfia-o na mala. Pensa que não vi, mas vi.

— De início, não sabia, como é óbvio. Mas quanto mais ouvia, mais me parecia que podia ser ele. Foi por isso que tive de contar a Curt. Para ele poder confirmar. Ver se era verdade.

Curt levanta-se da mesa, a segurar no bloco de notas.

— Escutem lá. Neste momento, não importa como Kira sabe disto. A verdade é que precisamos de pará-lo. Ele está a aproximar-se demasiado de Guilty e a seguir somos nós, podem crer. Não podemos ficar aqui sentados, à espera que nos matem, né?

Ki volta a sentar-se e tira para fora o bloco onde tem andado a escrever. Tento olhá-la nos olhos, para ver se consigo ler alguma coisa neles, mas ela evita o meu olhar.

— Muito bem, Curt — diz ela, abrindo o bloco. — Se vamos fazer isto, temos de agir rapidamente. Face vai estar no clube noturno Charley Horse na Jake Street na sexta-feira. Fazemo-lo nessa altura.

Curt assente, como se ela tivesse dito simplesmente «Vamos comer um hambúrguer».

— Assim, sem mais? — digo, espantado com o facto de aquilo ser assim tão simples para eles.

— Sim, sem mais. Ainda tens a tua arma. Entramos às nove horas.

Sinto que ma estão a tirar novamente. Não tenho força suficiente para a segurar. Ela escapa-me simplesmente entre os dedos. Mas, desta vez, não sei dizer quem se está a afastar: se é ela ou eu. Está a falar connosco de uma maneira que faz com que tudo aquilo pareça quase um sonho. Escuto de forma intermitente até conseguir um sinal mais forte.

— Arranjei as coisas com os seguranças que estão à porta e eles vão dar-me um passe para entrar. Tu e o Curt entram pelas traseiras. Tratei de tudo para que as portas estejam fechadas, mas encostadas. É só empurrar e entrar. Uma vez lá dentro, há um corredor e uns degraus que vão dar à parte principal do clube. Vai estar muito escuro, por isso usem os vossos telefones para ter luz. Há uma porta à esquerda. Esperem aí dentro. Eu deixo-os entrar quando chegar a altura.

Curt diz que sim com a cabeça.

Continuo espantado com o que estou a ouvir. Nada parece real. Parece que cheguei a meio de um filme, mas de um filme onde devia estar. Não é que tivesse esquecido as minhas deixas, mas mais nem saber que tinha deixas. Saio deste transe em que me encontro gritando para Curt.

— Curt, estás a ouvir isto? Ki, de que raio estás tu a falar?

— Isto ainda é surpresa para ti? — diz ela, inclinando a cabeça e lançando faíscas pelos olhos.

Curt põe-se de permeio entre mim e Ki, como se eu fosse capaz de lhe fazer alguma coisa.

— Mano, quais são as nossas opções, neste momento? Já desviei Guilty de balas suficientes — diz Curt, mas não consegue olhar para mim, por isso olha para as próprias mãos.

— Porra! Não podemos fazer isto! — exclamo.

— Porquê? Porque não podemos fazer isto? — diz Ki, fitando-me até eu já não conseguir olhar mais para ela.

Pausa: 15:00

34

15:35

As pessoas falam sobre momentos que são autênticas encruzilhadas. Provavelmente, já falaram sobre esses momentos, não sei. Mas o que quer que tenham ouvido sobre eles e qualquer que pensem ter sido o vosso momento de encruzilhada, a verdade é que nunca estiveram numa verdadeira encruzilhada. Foi mais uma curva na estrada ou um lugar onde o asfalto saltou. O meu é que foi um momento de encruzilhada, ali mesmo e naquela altura.

Se tivesse feito as coisas de forma diferente, não sei se o que aconteceu depois poderia não ter acontecido. Se tivesse dito algumas palavras diferentes, talvez isso pudesse ter mudado alguma coisa. Mas o que recordo acerca desse dia é que conseguia ver as estradas a cruzar-se à minha frente. Todos os caminhos por onde podia seguir apontavam para um sítio onde não queria ir. Estavam todos a apontar para algum tipo de inferno. E estas estradas eram daquelas de um só sentido. O que sei é que se houver pelo menos um sítio em quatro para onde queiram ir ou para onde não se importem de ir, é porque não estão numa encruzilhada, acreditem!

— Está bem — digo eu por fim — fazemos isto, mas à minha maneira. — Olho para os seus rostos e não vejo resistência, por isso continuo. — Primeiro que tudo, não sei onde está a minha arma. Não a vejo desde o que aconteceu com Jamil na casa de *crack*. Em segundo lugar, Ki, não vais entrar no clube, vais ficar aqui sossegada. Em terceiro lugar…

— Não. Não. Não — diz Ki. Alguma coisa nos seus olhos mostra-me que não vai recuar. — Não podes fazer isto sem mim. Vão-te matar. Estás a ouvir? Precisas de mim lá para entrar no clube e precisas de mim lá para te ligar a dizer quando ele estiver sozinho. Se entrares naquele clube a qualquer altura e ele te vir, os vinte tipos vão fazer fila para te abater.

— Sim, bem, é aí que o teu cérebro precisa de acompanhar o meu, para variar, Ki, porque não há telefone que vá funcionar naquele clube. Sem telefone, Ki, não precisamos de ti.

— Mas tu não me conheces? — diz ela com um sorriso ao canto da boca. Volta a meter a mão na mala e atira a cada um de nós um bocado de plástico preto.

— Que raio é isto? — pergunto.

— Um rádio emissor-recetor. Foram os seguranças que mos arranjaram. Eles usam um canal, nós usamos o segundo.

— Quando? Quando os arranjaste? — digo. Isto é tudo surreal e ainda não consegui acompanhá-la. Naquela altura, não sei se alguma vez conseguirei. — E quanto à arma? — pergunto. — Onde havemos de arranjar uma arma, agora?

— Curt — diz ela então, olhando para ele. Curt está junto à janela, a ver a rua, com a sua silhueta enorme a projetar sombras no soalho. — Será que também consegues arranjar uma arma?

— Referenciada, mas provavelmente consigo arranjar uma até sexta-feira.

— Aí tens, então — diz Ki. Tem tudo pensado.

— Só mais uma pergunta — digo. — Como raio sabes que Face vai estar lá?

— Sei e pronto — responde e, no que lhe diz respeito, acabou a conversa.

Assim que Curt se foi embora, a vida que ainda havia nos olhos dela desapareceu novamente. As persianas desceram e, sempre que eu tentava chamar-lhe a atenção, ela olhava através de mim. É claro que eu sabia que tudo aquilo era muito stressante para ela. Também era stressante para mim, mas se me retirassem as camadas, podia praticamente garantir que ainda encontrariam a mesma pessoa de antigamente. Um bocadinho mais nervoso, sim, mas basicamente o mesmo homem. Ki tinha mudado. Não me interpretem mal. Eu sei que ela tinha o direito de mudar, depois daquela confusão toda. Mas ela mudava diante dos meus olhos de uma maneira que eu não conseguia acompanhar. Era Spooks, tinha a certeza disso.

A maior mudança foi depois de ver Spooks. Naquela ocasião em que voltou pela primeira vez de burca e me pregou o susto da minha vida. Foi nessa altura que aconteceu a mudança. Não foi uma mudança que fosse óbvia para alguém que a visse de longe, mas eu conseguia vê-la. De início, foi subtil, quase como se todas as cores que a pintavam começassem a mudar de tonalidade. Os verdes não eram tão vivos. Os azuis eram menos vibrantes. Tudo era esbatido, como uma daquelas fotos dos anos 70, em que as cores são como deviam ser, não suficientemente vivas ou luminosas para parecerem reais. Porém, agora, as cores que ela tinha estavam todas erradas.

Estava preocupado e tentei falar com ela depois de Curt se ir embora, mas, se conhecessem Ki, saberiam que o problema é que ela não é pessoa fácil de convencer. Isso não era novidade, sempre foi assim. Era uma das coisas que detestava nela.

Se fosse outra pessoa qualquer, talvez conseguíssemos fazer-lhe passar o mau humor com uma piada ou coisa parecida. Mesmo que não fosse logo, acabávamos por conseguir vencer a resistência da maior parte das pessoas. Mas Ki não era pessoa que se deixasse levar. Era como se considerasse que isso era um insulto à sua inteligência. Como se lhe estivessem a dizer: «O que quer que estejas a sentir não é o sentimento certo, por isso trata de mudá-lo.» Por isso, podiam falar com ela o tempo que quisessem. Não havia forma de demovê-la do que sentia. Eu sei, tentei vezes suficientes. A melhor coisa a fazer nessas alturas era deixar os sentimentos persistirem até ao fim. Deixá-los em paz até fazerem o trabalho que ela queria que fizessem. A minha técnica era mudar simplesmente de assunto.

É claro que tentei fazê-lo, mas ela não falou realmente comigo. Não era um daqueles seus estados de alma em que parecia odiar-me; era apenas ausência. O seu pensamento estava noutro lugar, e quando o pensamento de Ki estava noutro lugar, toda ela estava lá com ele. Ki era o seu pensamento. O resto desse dia passou-se praticamente sem conversa. Ela grunhiu um «não» quando lhe perguntei se queria uma sanduíche, mas sentou-se comigo enquanto eu comia. Porém, mais tarde, quando liguei a televisão nessa noite, foi para o quarto e deitou-se a olhar para o teto e a falar baixinho consigo mesma, a planear alguma coisa. Não me apetecia ir para a cama, por isso liguei à minha mãe.

— Mãe, acordei-te?

— É claro que me acordas, se telefonas a uma hora destas!

— Desculpa. Eu só…

— Estou a brincar, meu tolo! Como posso ir dormir com aqueles dois lá em baixo?

— Aqueles dois quem? — pergunto, subitamente preocupado.

— A tua irmã e aquele rapaz.

— Que rapaz, mãe? Quem está aí? — Não sei porque não fui mais cuidadoso nem por que razão a minha mãe não parece nada assustada.

— O cavalo. O teu amigo.

— Ah! O Curt! — E depois, passado um segundo. — O Curt? O que está ele aí a fazer?

— Estás a perguntar-me a mim? Como hei de saber o que andam tu e o teu amigo a tramar? Ele disse que precisava de falar com a tua irmã, por isso está a falar com ela. É tudo o que sei.

Termino o telefonema e decido que também tenho de ir dormir. Dou graças a Deus por Curt. É mesmo dele olhar por Bless e pela nossa mãe. Sentia-me seguro sabendo que ele estava lá.

Vou para o quarto e deito-me ao lado de Kira. Ela ainda está acordada, a olhar para as luzes, a murmurar baixinho. Ponho a cabeça junto à dela, tento não pensar em nada e adormeço num instante.

No dia seguinte, podia dizer-se que ela estava um bocadinho mais enérgica, mas verdade seja dita isso tinha mais que ver com o facto de estar a maior parte do tempo ao telefone. Saía para o corredor comunitário do nosso patamar para atender os telefonemas, que eram bastante estranhos, diga-se. Não sabia quem lhe estava a ligar, mas percebi que não eram telefonemas normais. Ela limitava-se sobretudo a fazer que sim com a cabeça, com o aparelho colado ao ouvido. De vez em quando, dizia «Sim, Sim. Está bem», mas era tudo. Telefonemas muito rápidos, sem cumprimentos nem despedidas. Estranhos, como disse. Quando lhe perguntei sobre eles, disse-me que eram os seguranças do clube e que eram velhos amigos. Ou outra pessoa qualquer que tinha que ver com a forma de entrarmos e sairmos.

— São apenas pormenores — disse ela. — Deixa o assunto comigo.

Talvez devesse ter adivinhado o que se passava, mas juro que a minha mente não trabalha a um nível tão alto. Esse tipo de coisa escapa ao meu radar. Agora, sinto-me estúpido, mas na altura juro que não fazia ideia. Quando recordo o que se passou, às vezes penso que provavelmente devia ter percebido que alguma coisa se passava. Porque, no dia seguinte, eu segui-a novamente até à mesquita. Quer dizer, segui-a mesmo. Desta vez, saí passado um minuto de ela ter saído, para poder ver onde ela ia. Ver exatamente onde ela ia. Devia ter percebido, nessa altura.

Pausa longa: 16:20

NO TRIBUNAL CRIMINAL CENTRAL T2017229

Perante: MERITÍSSIMO JUIZ SALMON QC

Alegações Finais:

Julgamento: 37.º dia

Sexta-feira, 14 de julho de 2017

COMPARÊNCIAS

Pela Acusação:	C. Salfred QC
Pelo Arguido:	O próprio

Transcrito de um registo áudio digital por
T. J. Nazarene Limited
Estenógrafos Judiciais e Transcritores Certificados

35

11:10

Segui-a. Foi nessa altura que devia ter percebido que ela não estava a ser sincera. Quer dizer, eu sabia que não, mas devia ter visto mais. Culpo-me por isso. Mas esta foi uma daquelas coisas de loucos de que não me apercebi. Foi como quando um carro vem para cima de nós e só percebemos o que aconteceu quando o ouvimos bater. E dizemos para connosco sem parar: devia ter visto, meu! Devia ter visto.

Seja como for, no dia seguinte segui-a, como disse. Não acreditava naquela treta sobre Faisal. Queria ver o que pudesse com os meus próprios olhos. Talvez até as coisas se viessem a confirmar, apesar do que eu pensava. Não me interpretem mal. Eu tinha esperança de que tudo batesse certo. Pensei que talvez pudesse dar uma vista de olhos discreta desta vez e ver se havia outros tipos por ali que pudessem ser os homens de Face. Isto porque se o que Ki me tinha contado fosse mesmo assim, talvez o que eu pensava estivesse certo e eles se preparassem para lhe armar uma cilada. Por isso, justifiquei-me dessa forma. Não estava a *segui-la* realmente. Estava a segui-la para olhar por ela.

Cheguei ao rés do chão do bloco de apartamentos e perscrutei rapidamente a estrada, para ver onde ela estava. De início, não a consegui ver, mas isso foi porque estava a olhar na direção errada. Ela ia na direção oposta à da mesquita onde eu tinha ido. Não admirava que nunca a tivesse visto, sempre que lá ia. Ela ia a uma mesquita diferente. De qualquer forma, o meu carro estava estacionado precisamente ao virar a esquina, por isso enfiei-me rapidamente nele, embora soubesse que era arriscado levá-lo para a estrada. Mas, verdade seja dita, tudo aquilo estava a deixar-me nervoso e eu precisava de descobrir se o lugar onde ela ia era seguro. Arranquei mesmo a tempo de vê-la entrar num autocarro e depois segui-o.

Já tinha a cabeça a mil, mas na verdade não estava assim tão surpreendido por ela ir a uma mesquita diferente, pois há mais do que uma em Londres. O que me surpreendeu foi ela ter apanhado o autocarro até Elephant and Castle. Parecia um trajeto muito longo para ir a uma mesquita. Além disso, para mim, aquilo não fazia sentido. Não tinha sido Curt que a levara à mesquita da primeira vez? Com certeza que teria dito alguma coisa se tivesse feito aquele caminho todo até Elephant, não? Há muito que tinha vontade de confirmar isto com ele, mas não sabia como fazê-lo sem dar ideia de que não confiava nela, ou nele.

Não perdi o autocarro de vista, mas mantive dois carros de permeio. Só precisava de estar suficientemente perto para ver quando ela descesse. Logo a seguir à rotunda, vi-a. Ali estava ela com a sua roupa à Darth Vader. Depois de ela sair do autocarro, sabia que tinha de ser mais cuidadoso, porque, mesmo que mais ninguém reconhecesse o meu carro, não havia possibilidade de Ki não o identificar se o visse. Por isso, decidi estacionar e segui-la a pé. Acabou por não ser muito difícil segui-la porque, com a burca, provavelmente tinha dificuldade em ver alguma coisa além dos próprios pés. Virou para uma rua secundária e eu fui atrás dela.

Mas o que me surpreendeu foi que ela não parou num edifício que me parecesse uma mesquita. Estava à porta de uma casa que não tinha nada para ver a não ser uma porta preta. Vi-a depois olhar para o telemóvel e tocar à campainha.

Esperei escondido na soleira de uma porta e fiquei a ver. Senti o coração disparar por alguma razão que não sabia explicar. Passados alguns segundos, a porta abriu-se e ela entrou. Fiquei completamente aos papéis. Nem sequer conseguia perceber que raio estaria ela a fazer ali. Talvez a tal rapariga morasse ali… Poderia ser isso? Ou poderia ser mesmo uma mesquita? Sabia que às vezes uma mesquita era simplesmente a casa de alguém que tinha sido convertida. Esperei dois minutos e depois decidi bater à porta. Se a tal rapariga lá estivesse, também tinha algumas perguntas para lhe fazer. Fui até à porta por onde Ki tinha acabado de entrar e respirei fundo. Empurrei-a, mas estava trancada. Olhei para o edifício para ver se via alguma coisa de interessante, mas não encontrei nada que se destacasse. Parecia simplesmente um daqueles lugares por onde passávamos sem dar por ele. Isso era o mais estranho. Não havia nada nele que nos dissesse do que se tratava. Decididamente, não parecia ser uma mesquita. E depois havia a questão das pessoas. Não existiam. O lugar estava deserto. Não havia ninguém a fazer fila para passar aquela porta.

Aquilo não me parecia certo. Por isso, continuei a andar e decidi esperar ao fundo da rua. Talvez não fosse boa ideia entrar num lugar sem saber o que estava lá dentro. Fiquei de atalaia durante vinte minutos, mas ninguém entrou ou saiu durante todo esse tempo. Nesse momento, vejo que ao fundo da estrada, enfiado entre um *VW Golf* prateado e um *BMW X5* preto, quase longe da vista, está algo que reconheço. Aquele *Alpina* azul. Mal tive tempo para processar essa informação quando a porta do edifício se volta a abrir e vejo Ki. Ela sai, a arranjar a burca, e volta a subir em direção à estrada principal. Nem sequer se vira, por isso não preciso de me esconder. Para dizer a verdade, nem sequer tenho a certeza se me teria escondido. Estava tão confuso. O sítio de onde ela tinha saído não podia ser uma mesquita e aquele *Alpina* azul… o que era aquilo?

Não consegui arranjar uma explicação. Era demasiado estranho para fazer sentido. De qualquer forma, estou prestes a ir atrás dela quando vejo a porta abrir novamente. Estou mais ou menos à espera de ver sair outra burca. Mas estou enganado. Quem sai é um homem branco com cerca de um metro e oitenta, cabelo louro curto e fato cinzento. Vira no mesmo sentido que Ki, mas depois para a meio caminho e procura qualquer coisa no seu bolso. As luzes do *Alpina* piscam duas vezes, ele entra e arranca. Deve ter sido aquele otário que a deixou naquele outro bairro. Mas porquê? E quem é ele?

Devia ter percebido na altura. Mas não percebi. Juro. Não fazia a mínima ideia.

Olhem, eu sei que estas alegações vão longas. Muito longas. Mas sinto que tenho de lhes contar todos os pormenores para que consigam perceber. E agora este juiz está a dizer-me com os seus sopros e os olhares trocistas que me está a lançar que preciso de acelerar esta cena. Foi a única coisa que o meu advogado me disse, mesmo antes de o ter despedido. Disse para fazer alegações suficientemente curtas para conseguir manter o interesse do júri. Duas horas, no máximo. Mas eu não consigo fazer isto em duas horas. Nem ele conseguiria, se tivesse sido acusado de homicídio. É uma coisa que só se sabe quando se está metido nisso. Portanto, terei tudo isso em conta e vou acelerar ao máximo. Mas não é o tipo de situação em que *queira* deixar coisas de fora. Não quero. Mas também não quero perder a vossa atenção.

O que lhes posso dizer é que confrontei Ki assim que cheguei a casa. Vi aquele *Alpina* arrancar e a minha cabeça encheu-se com um só pensamento. *O que se passa? O que se passa?* Voltei ao sítio onde tinha estacionado o carro e entrei. Conduzi de volta ao apartamento, completamente aturdido. Que podia ela dizer a tudo isto? Isto não era coisa a que pudesse escapar com uma mentira. Havia demasiada coisa a precisar de ser explicada.

Fui para dentro e esperei por ela. Não chegou muito depois de mim e, quando entrou, fez-me aquele sorriso que me mostrara antes e que me impedira de dizer o que queria dizer. Mas, desta vez, não ia tolerar. Ela fechou a porta devagarinho atrás dela e despiu a burca e pendurou-a numa cadeira junto à mesa.

— Olá — diz ela —, está tudo bem? Há alguma coisa para comer?

Está tão calma como sempre e não sei como é capaz.

— Que raio se passa aqui, Kira? Eu sei do outro tipo — digo por trás da chávena de chá que estou a beber.

Ela para de remexer no frigorífico. Vejo-a respirar fundo, como se estivesse a ponderar as suas opções. Por fim, diz:

— Não é o que estás a pensar.

— Como sabes o que estou a pensar? — digo, levantando-me para poder olhá-la diretamente nos olhos quando ela se virar.

— Não estás seguramente a pensar nisto — diz ela, ainda virada para o frigorífico.

— Nisto o quê? — digo, tentando não elevar a voz.

— Não te posso dizer, mas tens de confiar em mim — diz, virando-se finalmente para mim. O seu rosto está calmo. Não como esperava que estivesse. Não há nervosismo. Não está a agir como alguém apanhado em falta. Não sei, até parece aliviada.

— Como? — gritei. — Como raio hei de confiar em ti depois disto, Kira? Sobretudo quando não me contas o que se passa?

— Confia e pronto. Conto-te tudo depois, prometo. Amanhã.

E, no fim de contas, que escolha é que eu tinha? Ela ia contar-me e naquela altura isso tinha de ser o suficiente. Mas eu era um idiota. Devia tê-la obrigado a dizer. Talvez devesse ter percebido. As peças estavam todas lá, eu só não sabia como fazê-las encaixar umas nas outras.

Por isso, agora, consigo ver pela cara do juiz que está na hora de chegar ao ponto principal. E o que vocês precisam de saber sobre isso, acima de tudo, é o plano. Então, chegou a noite de sexta-feira, aquela em que Face ia estar no clube, e Curt passou por lá cedo, para podermos rever novamente os pormenores do plano. Estávamos todos um bocadinho nervosos e a conversa foi minimalista. Ele tinha conseguido deitar a mão a uma nove milímetros que não estava demasiado «suja». Tinha sido usada em alguns assaltos aqui e ali, mas tanto quanto sabia não tinha sido usada em nenhum homicídio. Ele tinha-a trazido num saco do McDonald's e pousou-o na mesa redonda da nossa cozinha.

Abri o saco para dar uma vista de olhos, mas a mão gigantesca de Curt apareceu do nada e enxotou-me.

— Usa as luvas, meu! — disse, e tirou um par de luvas de látex do bolso do casaco.

Eu calcei-as e abri o saco. A arma está lá dentro, no fundo, como uma grande massa preta. Agarro nela e sinto o seu peso na mão enluvada.

— Está carregada?

— Cinco balas. Foi tudo o que consegui arranjar.

— Meninos, estão prontos? Se há alguma coisa que não tenham percebido, é a altura certa — diz Ki, entrando ali, vinda do quarto. Está com uns saltos altíssimos e um vestido preto e branco. Tem o cabelo puxado para cima e uma maquilhagem muito suave. Está linda.

— Sim, meu — diz Curt, que mal repara nela. — Vamos bazar.

— Têm os vossos rádios?

Confirmamos

— Lembrem-se de os manter naquele canal. Não há sinal de telemóvel no clube — diz Ki, e estende um saco de desporto.

— Realmente, não condiz com o vestido — brinco, mas ela não está para graças.

Tiro-lhe o saco de desporto da mão e ponho a arma lá dentro. Descalço as luvas de látex e enfio-as nas minhas calças de ganga. A seguir, vamos embora.

Ao descermos a escada, fico um pouco mais para trás e deixo Curt ir à frente. Puxo Ki um bocadinho para trás, segurando-lhe o pulso. Ela vira-se e olha para mim. Quero dizer uma coisa, qualquer coisa, só para comunicar com ela, mas não me ocorrem as palavras certas para dizer. Acabo por não dizer nada. Ela fita-me durante alguns segundos.

— Desculpa — diz, e depois para e beija-me na face.

Quando chegamos à rua, seguimos em duas direções diferentes. Ki vai para um lado, à procura de um táxi. Eu e Curt vamos para a paragem e esperamos pelo autocarro. Ambos temos camisolas com capuz quase idênticas e ténis brancos. Sabemos que há câmaras no autocarro. Queremos que elas nos captem. Faz tudo parte do plano que Ki reviu vezes sem conta. Passados uns minutos, chega o autocarro certo, nós entramos e vamos para o piso superior e sentamo-nos lá atrás, para que ninguém nos ouça. Acaba por não importar assim tanto, pois durante toda a viagem nem eu nem Curt conseguimos pensar em alguma coisa para dizer.

Os próximos quinze minutos passam mais lentamente do que deviam. Prolongam-se até parte de mim sentir que estamos há uma hora naquele autocarro. De vez em quando, dou por mim em pânico e depois tenho de respirar lentamente até voltar a estar bem. O meu cérebro está em modo de repetição e não consigo livrar-me disso. É a ideia de cometer um homicídio. Não vai ser outra pessoa a premir o gatilho e a tirar uma vida. Nem vai ser como num filme ou no *Call of Duty*, mas sim na vida real. Com sangue. Com a cara de outra pessoa à minha frente e o seu cheiro no meu nariz. Esse tipo de homicídio. Vou fazer uma coisa que, uma vez feita, ficará comigo para sempre e fará parte de mim. Quando me levantar de manhã, haverá meio segundo em que sei que irei esquecer que aconteceu. Meio segundo em que poderei pensar que foi um sonho ou apenas algo de que falámos, mas nunca fizemos. E depois esse meio segundo há de passar. E hei de arrastar-me durante o resto do dia até este acabar. E depois, no dia seguinte, há de acontecer tudo outra vez. Como uma pena de prisão, mas pior, porque não tem fim. A única coisa que há é a esperança. Esperança de que um dia deixe de parecer real e se torne um sonho. Não sei bem. A única coisa que me faz continuar é aquilo que senti quando Ki foi levada. A sensação que eu tive foi essa. E é o que me traz de volta. Kira. Não posso perdê-la. Posso fazer isto por ela. Posso fazer isto por ela, embora isso venha a significar que o faço todos os dias para o resto da vida. Porque, sem ela, não há nada.

O clube que procuramos fica precisamente no nosso itinerário e o autocarro passa quase junto à entrada principal.

O pessoal que sai à sexta-feira à noite já se começa a juntar. Começou a formar-se uma pequena fila e as pessoas parecem ter vidas que nada têm que ver com tiros, gangues e pulsação acelerada. Parece estranho estar ali, a observar gente com vidas normais. O autocarro parou, mas nós não nos mexemos, apesar de estarmos mesmo à porta do clube. Após alguns momentos, arranca novamente, deixando o clube para trás e levando-nos com ele. Ao passarmos, espreito pelo vidro de trás e ainda vejo Ki de relance. Parece minúscula ao lado do homem gigantesco com quem está a falar. Assim aperaltada, nenhum segurança lhe ia recusar a entrada, mesmo que não a conhecesse, penso. Enquanto o clube vai ficando lá para trás, ainda vislumbro um sorriso que não me é dirigido e como não vejo há semanas. A seguir, ela vira-se e passa pelas portas duplas que dão acesso ao clube, com os seguranças a segui-la com os olhos.

Cinco paragens depois, eu e Curt descemos. Estamos a uns oitocentos metros do clube, mas é exatamente onde precisamos de estar neste momento. O beijo na minha face ainda vibra e sinto que devia parecer um amuleto da sorte, mas não é bem assim. Porém, parece quase... o quê? Sagrado? Quase lhe toco, mas depois paro no último momento.

Não lhe quero tirar o brilho. Agora, parece estúpido, mas precisava dele ali para me proteger. Continuo sem saber porque pediu desculpa, mas pus esse pensamento de lado até mais tarde.

A estrada principal tem muito trânsito, como sempre acontece a esta hora da noite neste dia da semana. As pessoas saem porque precisam de apagar a sua semana ou simplesmente de comemorar o facto de ela ter chegado ao fim. Toda a gente a querer esquecer a sua vida durante algumas horas. Misturamo-nos com essas pessoas quando elas passam. Até podíamos ser elas. Pessoas normais a fazerem coisas normais numa vida normal.

Curt dá-me um pequeno toque quando nos aproximamos da primeira rua secundária que vemos. Descemo-la e, enquanto o fazemos, abro o fecho do saco que seguro e tiro para fora uma camisola preta com capuz enquanto Curt despe a sua branca. Entrego-lhe a preta e ele veste-a. A seguir, faço a mesma coisa. Ambas as camisolas brancas vão para dentro do saco. A seguir, os ténis. Trocamos os ténis brancos que temos calçados pelos pretos que estão no saco e guardamos os brancos. Tudo é feito de forma tão rápida e descontraída que mal abrandamos o passo. Chegamos ao fim da estrada secundária e viramos à esquerda, de tal forma que caminhamos agora paralelamente à estrada principal. O meu coração começa novamente a bater mais depressa. Tenho as mãos a suar, mas não posso fazer nada em relação a isso. Limpo-as à camisola, mas não digo nada a Curt. Este avança como se tivesse fechado a mente a tudo o resto. Alguma coisa no seu rosto me diz que vai tratar toda a situação daquela forma. Primeiro um pé, depois o outro.

Passados cerca de vinte minutos, conseguimos ver as traseiras do clube. Puxamos o capuz para os olhos enquanto nos dirigimos para lá. Há um contentor de um lado que está cheio de entulho. Calço as luvas quando nos aproximamos dele, agachando-me sob a sua proteção, tiro a arma para fora do saco e ponho-a à cintura. Certifico-me que não há ninguém a ver.

Volto a enfiar a mão no saco e tiro um saco mais pequeno, um saco de plástico branco. Lá dentro está outra camisola com capuz, umas calças de fato de treino e ténis. Escondo dentro do contentor o saco de desporto com as roupas brancas que tínhamos usado, debaixo de uns painéis de madeira. Faço-o rapidamente, ao mesmo tempo que ando, e sei que se alguém estiver a olhar dificilmente terá reparado. Ao afastarmo-nos do contentor, a única coisa que tenho agora nas mãos é o saco branco. O saco de desporto, as roupas brancas e os ténis brancos ficaram dentro do contentor e tenho a sensação de que estou a deixar lá também uma parte da minha vida.

Continuamos a andar em direção ao clube, agora vestidos de escuro. Olho para Curt. A sua roupa escura, a escuridão da noite e o seu rosto sombrio fundem-se todos num só. Ele não diz nada, mas puxa o capuz mais para cima dos olhos. Eu faço o mesmo. Sabemos que há câmaras nesta estrada, mas desde que consigamos manter o rosto escondido, não importa. Desde que quem veja não seja capaz de dizer que éramos os dois rapazes vestidos de branco que iam no autocarro... Nunca fomos estes dois rapazes de preto. As câmaras. Não podemos evitá-las, seja qual for o ângulo de aproximação ao clube. Há câmaras por toda a cidade de Londres. Não podemos evitá-las a todas, por isso só temos de usá-las em nosso benefício. Deixá-las contar uma história diferente. Deixá-las ser os nossos álibis.

Passados mais dois minutos, estamos na entrada das traseiras do clube. Começo agora a sentir-me ofegante, apesar de ter vindo apenas a andar. Por alguma razão, isto não é tão fácil como o que fizemos na casa de *crack*, que parece agora ter acontecido há uma eternidade, embora tenha sido somente há duas semanas. Tento voltar a respirar normalmente e depois faço sinal a Curt. Estou pronto.

Estamos na porta das traseiras do clube. Curt encosta o seu peso contra a porta e esta abre-se, tal como Ki prometera. Entreolhamo-nos e depois esgueiramo-nos silenciosamente lá para dentro e encostamos a porta. Ki também estava certa em relação a outra coisa. Está escuro. As lâmpadas, se alguma vez as houve, estão fundidas. Tiro o telemóvel para fora, ligo-o e uso-o como lanterna. Na altura, não me apercebo que, quando o ligo, ele envia um sinal para uma estação de base que dirá à acusação, passados meses, onde eu estava exatamente.

O telefone dá-me luz suficiente para ver à minha volta e, tal como Ki tinha dito, há uma porta à esquerda, mesmo antes da escada.

Empurramo-la e abre-se. Eu e Curt entramos e não vemos nada à nossa volta: é a escuridão total. Apalpo a parede à procura de um interruptor e encontro um. A divisão enche-se de luz. Vejo o rosto de Curt, os seus olhos franzem-se momentaneamente sob a luz intensa e depois esboça um arremedo de sorriso. Estamos lá dentro.

Deitamo-nos no chão, com as costas contra a porta, para que, caso alguém a empurre, saibamos da sua presença antes de eles saberem da nossa. Pouso o saco ao meu lado e tanto eu como Curt tiramos para fora os nossos rádios, ligamo-los baixinho até ouvirmos o seu sibilar e aguardamos. O rosto de Curt parece uma máscara. Não dá para ver o que está a pensar. Suponho que, se tivessem uma foto daquele momento, ele não ia conseguir dizer-lhes o que estava a pensar. Nessa altura, pergunto a mim mesmo se estará a pensar nalguma coisa. Talvez apenas no plano. Só no plano.

Pausa para almoço: 13:01

36

14:05

O plano é Ki esperar até ver Face. Se o vir, informa-nos via rádio. Se vir outra coisa, fará o mesmo. Se pressentir problemas, diz-nos e nós saímos dali. Não podemos correr mais riscos do que os que já estamos a correr. Assim que soubermos que Face está no clube, esperamos até que Ki o veja ir à casa de banho. Se parecer seguro, por outras palavras, se ele for sozinho, ela avisa-nos e eu saio dali e subo o pequeno lanço de escadas ao fundo do corredor. Os degraus levam ao clube propriamente dito. As instalações sanitárias ficam logo ali. A primeira porta que encontrar à minha esquerda é da casa de banho dos homens. Entro, faço o que tenho a fazer e vou-me embora. Ki só entra em contacto se conseguirmos apanhar Face, caso contrário saímos dali.

Curt vai ficar onde está. Precisamos que ele se assegure de que a saída está desimpedida e, se não estiver, que trate do assunto e arranje uma forma de sairmos dali. Depois de abatido o alvo, devo encontrar-me com Curt na sala onde estamos agora e depois comunicar a Ki e esperar por ela. Ki vem e veste a roupa que lhe trouxe no saco de plástico. A seguir, vamos todos embora.

Olho à volta daquele quarto dos fundos e tento concentrar-me num pormenor qualquer, só para me acalmar. Mas é impossível. O quarto está quente, apesar de não haver nenhum aquecimento visível. Curt está a transpirar um bocadinho, mas ele é um tipo grande e forte e essas pessoas perdem muita água. Mas acho que ele está nervoso. Eu sei que estou. Ficamos ali sentados, praticamente sem dizer nada, durante meia hora, apenas a ouvir o ruído branco dos rádios. Embora estejam com o som no mínimo, conseguimos ouvi-los crepitar na mesma. Estou perdido nos meus pensamentos e, pelo ar dele, creio que o mesmo acontece com Curt.

Passam-se dez minutos ou uma hora e o rádio continua irritantemente calado, aplicando-nos o tratamento do silêncio. Não consigo aguentar a tensão. Quem me dera que o filho da mãe vibrasse agora com a voz de Ki. Nem sequer me importo que seja apenas para cancelar tudo. Só preciso que aconteça alguma coisa depressa.

— Curt.

Curt continua sentado ao meu lado. Tem as pernas esticadas e está a respirar fundo, de tal forma que o seu corpo sobe e desce como se estivesse no meio de uma onda. O calor que emana dele é muito forte.

— Temos de fazer isto, certo? Quer dizer, não temos escolha, né? — digo.

— Sim, meu — diz ele, enxugando o rosto. — O melhor é pensar que já está feito. Nós já fizemos a escolha.

Faço que sim com a cabeça, mais para mim do que para ele.

— Eu faço, se quiseres — diz ele então, sem olhar para mim. — Faz mais sentido. Já fiz isto antes.

Olho para ele, sem acreditar no que ouço.

— Já fizeste o quê antes?

— Não finjas que não sabes.

— Porra, meu! Pensava que éramos manos. Não me podias ter dito isso antes? — Tenho a sensação de estar a levar com tijolos na cabeça.

— Que raio querias que dissesse? — pergunta, voltando a enxugar o rosto com a mão. — De qualquer forma, o que interessa é que faço isso por ti. É só dizeres.

Nessa altura, olho para ele e digo:

— Não, meu, já fizeste demasiado.

Precisamente nessa altura, os rádios começam a crepitar e a voz de Ki chega até nós. Parece que está a um mundo de distância. É como um telefonema de um planeta diferente. Como Armstrong quando fala da Lua.

— Mexe-te — diz ela. A sua voz é cortante e sobrepõe-se a toda a estática. — Tens de avançar agora. Face está na casa de banho. Tens de avançar agora!

Curt olha para mim e depois levanta-se lentamente, mas eu sei que ele está a mexer-se o mais depressa que consegue.

— Porra, onde está a toalha? — pergunto. De repente, sinto-me tonto de pânico. Sinto as mãos peganhentas e limpo-as à roupa vezes sem conta.

— Merda! Deve ter ficado no contentor. Toma, usa isto — diz ele e tira a outra camisola com capuz que tem no saco, a que era para Kira, e entrega-ma.

Aceito-a e embrulho a arma na camisola, mantendo uma mão na coronha da pistola.

— Pronto, meu! Estou prestes a fazer isto — digo, e saio para o corredor.

Caminho rapidamente na escuridão. Não tenho tempo para usar o telefone e conseguir mais luz. Mas não faz mal, pois consigo ver uma nesga de luz no sítio onde o topo dos degraus se junta à parte de baixo da porta. É para aí que me dirijo.

Empurro para abrir a porta, mas está presa. Merda! Não tínhamos verificado. Porque não verificámos enquanto estivemos ali sentados aquele tempo todo, à espera que Ki nos contactasse? Merda! Empurro-a, mas parece estar trancada. A minha cabeça anda às voltas e não consigo pensar a direito. Que raio vou eu fazer? Tiro o rádio do bolso e falo para ele.

— Curt, preciso de ti, meu. A porta está trancada ou algo assim. Não consigo entrar.

Ele não responde, mas numa questão de segundos vejo a luz da sua porta inundar o corredor quando ele a abre para vir ter comigo. Chega ao pé de mim e afasta-me silenciosamente do caminho. Dá um passo para trás e depois embate na porta com o ombro. A porta abre-se. A música enche-me os ouvidos. Curt olha para mim erguendo as sobrancelhas e depois volta para a divisão que ilumina o corredor.

Dou um passo. Quando passo a porta, continua escuro, mas sempre está mais claro do que no corredor. O baixo ecoa como o bater de um coração gigantesco e dá a sensação de vir de dentro de mim. Vejo a porta preta da casa de banho com o desenho de um homem, exatamente onde Ki disse que estaria. Empurro-a. Sinto a arma molhada de suor na minha mão e deixo-a cair mais de uma vez na camisola que a cobre. Volto a segurá-la com força e olho em volta. Não está ninguém nos urinóis. Os lavatórios estão vazios. Ele deve estar num dos cubículos. Aguardo. Olho para o chão para me acalmar. É de um verde-escuro que parece sugar-me.

O meu coração está a fazer o que é costume. Bum! Bum! Bum! E, por um segundo, esqueço-me que preciso de respirar. Não me ocorre nada. O que hei de fazer? Deitar as portas abaixo ao pontapé? Esperar que elas se abram? Nunca falámos sobre esta parte. Parecia desnecessário, na altura. Agora, penso que era mais necessário. Decido esperar. Vou até um dos urinóis e fico ali parado, com a camisola húmida ainda embrulhada sobre a mão. Cheira a merda, a mijo e a lixívia. É um cheiro tão intenso que por um segundo parece que vou desmaiar.

Consigo ouvir o som do baixo a tocar no clube, mas mesmo assim não é suficientemente alto para não ouvir os chapes que vêm de um dos cubículos. A seguir, quando ouço o autoclismo, o volume das batidas sobe de repente e volta a descer. Como seria de esperar quando alguém abre a porta. Merda! Alguém entrou na casa de banho. Olho em volta o mais descontraidamente que consigo. Como hei de saber se aquele tipo está com o Face, ou não? Espero? Mato-o também? Os meus olhos começam a focar e a pessoa que acabou de entrar ganha nitidez. Quase demasiada.

Porra! É Ki! As suas pernas erguem-se sobre o chão verde, de tal forma que parece a Estátua da Liberdade. O seu rosto parece de vidro e não deixa transparecer nada.

Ela leva o dedo aos lábios, fazendo-me sinal para ficar calado precisamente quando estou prestes a gritar-lhe. Porra!

Aponto para o cubículo onde acabaram de puxar o autoclismo e ela faz que sim com a cabeça. Não sei porque está ali. Agito um braço como louco, a dizer-lhe para se ir embora já. Mas, em vez disso, ela enfia a mão na mala e tira uma cunha de porta, põe-na no chão e enfia-a com o pé debaixo da porta que dá acesso aos lavabos. Quero expulsá-la dali, mas não há tempo. A porta do cubículo começa a fazer barulho. Viro-me para ela com a arma à altura da cintura. A arma está a fazer outra vez o que é costume e a sussurrar-me. *Dispara. Dispara. Dispara.* O seu peso está agora a fazer-me doer o braço e sinto que disparar irá torná-la mais leve. E, naquele momento, é a única coisa que quero fazer. Disparar e aliviar aquele peso. Vejo o rosto. E depois é que caio em mim: nem sequer sei como é a cara de Face.

O homem que está a olhar para mim é alto e bem-parecido. Tem cara de estrela de cinema. Tem ar de pessoa rica. Tem ar de quem podia governar o mundo. Ele olha para mim, registando a minha presença e depois segue o meu olhar para o sítio onde Ki se encontra. Dá para ver a confusão no seu olhar antes de alguma coisa fazer clique no seu cérebro. Grita para o outro cubículo como se estivesse a suplicar que a porta se abrisse.

— Face!

E nessa altura abre-se. A porta do outro cubículo abre-se.

O tempo para.

Vejo o outro homem. Face. Há alguma coisa nele que me choca. Aquele homem não tem nada de especial. É apenas um homem. Qualquer homem. Este homem que estou prestes a matar. Na minha cabeça, ele era um monstro. Até talvez o Diabo. Mas o homem que olha para mim está assustado. Viu a arma. Mais do que isso, viu-me a cara e sabe o que isso significa.

Nessa altura, há uma fração de segundo em que me sinto como se tivesse saído do meu corpo e estivesse a olhar para toda a gente, incluindo eu próprio. Esboço uma espécie de sorriso, como se estivesse interessado, como se estivesse a interrogar-me sobre o que fazer. Dou-lhe um tiro? Vou-me embora? Vai ser preto ou branco? Será que esta é uma daquelas zonas cinzentas ou furta-cores? Neste momento, tenho a sensação de que tudo está virado do avesso. Sinto o céu debaixo dos meus pés. Parece que estou noutra dimensão. Algum lugar virado ao contrário onde o exterior é o interior e onde o céu é verde.

É nessa altura que me apercebo subitamente da loucura desta vida que levo e que já nem parece minha. Começo a reviver na minha cabeça tudo o que aconteceu nos últimos meses, como se estivesse numa bobina, com as imagens a passar cada vez mais depressa. Agora tão depressa que me sinto tonto e enjoado. Quero que todos esses nomes desapareçam. Todos esses nomes de coisas que não conhecia antes. Todos os Guiltys, Faces, JC, gangues, armas e aquela vida. Queria que desaparecessem todos do meu pensamento. Queria voltar atrás no tempo, quando nem sequer sabia como a vida era boa. Nem sequer sei como cheguei aqui. Não me lembro de ter escolhido nada disto. Aconteceu simplesmente. É como se cada última coisa que fiz tivesse feito acontecer a seguinte e agora já não seja capaz de controlar nenhuma delas.

Foi pela Ki, recordo a mim mesmo. Tudo o que faço é por ela. Jamil disse a este Face quem ela é e que devia matá-la. Estou a fazer isto por Ki.

Só quando ela grita é que volto ao meu corpo e sinto a arma pesada na mão e a apontar para baixo.

Dois tiros depois, ambos os homens estão mortos. Caem pesadamente no chão, com a cara desfeita por uma única bala. Face cai virado para cima. Os seus olhos fitam o vazio. Dou por mim a olhar para eles, imóveis. Creio ver o momento em que a vida se escapa deles e não consigo desviar o olhar.

A voz de Ki grita o meu nome e eu olho e vejo-a a virar-se para a porta e a retirar a cunha que a prendia. Abre a porta, mas ao fazê-lo depara-se com outro rosto. Mas ela é rápida. Está cheia de adrenalina e todos os seus movimentos são ágeis e velozes. O seu cérebro está agora a funcionar a velocidades que não consigo acompanhar. Ela vê o homem à porta e sabe que tem de mantê-lo lá fora até estarmos a salvo. A chave está nos seus olhos. Aqueles olhos de prata cintilante que fazem parar o trânsito. Ela arregala-os ao ver o homem e eles sugam-no como buracos negros. A expressão do seu rosto muda. O mundo desaparece até só existir ele e a rapariga que tem aqueles olhos. Ela põe um braço à volta do pescoço dele, empurra-o para fora e segue-o em direção ao bulício do clube, conservando a outra mão atrás das costas. Eu passo por eles os dois e enquanto me dirijo para a porta que dá para os degraus que levam lá abaixo, agarro Ki pelo pulso e levo-a comigo.

Descemos aos tropeções até ao sítio onde Curt nos espera com a porta aberta, para termos luz suficiente para ver o caminho. Ele faz-nos entrar e depois encosta-se à porta. Eu estou dobrado em dois, a tentar recuperar o fôlego e a reprimir a dor que sinto no estômago. Mas Ki é uma autêntica máquina. A sua energia é constante e intrínseca.

Ela arregaça rapidamente o vestido até à cintura e veste as calças de fato de treino que Curt lhe entrega, descalçando ao mesmo tempo os sapatos de salto alto. Olha para mim. Eu retribuo o olhar. Não sei qual de nós parece mais estranho. O meu coração continua a bater disparado, e isso turva-me o pensamento.

— A parte de cima.

Olho para ela, perplexo. Não sei de que está a falar.

— A parte de cima — repete, desta vez mais alto, apontando para a minha mão.

Olho para baixo e depois começo lentamente a cair em mim. Entrego-lhe a camisola depois de desembrulhar a arma, que continua quente na minha mão.

Em poucos segundos, saímos os três para a rua. Estamos livres. Enfiamos os capuzes, de cabeça baixa, e fazemos o mesmo caminho que tinha feito antes com Curt. Ainda ninguém pronunciou uma palavra. Conseguimos ouvir vozes alvoroçadas vindas da entrada do clube. Parece-me ouvir pessoas a gritar pela polícia, mas continuamos a andar e a afastar-nos de lá. Cada passo leva-nos para mais longe do perigo e para mais perto da segurança. Cada passo é um passo para uma nova vida. Se tivermos sorte, até pode ser um passo em direção à nossa antiga vida. O barulho vai-se desvanecendo. Ouve-se uma sirene ao longe, mas está a aproximar-se.

Viro-me para ver o que se passa atrás de mim. Duas pessoas começam a descer a estrada secundária atrás de nós. São homens, ambos jovens. Vêm meio a correr e conseguimos ouvi-los a aproximarem-se. Estão obviamente excitados por aquilo que pensam ter acontecido no clube, mas tentam aparentar descontração. O costume. Rapazinhos a quererem armar-se em homens. Olho à minha volta com o cuidado de manter o rosto escondido, para ver onde estão e o que estão a fazer. Estão a olhar para trás, para a entrada do clube, para a balbúrdia que desconhecem termos sido nós a provocar.

Abrandamos um pouco, à espera que eles nos ultrapassem. É melhor sermos nós a vê-los do que o contrário. Passam à nossa frente depois de alguns momentos. Na verdade, não passam de dois rapazes. Magricelas. Felizes. A rir. Inocentes. Lá mais à frente, vejo um deles a aproximar-se de um carro e a fazê-lo soltar um bipe. Os piscas ganham vida. Um *Golf GTI MK3*, sem chapa de matrícula, tubo de escape *Pico*, bancos *Recaro*, penso. Mesmo depois de tudo o que aconteceu, é mais forte do que eu. O rapaz abre o carro e entra. O outro fica especado até o carro arrancar e depois tira o telemóvel para fora.

Curt faz-me sinal com o cotovelo. Isto é mau. Não precisamos daquele rapaz parado no meio da rua. Precisamos dele à nossa frente. Com a cara virada para longe de nós, e não de frente para nós. Não podemos ser vistos. Ainda há coisas para fazer. Precisamos de ir buscar o saco ao contentor e ainda precisamos de nos livrar da nove milímetros. Abrandamos até ficarmos quase parados, mas não conseguimos evitar passar por ele. Está mesmo no nosso caminho, mas não temos escolha. Temos de continuar a andar. Aproximamo-nos o suficiente para quase conseguir ouvir a conversa ao telefone. Mesmo a esta luz, não há dúvida de que conseguirá identificar-nos de forma decente se a bófia lhe perguntar. Temos de manter o rosto baixo. Continuamos a andar, com a cabeça apontada para o asfalto.

A única coisa que conseguimos ver são os nossos pés.

Foi por isso que só percebi até que ponto aquilo era mau quando estávamos para aí a uns quinze metros de distância.

— Porra! Curt, estás a ver o que eu estou a ver? — pergunto, quando tenho a certeza.

Ele levanta ligeiramente a cabeça e espreita pelo capuz.

— Merda! Jamil! Que raio está a fazer aqui?

Sofremos um choque ao vê-lo. Porque é que ele está ali? É claro que, pensando bem, não é assim tão surpreendente. Deve ter estado com Face ou então vai ter com ele. É óbvio que não sabe que Face está morto, a julgar pela descontração com que fala ao telefone.

Mas o que acontece a seguir é uma cena tão estranha que nem consigo explicar.

Pausa: 15:05

37

15:15

Acontece numa fração de segundo, antes mesmo de ter tempo para pensar. Jamil está mesmo à nossa frente e agora nem sequer podemos evitá-lo, pois está demasiado perto. Se arrepiássemos caminho agora, seria demasiado óbvio. Ele via-nos de qualquer forma e, mesmo que não fosse logo, acabaria por somar dois mais dois e havia de nos identificar. Verdade seja dita, não tenho a certeza de ter pensado isso na altura. A única coisa que sabia é que estávamos a caminhar numa direção e ele estava ali.

Continuámos a andar. Lembro-me de ter mantido a cabeça baixa e o capuz puxado sobre os olhos. Consigo ver Curt, enorme ao meu lado, com o seu andar de gigante. Ki vem logo atrás de nós, a apenas um ou dois passos. Jamil está a aproximar-se. Talvez esteja a uns nove metros, no máximo. Dou um toque com o cotovelo a Curt para ver se ele tem alguma ideia, mas ele não diz nada. Ao que parece, a sua ideia é levar a coisa na boa e continuar a andar. Mas isso é uma loucura, porque se aquele rapaz nos vir ou pensar sequer que nos viu vai a correr dizer que nos viu ali. E à Ki. Merda, ela não lhe vai passar despercebida, pois não? Mesmo de calças de fato de treino.

Nessa altura, precisamente quando estou prestes a sugerir que voltemos para trás, mesmo que isso signifique ir direitinho ao clube, Ki passa por mim e por Curt. Levanto os olhos e de repente ela desata a correr. Inicialmente, penso que está a fugir porque viu JC e quase a chamo. Agora isto?, estava eu a pensar. Agora, está a fugir? Era só o que nos faltava, que JC olhasse e a visse. Porra, e as câmaras de videovigilância! Não queremos que elas captem alguém a fugir naquele momento. Que diabo está ela a fazer? Quase a chamo, mas isso só ia piorar as coisas.

A seguir, vejo que percebi tudo mal. Ela não está simplesmente a correr pela rua onde ele está. Não, ela está a correr direitinha a Jamil. Nada naquela imagem faz sentido. Pelo menos para mim.

Resta-me observar enquanto ela voa em direção a ele. A expressão do seu rosto muda quando se apercebe que a conhece. Está a pôr as ideias em ordem. Quase dá ideia de ir pará-la e conversar com ela. A seguir, vê-nos atrás dela. A sua expressão volta a mudar. Mas nessa altura já é tarde de mais. Quando dá por si, está no chão. Ki perfila-se sobre ele, a segurar uma arma com os braços esticados. Ela deu-lhe um tiro. Fico aturdido. Curt fica boquiaberto.

Não sei porque o fez. Mesmo que nos tivesse visto, isso não era importante a ponto de ser necessário matá-lo. Teria sido melhor que não nos visse? Claro que sim. Teria sido melhor que não tivesse histórias para contar a quem estivesse disposto a ouvir as suas tretas. E melhor que não pudesse contar nada à bófia, se quisesse ser um desses tipos. Mas isto? Não havia necessidade disto. A questão era essa. JC não tinha importância. Eu próprio podia ter matado aquele otário num segundo, se fosse preciso. O que importava era os Cotas e a proteção que eles lhe davam. Não precisávamos dele morto. Ao aproximar-me, o meu coração para enquanto procuro os olhos de Ki na escuridão. Ela olha para mim. Os seus olhos não dizem nada. Já não consigo lê-los. A seguir, ela foge.

Vejo-a continuar a correr até à esquina, onde um táxi para, com a luz amarela a contrastar com o céu negro. Olho para Curt. O seu rosto diz tudo e nada. Fica pregado ao chão, em choque, enquanto ela desaparece no táxi. Acabo por ter de puxá-lo pelo braço, antes de ele dar acordo de si.

— Anda — digo. — Temos de bazar.

Como não temos tempo para pensar num plano B, seguimos o plano que traçámos inicialmente o melhor que conseguimos, agora que Ki fez o que fez. Vamos buscar o saco ao contentor, voltamos a vestir as camisolas brancas e a calçar os outros ténis. Em poucos minutos, estamos de volta à estrada principal, à espera de um autocarro que nos leve a casa. Estamos a usar a mesma roupa com que saímos do apartamento, todos de branco. Os homens que entraram no clube, se alguma vez os tentarem encontrar, estavam vestidos de preto. Continua a ser um álibi perfeito.

Queimámos as roupas pretas. Encontrámos uma zona verde que não era bem um parque nem um pomar, despejámos gasolina em cima delas e deitámos-lhes fogo. Enterrámos a arma. Não tinha muita importância se fosse recolhida, uma vez que não tinha impressões digitais e, de qualquer forma, era uma arma que já tinha sido utilizada noutros crimes. O importante era o ADN nas roupas pretas. Era isso que tínhamos de destruir, e agora tinha-se esfumado no céu cinzento. As cinzas sobem e depois começam a cair como flocos de neve sujos. Olho para Curt, enquanto a cinza pousa no seu cabelo e no seu rosto. Não disse uma palavra desde que Ki matou JC. Já nada do que se passou esta noite faz sentido para ele. Dá para ver isso pela sua cara, mesmo que esta não nos diga mais nada. Nem para mim faz sentido, e Curt nem sequer sabe o que eu sei.

Quando chegámos ao apartamento e abrimos a porta, a verdade é que esperava que Ki lá estivesse. Pensava que ela estaria sentada à mesa, embora não conseguisse imaginar a sua expressão. Precisava de vê-la. Precisava de ver o seu rosto, para saber que o que lá ia, lá ia. Precisava de saber porque ela o fizera. Precisava de saber que tinha sido a coisa certa. Só o seu rosto me podia dizer isso.

Foi Curt quem percebeu primeiro.

— Já cá esteve e já se foi — disse, e apontou para a mesa.

Ali em cima estava a camisola que ela tinha usado. Reconheci-a pelos caracteres chineses nas costas. E por cima dela estava uma arma, uma *Baikal*. A arma de eleição dos *gangsters*. A arma que eu pensava ter desaparecido afinal tinha estado com ela o tempo todo.

Curt olhou para mim e depois abanou a cabeça.

— Isto é lixado — disse.

Comecei a falar, mas ele deteve-me.

— Não quero saber. Nem sequer quero saber.

— Escuta. A culpa disto não é minha, Curt. Ela fez tudo sozinha. E nem sequer te contei o que se passou na casa de banho.

— Bem, minha é que não é, mano! Ela é a tua miúda. Onde raio está ela? — pergunta, pondo as mãos no ar.

— Devia saber onde ela está? — digo, virando-me contra ele. — Porque não me dizes *tu* onde ela está?

— Eu? — diz Curt encostando a cara à minha. — *Eu*?

— Sim, tu. És tu que lhe tens dado boleia para essa tal mesquita. É contigo que ela tem partilhado essas informações todas, meu! Tipo «Diz a Guilty para arranjar uma porcaria de um colete à prova de bala».

— Vai-te lixar, meu! — diz ele, empurrando-me com a sua pata gigantesca. — O que fiz, fi-lo por ti e pela tua família, meu. Que raio se passa contigo? Devia dizer a Ki para ir dar uma curva quando me pede boleia para Elephant? Ou quando me conta alguma novidade?

Olho para ele e nessa altura fico sem resposta.

— Não sei, meu. Já não sei nada — digo, e deixo-me cair no chão.

— Pois não, não sabes. Tu não sabes nada! — Dá meia-volta e sai porta fora, batendo com ela atrás de si.

Esperei durante dias que ela voltasse para casa ou me contactasse, mas não o fez. Até fui àquele edifício para onde a tinha seguido naquele dia em que vi o tipo louro. Nada. As portas estavam trancadas. Tinha voltado a ser o que era antes, um edifício vazio por onde eram capazes de passar uma dúzia de vezes por dia e nem sequer dar pela sua existência.

Recordei-me da conversa que tivera com Kira depois de a ter seguido até lá naquele dia, no dia antes do tiroteio. Senhor juiz, isto é relevante. Lembro-me do seu olhar chocado quando lhe disse que a seguira. E a seguir da forma como a sua expressão mudou quando lhe disse que sabia que ela não ia a mesquita nenhuma. E de como voltou a mudar quando mencionei o homem louro.

Naquela noite, depois do clube, ela ia contar-me, mas depois a coisa deu para o torto e agora ela tinha-se posto a andar. Olhando para trás agora, devia ter sido capaz de perceber tudo sozinho. Tinha as pistas todas, mas não tenho esse tipo de mente, percebem? Não conseguia encaixar as peças. Creio que era o facto de ela ter desaparecido que me estava a toldar o pensamento. Para onde raio teria ido, meu? Porque não telefonava? Não podia fazer nada sem saber onde ela estava. Era como se tivesse de saber antes de me permitir continuar. Até então, estava apenas à espera.

Curt partiu para Espanha poucos dias depois da cena no clube. Não levou o dinheiro e quando lhe telefonei a perguntar o que fazer com ele, disse simplesmente:

— Guarda-o, meu! Nunca foi uma questão de dinheiro.

— Mas tu precisas dele. E Guilty? — perguntei.

— Deixou-me sair. Disse-lhe que tinha tratado da saúde a Face e ele deixou-me sair. Até me deu um presente.

Deixo as palavras em suspenso, a pensar em algo para dizer. Por fim, lembro-me que há uma coisa que quero perguntar-lhe.

— Como acabaste envolvido com aquele gangue, mano?

— Não sei, meu. É uma longa história.

— Não faz mal. Tempo é o que não me falta, agora — replico.

— A minha mãe devia dinheiro aos Glockz por causa de algum cavalo que lhes tinha comprado e, um dia, quando não lhes conseguiu pagar, eles disseram-me que eu tinha de pagar de outra forma qualquer. E foi assim. Obrigaram-me a cobrar uma dívida. Depois, com o tempo, quando a barra ficava pesada, davam mais drogas à minha mãe e depois chamavam-me para cobrar. Tu sabes que eu nunca fui tipo de gangues. E continuo a não ser. O problema é que eles arranjavam sempre maneira de me terem na mão.

— Merda! Desculpa, mano. Não sabia.

— Não faz mal. Depois, no ano passado, houve um dia em que as coisas ficaram feias e um tipo qualquer puxou da faca. Por isso, usei-a contra ele. A partir daí, Guilty deixou de precisar de arranjar forma de me ter na mão. Estava lixado. As alternativas eram os Glockz ou a bófia.

Nessa altura, lembrei-me do que ele me tinha contado no clube sobre ter matado alguém. Foi aí que pensei quantas pessoas o meu melhor amigo já teria despachado.

— Talvez vá visitar-te — digo.

— Se fores, não te esqueças de levar a tua irmã. Devo-lhe algumas explicações, mas não sou capaz de dar-lhas neste momento.

— Bless? — pergunto. — Que explicações?

— Não é nada, meu. Diz só que lhe mando beijinhos, a ela e à tua mãe.

Tal como estou a fazer agora convosco, tentei contar-lhe sobre Ki e o que tinha acontecido na casa de banho, mas ele não quis saber. Tinha cortado com aquilo tudo. Estava cansado. Creio que a sua paciência se tinha esgotado.

— Também precisas de te pirar, mano — disse-me finalmente.

— Não posso, meu. Não sem a Ki.

— Essa miúda está a brincar contigo. Põe-te a andar, meu. Está na hora — diz ele baixinho.

Eu tinha reservado um novo bilhete para Espanha nesse dia, mas mesmo assim sabia que nunca iria usá-lo. Não sem a Ki.

— Não posso.

Esperei por Ki. Acreditava que ela não se iria embora assim, depois de tudo. Por isso, recostei-me e esperei. Mais um ou dois dias e ela entrava por aquela porta. As coisas já estavam mais calmas agora. Por alguma razão, as mortes no clube nem sequer foram notícia. Dois homens mortos e nada. Mas a outra foi. Esta, quero eu dizer. A de JC. Mas mesmo isso acabou em cerca de dois dias. A questão do Brexit dominava as notícias, agora. Por isso, sabia que ela ia voltar. Tinha de voltar. Não tinha mais nenhum sítio para onde ir. Estava escondida. Não conseguia encontrá-la, mas isso era só porque ela era esperta. Estava tão bem escondida que uma pessoa como eu nunca conseguiria encontrá-la. Mas de certeza que ia voltar, eu sabia disso. Era uma certeza. Só tinha de esperar. Mas digo-lhes que foi como perdê-la daquela primeira vez. Passar novamente por tudo aquilo.

Por isso, quando a polícia apareceu uma semana depois e deitou a porta abaixo, continuava tudo no mesmo sítio. A *Baikal*, a camisola com capuz, o dinheiro, o bilhete eletrónico para Espanha, o passaporte, os fones. Eu. Depois disso, bem, vocês sabem o que aconteceu depois disso. Curt tinha razão. Devia ter bazado, mas naquela altura não conseguia ver as coisas com clareza.

Pausa: 15:35

38

15:45

Mesmo depois de ter sido detido pelo homicídio de JC e ficar em prisão preventiva, não parava de pensar que ela ia voltar. Mesmo que não fosse de forma voluntária, pensava que talvez a polícia a apanhasse. Nessa altura, já não me importava. Só precisava de a ver e, ainda que não pudesse fazê-lo cara a cara, ter-me-ia bastado saber que estava viva.

Mas ela não veio. Era só eu. E essa talvez tenha sido a coisa mais dura deste último ano. Não foi estar preso, nem sequer enfrentar uma acusação de homicídio. Foi não saber de Ki.

Consegui lidar bem com a prisão preventiva. Como se trata de preventiva e não de pena efetiva, isso significa que posso ter mais ou menos as visitas que quiser. Bless e a nossa mãe vinham sempre que podiam. Na verdade, neste último ano, vi-as mais vezes do que antes. De início, não queria que viessem. Estar naquele centro de visitas, com todos os outros prisioneiros, é lixado, percebem? Nem sequer podemos estar juntos como deve ser. Deviam dar-nos uma sala ou coisa do género, para termos um lugar onde pudéssemos chorar, por exemplo. Não estou a falar de mim, como é óbvio, mas delas. Assim, elas tinham de reprimir todos os seus sentimentos e guardá-los até irem embora. Por isso, acreditem que houve alturas em que pensei que era melhor não lhes enviar a autorização de visita. Mas a verdade é que até foi bom, suponho. Ajuda a preparar uma pessoa para a prisão. Não a mim, mas a elas.

Cheguei a perguntar uma vez ao diretor porque não podíamos ter salas privadas e essas tretas, mas ele disse que isso levantava demasiados problemas. «Mas estamos a trabalhar nisso, e não é a primeira pessoa a falar no assunto. É uma boa ideia», disse-me. E é uma boa ideia. Quando isto acabar, talvez possam escrever sobre isso ao deputado que os representa no Parlamento...

Enfim. A próxima parte é uma peça muito importante do quebra-cabeças, como a acusação tem vindo a referir. Como se tudo isto fosse um quebra-cabeças que não conseguimos perceber até encaixar a última peça e tudo ficar claro de repente. Pessoalmente, acho que é um exemplo de treta. Não conheço ninguém que não soubesse qual era a imagem antes de encaixar a última peça. Já toda a gente consegue ver o que é. Só é um bocadinho irritante. Por isso, acho que a próxima parte não é bem uma peça de um quebra-cabeças. É mais uma peça de um motor. É como uma vela de ignição. Sem ela, o motor não funciona. Nem sequer arranca.

Por isso, tenho de voltar ao princípio e ao problema com o meu advogado. Provavelmente, continuam a pensar que foi uma estupidez despedir o meu advogado antes das alegações finais. Ele foi tão bom durante o julgamento, não é verdade? Porque havia de o despedir? Eu disse-lhes que em parte foi porque queria contar toda a verdade e ele não queria que o fizesse. Bem, o que ele não sabia é o que estou prestes a contar-lhes.

Mesmo antes da reunião com o meu advogado, mais propriamente na noite anterior, o guarda prisional disse-me que eu tinha uma visita. E em vez de me levar à sala de visitas, conduziu-me a uma pequena divisão que ficava numa parte diferente da prisão. Eu nunca tinha estado antes naquela parte do bloco, pensava que eram tudo áreas reservadas ao pessoal.

Quando entrei, a primeira coisa que pensei para comigo foi *Caramba, seguiram a minha sugestão!* Sala privada. Por isso, sentei-me e fiquei à espera de ver a minha mãe ou Bless entrar. O guarda trancou a porta e disse que já voltava com a minha visita, e eu esperei. Naquele lugar, não havia nada para fazer a não ser esperar. Até as paredes eram entediantes. Tijolos pintados de branco. Uma única janela interior. Uma única mesa. Duas cadeiras apenas. Chão de cimento. Mas mesmo assim era uma sala privada, pensei. Porra, isto é que vai ser chorar!

Passam-se uns minutos e eu começo a ficar um bocadinho irritado por estar a perder aqueles minutos todos da visita. Os guardas gostam de atrasar tudo, de tal forma que uma hora de visita passa a vinte minutos quando todos ficam finalmente prontos. Há pessoas que nem sequer chegam a saber que têm visitas. Os guardas podem brincar connosco a esse ponto. Mas, pelo menos, tinham-me avisado da minha. E era isso que estava a dizer a mim mesmo quando o guarda voltou. Ouço a chave na porta e esta abre-se. É nessa altura que a vejo.

Kira.

Porra, a cara com que vocês ficaram! Mas acreditem que não deve ser nem de perto nem de longe como aquela com que eu fiquei! Não era apenas por estar há tanto tempo à espera de ver uma rapariga que amava. Ou uma rapariga por quem tinha arriscado a vida e que tinha desaparecido. Ou mesmo uma rapariga que nem sequer sabia se estava viva ou morta. Ela era a minha vida. E, mais tarde, quando se foi embora e eu não sabia se voltaria a vê-la, senti o que um toxicodependente deve sentir quando lhe dizem que se acabaram as drogas. E naquela altura, quando a vi ali à minha frente, passado um ano, a minha vida voltou a mudar outra vez.

— Ki! — quase gritei. Não quero acreditar no que estou a ver. É mesmo ela. Costumam dizer sobre uma pessoa bonita que parece um quadro. Naquela altura, Kira parecia um quadro, mas não dessa forma. Sim, continuava linda. Aqueles olhos eram deslumbrantes como sempre. E mesmo de calças de ganga e camisa de algodão branco, era belíssima. Mas era como um quadro, como se não fosse real. Como quando olhamos para um quadro, sabemos que estamos a ver uma pessoa, mas também sabemos que não é uma pessoa a sério, cujo rosto possamos tocar ou cuja respiração quente possamos sentir. É como um produto da imaginação. Foi isso que ela me pareceu.

— Têm vinte minutos. Nem mais um segundo — diz o guarda, e vai-se embora. A porta é novamente trancada, mas ele pode ver o que se passa pela janela.

— Olá — diz ela. Só isso. Os seus olhos mantêm-se a salvo por trás das pálpebras.

— Agora é que apareces?

Estou dividido entre as lágrimas e os gritos. Estou tão zangado e confuso e todas essas coisas que nem consigo pôr os meus pensamentos em ordem.

— Desculpa — diz Kira, sentando-se à minha frente e abrindo as mãos.

Há um ano que não via aquele rosto, e vê-lo ali à minha frente, com aqueles olhos a fitar-me, parece-me irreal.

— Espero que tenhas algo melhor do que um pedido de desculpa. Onde raio estiveste, Ki?

— Longe.

— Longe? Eu sei que foi *longe*! Mas onde? E como raio consegues entrar aqui? Que se passa?

Por um momento, não sei se ela se irá levantar e ir embora, e isso deixa-me o coração em pânico. Ela agarra na mala, mas depois volta a pousá-la. Fico surpreendido por terem deixado trazê-la.

— Foram eles que trataram de tudo — diz ela, de olhos pregados nas mãos.

— Eles? — Sinto o coração a bater nas têmporas e o rosto a latejar. Não sei se me consigo conter.

— Bem, o James — diz ela, olhando para o teto. — Foi James que organizou tudo.

— Quem diabo é o James? — pergunto.

— Aquele tipo que viste a sair da casa com a porta preta — diz ela baixando os olhos.

— James? Deves estar a gozar comigo, Ki, *James?* — digo a rir, mas é um daqueles risos…

— É o nome dele — replica, cruzando os braços sobre o peito.

— Quero lá saber como se chama! Quem raio é ele?

— Foi a pessoa que tratou de tudo — diz Ki, olhando agora para mim. — Ele estava a vigiar-te quando me seguiste até à tal casa, em Elephant and Castle.

— A vigiar-me? Porquê? — grito. Sinto-me irritado ao pensar nesse James a vigiar-me enquanto a seguia. Muito irritado. Como se eu fosse alguma criança.

— Escuta, desculpa...

— Esquece as desculpas, está bem? Podemos falar disso mais tarde. Por agora, quero saber o que se passa. Era isto que me ias contar depois do tiroteio? — pergunto, pondo-me em pé. A mesa está presa ao chão e não se mexe quando me levanto, por isso volto a sentar-me e olho para ela, furioso.

Ela não diz nada. Olha para mim e depois volta a olhar para as mãos, como se não tivesse mais sítio nenhum para onde olhar. Parece-me vê-la limpar uma lágrima, mas naquela altura isso é a última coisa que me preocupa.

— Porque os mataste, Ki?

— O quê?

— Porque mataste Face e aquele outro homem no clube? — pergunto, olhando à minha volta para ter a certeza de que ninguém está a ouvir.

— Teve de ser — diz. — Tu não ias fazê-lo, pois não?

— Achas que estava lá para quê? Para brincar? Com uma arma na mão? — digo

— Tu estavas noutra. Tinhas os olhos vidrados. Pensei que ias desmaiar — diz ela, e depois diz as palavras seguintes num meio suspiro. — Tinha de fazê-lo.

— Mas eu ainda podia ter tratado do assunto — digo, mas por essa altura sei que é mentira. Ela tinha razão. Eu tinha paralisado. Prego os olhos na mesa. Ainda há perguntas que preciso de fazer. Não sei como fazer a próxima, pois desconheço qual vai ser a resposta. Sei apenas que, qualquer que ela seja, vai mudar tudo. Mas a verdade é que já mudou tudo, não é?

— E Jamil? Porquê ele? Não precisavas de fazê-lo. Face estava fora de cena. Jamil não passava de um miúdo. Não representava um perigo para ninguém.

Ki passa a mão pelo rosto, como se pudesse transformá-lo. Fazer desaparecer a dor ou talvez as mentiras que nele transparecem.

— James também queria liquidá-lo.

Quase desato a rir.

— O quê? O que é que esse James tem que ver com tudo isto?

— Ele é um agente.

— Um agente? De que estás a falar, Ki?

— MI5.

— MI5? — Nessa altura desatei mesmo a rir, de tal forma que me vieram as lágrimas aos olhos. Eu bem sabia que ler aqueles livros todos ia acabar por lhe dar a volta ao miolo. Mas a porra do MI5?

— Sabes o que pareces? — digo, mas na precisa altura em que pronuncio essas palavras, percebo tudo. É como se tivesse levado um soco na cara. Era verdade.

— Ele queria o Face, mas disse que aceitava todos os que lhe conseguíssemos dar.

— Queria o quê? Vê-los mortos?

— James usa uma palavra diferente. Desativados.

Pausa longa: 16:20

NO TRIBUNAL CRIMINAL CENTRAL T2017229

Perante: MERITÍSSIMO JUIZ SALMON QC

Alegações Finais:

Julgamento: 38.º dia

Sexta-feira, 17 de julho de 2017

COMPARÊNCIAS

Pela Acusação:	C. Salfred QC
Pelo Arguido:	O próprio

Transcrito de um registo áudio digital por
T. J. Nazarene Limited
Estenógrafos Judiciais e Transcritores Certificados

39

10:05

Portanto, tiveram o fim de semana para pensar no que eu disse na sexta-feira. E, para dizer a verdade, também pensei nisso e também pensei em vocês. Tentei perceber o que estariam a pensar.

Mas eu sei o que estão a pensar. Pensam que inventei isto tudo. Ou, mesmo que acreditem em mim, talvez pensem que ela inventou tudo isto. Acreditem que tenho andado com isso às voltas na cabeça desde que ela me veio ver. Tem-me distraído, quando devia estar concentrado em vocês. Mas, agora que sabem, talvez consigam perceber por que razão algumas coisas que disse não se passaram exatamente assim. E porque tinha de fazer estas alegações por conta própria.

Mas, provavelmente tal como vocês estão a pensar, também eu pensei se Ki estaria a enganar-me. Se houvesse alguma coisa que lhe pudesse apontar, acreditem que o teria feito. Mas eu conheço aquela miúda. Quer dizer, *conheço-a* mesmo. Não apenas os olhos cinzentos e o sorriso de Kira ou os livros e planos de Kira. Eu conheço esta Kira. Os lugares escondidos e escuros de Kira. E quisesse acreditar ou não, sabia que era verdade.

Por isso, durante os vinte minutos seguintes, ela explicou-me tudo. Começou na altura em que ela tinha ido à prisão para ver Spooks. Foi nessa altura que eles a abordaram pela primeira vez. Spooks estava a ser cada vez mais pressionado lá dentro e estava agora a entrar em pânico com o que podia acontecer-lhe. Ultimamente, tinha escapado por um triz a umas quantas coisas que o tinham deixado a suar. Tentou fazer com que algumas pessoas acalmassem os Glockz, mas eles já não lhes davam ouvidos. Quando muito, ainda os tinham deixado mais irados.

Por fim, quando esgotou as suas opções, foi ter com a bófia, para tentar a sua sorte com eles. Disse-lhes que faria qualquer coisa, se conseguissem safá-lo daquela confusão. Qualquer coisa mesmo, disse ele, mudem-me apenas para um lugar seguro. A polícia não estava muito interessada, mas quando ele começou a mencionar os nomes que conhecia, de repente ficaram interessados. Quando alguém dizia «Face», alguém algures ficava interessado.

A polícia estava em cima de Face há algum tempo e queria prender o seu gangue por todo o tipo de crimes, desde homicídios e armas a assaltos à mão armada e drogas.

Mas não eram os únicos que tinham os olhos postos em Face. Algum do pessoal mais importante também andava de olho nele, pelo menos foi o que a Ki me disse. Quando ouviram dizer que Spooks sabia da briga dos Glockz com Face, os rapazes do MI5 abriram bem os olhos. Tinham conseguido informação que ligava Face a grandes carregamentos de droga. Ki não disse exatamente do que se tratava, mas pelo que me contou estava relacionado com umas dez toneladas de drogas duras que estavam a ser introduzidas no Reino Unido em navios. De qualquer forma, foi isso que lhe disseram, mas aquilo soava-me a treta.

Ao que parece, há muito tempo que andavam a planear uma operação qualquer, mas não conseguiam aproximar-se o suficiente de Face. O homem parecia um fantasma. Assim que pensavam que o tinham fisgado, ele fazia qualquer coisa. E fazia-a tão depressa que eles nunca conseguiam apanhá-lo em flagrante. Isso não era de estranhar, porque Face era o tipo de homem que estava sempre um passo à frente. E têm de se lembrar que eles usavam coisas como escutas telefónicas para captar as suas conversas ou recorriam à interceção de *e-mails* e cenas do género. Mas Face livrava-se do cartão do telefone de dois em dois dias e não tinha *e-mail*. Se tivessem sorte, aparecia-lhes uma vez no radar, e depois desaparecia durante semanas até terem sorte suficiente para o ligarem a outro número. Era por isso que ele era um fantasma. E também era por isso que eles precisavam do seu próprio fantasma. Alguém que pudesse infiltrar-se sem chamar a atenção.

Depois, um dia, tiveram sorte. De alguma forma, conseguiram chegar ao seu gangue. Um informador. Esse bufo contou-lhes o que se passava com Guilty. A partir daí, foi fácil chegar a Spooks.

Mas o que eles precisavam era de alguém que lhes desse informações e de alguém que cometesse o assassínio. Provavelmente, não tinham tempo para aquilo a que chamam, segundo Ki, «plantar uma semente» e esperar que ela se transforme em árvore ou coisa do género. Precisavam de alguém pronto a atuar. Não tinham tempo para infiltrar ninguém, pois tinham a certeza de que era apenas uma questão de tempo até o seu contacto ser eliminado.

Por isso, num esfregar de olhos, Spooks tinha o seu próprio contacto nos Serviços Secretos. Não era como aqueles contactos na polícia em que lhes contamos umas cenas, o polícia escreve algumas dessas coisas e talvez venha a olhar para algumas delas mais tarde. Não, os rapazes do MI5 faziam o seu trabalho, e faziam-no depressa.

Assim que Ki recebeu a autorização de visita de Spooks, ele foi direitinho ao seu contacto e disse-lhe: «A minha irmã conhece os Glockz. Podem usá-la?», dissera. «Ela é esperta, meu. Podem usá-la. Confiem em mim.» O filho da mãe nem sequer lhe tinha contado nada. Traiu-a simplesmente, como já tinha feito antes. Os tipos limitaram-se a anuir e, num dia, sabiam coisas sobre ela que provavelmente nem ela própria sabia.

Quando os rapazes do MI5 se encontraram com ela, perceberam que era perfeita. Era inteligente. Sabia quem era quem e conseguia seguir um plano. Fez sentido para eles e o melhor de tudo era que podia avançar rapidamente.

Pelas vossas caras, sei que estão a pensar que me passei. Zás, perdi o juízo assim, sem mais nem menos. Ou provavelmente pensam que estou a inventar isto tudo. Mas eu juro que é verdade. Era isto que eu não podia dizer e que o meu advogado não queria que eu dissesse. Porque como posso eu culpar o MI5? Isso é pura loucura. E ninguém acredita em loucuras. Mas parem por um minuto e pensem sobre isso.

Explica muita coisa.

As informações todas que ela tinha sobre Face. A história da mesquita sempre me pareceu muito mal amanhada. De qualquer forma, aquele dia em que a levaram e deixaram na parte de trás do bairro foi o dia em que puseram as coisas em pratos limpos.

— Ajudas-nos e tiramos o teu irmão de lá. Programa de proteção de testemunhas.

— E se não o fizer? — perguntara Ki.

— Nesse caso, não podemos garantir o que lhe vai acontecer.

Não estavam à espera que fosse ela própria a fazê-lo. Na verdade, não podiam permitir que o fizesse. Isso não estava na sua alçada. Devia ter sido eu a premir o gatilho, o que dói que se farta. Pensar que me estava a tramar para salvar aquele lixo do irmão, Spooks. Ela só tinha de me levar lá. Eles facultavam o plano. Tratavam dos seguranças. Arranjavam os rádios. A única coisa que ela tinha de fazer era certificar-se que eu premia o gatilho. Ou Curt. Nem sequer lhes importava quem era. Quando estivesse feito, iam tratar dela. E de Spooks. Dos dois ao mesmo tempo. Desapareciam de circulação.

E JC? Aquele idiota nem devia estar ali. Ainda não sei muito bem porque ela o matou. Suponho que nos tenha visto e isso lixou tudo para Ki. Não podia ter pontas soltas que levassem à bófia e que nos responsabilizassem pelos homicídios no clube. Que nos pusessem no local do crime. Talvez ela tenha pensado que era o karma. Talvez tenha entrado em pânico. Talvez não tenha entrado em pânico, mas tenha percebido o que estava em causa. Talvez tenha percebido como tinha de fazer. Verdade seja dita, se JC estivesse noutro lugar, eu nem sequer estaria aqui. Os homicídios no clube teriam desaparecido. Spooks estaria escondido. E eu e Ki? Bem, teríamos oportunidade de voltar a ser nós, simplesmente.

Não sei porque ela me veio ver agora, depois de todo este tempo. Provavelmente, tem a consciência pesada.

Merda! Agora percebo, aqui a falar convosco, a contar-lhes tudo. Ela veio porque eu já tinha prestado depoimento. Percebem o que estou a dizer? Ela só veio depois de eu ter estado no banco das testemunhas e feito a minha parte. O julgamento não pode parar agora, não é verdade? É demasiado tarde. Ela sabia disso. É demasiado tarde para poder afetá-la. Mas o que não percebo é porque ela veio, sequer. Terá sido para limpar a consciência ou coisa assim? Talvez seja isso. Talvez se tenha sentido culpada. Bem que devia, porque é.

Porque tenho estado aqui à vossa frente todos estes dias, a arcar com a responsabilidade do homicídio que ela cometeu? Porquê? Por amor? Acham que sim? Eu achava. Mas também sei que se soubesse então o que sei agora, que ela era capaz de me trair pelo irmão e por ela própria, não tenho a certeza se teria deixado o seu nome de fora disto. Ter-lhes-ia dito de imediato. Ela tramou-me para se safar. É tão simples quanto isso.

Mas pelo menos veio. E não terá sido nada fácil. Ao que parece, estava num programa de proteção. Já nem devia existir. Só a deixaram ver-me porque ela ameaçou estragar o arranjinho todo. Já nem sequer era Kira. Era outra pessoa completamente diferente.

Mas mesmo assim veio, percebem? E aqui estamos nós, agora.

— Então, podes fazer com que isto desapareça? Fazer com que eles digam «Inocente» e contar a verdade? — tinha-lhe perguntado quando os vinte minutos estavam a acabar e o guarda bateu à porta.

— Não posso — disse.

— Então como é, agora? — perguntei, voltando a olhar para aqueles olhos. Estavam à beira das lágrimas, mas continuavam lindos.

Ela parou, olhou para mim por um momento e depois disse baixinho:

— Porque não te foste embora? Pensava que te ias embora.

— Embora? Estava à tua espera! Nem um telefonema, Ki.

— Não podia. Eles não me deixavam.

— Oh!

Ela fez uma pausa e nesse momento vi-a derramar lágrimas a sério.

— Porque não foste? Podias ter ido.

— Não podia.

— Deixei-te o dinheiro. E a *Baikal*. Pensei…

— Que te ia abandonar?

— Não. Que te ias salvar.

— Pois, mas as coisas não são assim tão a preto e branco, pois não? Alguém tinha de ficar para trás e pagar a fatura — disse.

E depois ela foi-se embora.

Pausa: 10:45

40

12:30

ADVOGADO DE ACUSAÇÃO

Membros do júri, em Hertford, Herefordshire e Hampshire, quase nunca acontecem furacões. Aqui, no Tribunal Criminal Central, quase nunca acontecem segundas alegações finais por parte da acusação. Contudo, é o que vai acontecer hoje, por indicação do douto juiz.

Este é um caso invulgar.

Não por envolver o homicídio deliberado e planeado de um adolescente. Nem sequer por envolver um homicídio cometido com uma arma de fogo. Infelizmente, em Londres, a morte de jovens perpetrada por outros jovens com armas letais tornou-se uma história demasiado familiar. Não, este caso é invulgar porque o arguido em questão optou por fazer ele próprio as alegações finais. Há vários dias que fala convosco. Isso, em si mesmo, já é invulgar.

Mas, infelizmente, o arguido referiu factos em que agora se fundamenta, mas que não mencionou no seu testemunho. Muito daquilo que disse é uma completa novidade. Não tinham ouvido falar disso antes. Eu não tinha ouvido falar disso até agora. E isso significa que não foi interrogado sobre as coisas que está agora a contar-lhes. Ora, isso deixa os membros do júri em grande desvantagem. A menos que tivessem ouvido o seu testemunho a ser testado pela acusação, como hão de poder avaliar a sua qualidade? Por outras palavras, como hão de formar um juízo sobre a sua fiabilidade? Como hão de ter a certeza de que é verdade?

É por isso que, com o beneplácito e apoio do meritíssimo juiz, lhes dirijo a palavra uma segunda vez. No entanto, para preservar o direito legal do arguido à última palavra, também ele é autorizado a falar em resposta às alegações da acusação.

Não vou analisar tudo aquilo que o arguido disse. Isso seria um insulto à vossa inteligência. Acabaram de ouvir tudo o que ele tem para dizer. Não me cabe contradizer simplesmente aquilo que diz. Conseguem ver por vocês próprios onde residem as fragilidades e cabe-lhes tratá-las como lhes aprouver. Não. Apenas vou fazer algumas observações que deixo à vossa consideração. Tal como antes. Aceitem-nas, se concordarem com elas, ou ignorem-nas, se assim não for.

É importante sermos absolutamente claros sobre isto desde o início. Nós, a acusação, dizemos que tudo o que o arguido lhes disse em sua defesa é mentira.

Ele mentiu no inquérito policial e repetiu essas mentiras no banco das testemunhas, quando prestou depoimento. Mas, agora, temos um novo conjunto de mentiras. Mentiras diferentes das que contou no seu testemunho. Mentiras diferentes das que contou no inquérito policial. Mas, ainda assim, mentiras, dizemos nós, contadas por um arguido que vai inventando literalmente a história à medida que a vai contando.

Se me permitem, vamos fazer uma pausa para examinar de forma mais minuciosa a invenção mais recente. Eis os problemas que o arguido enfrenta.

Em primeiro lugar, não há nenhuma prova de que o indivíduo que o arguido apenas consegue identificar pelo pseudónimo, Face, tenha sido abatido a tiro, como o arguido agora afirma. Não há nenhuma prova sequer da existência desse homem, e faço uma pausa para sublinhar este ponto, porque o arguido não nos sabe dizer mais nada sobre o outro homem alegadamente assassinado. Não há provas de que traficantes de droga ou mesmo outras pessoas tenham sido atingidos a tiro num clube noturno com o nome referido pelo arguido, nas circunstâncias que ele relata. Nenhuma. Não há um fio de verdade nisso. Não é simplesmente uma invenção, minhas senhoras e meus senhores; é pura ficção, não corroborada.

Se dois homens, ou até um homem, tivessem sido mortos a tiro num clube noturno, com certeza que haveria alguma prova que sustentasse tal coisa, não é verdade? Talvez um relatório policial, não? Ou será que o facto de tais pormenores terem escapado à polícia resulta de uma conspiração sinistra por parte do MI5, tal como o arguido quer fazer crer? E a imprensa? Não há uma única notícia, manchete ou coluna que descreva os acontecimentos que o arguido lhes relatou. Será que também foram silenciados pelo MI5?

E o que dizer dessa misteriosa e sedutora Kira? Onde está ela? Quem é ela? Será que existe? O arguido espera mesmo que acreditemos que a sua namorada era uma espécie de assassina recrutada pelos Serviços Secretos? Arrisco-me a dizer que nunca se tinha ouvido semelhante disparate num tribunal. Não é apenas um disparate. É um insulto a este tribunal e a vocês, membros do júri.

E termino estas curtas alegações fazendo apenas dois últimos comentários. Consideramo-los decisivos. Se, tal como o arguido sugeriu, estava preparado para matar dois homens com uma pistola de nove milímetros, a sangue-frio, o que lhes diz isso sobre até onde estará disposto a ir para servir os próprios fins? Em última análise, e mesmo que a vossa credulidade possa chegar ao ponto a que o arguido a tentou levar, será que isso o ajuda? Ou será que o facto de estar preparado para assassinar dois homens o condena pelo homicídio de que é acusado perante vocês?

E terminamos com esta pergunta. Porque não houve uma palavra desta história que tenha sido repetida pela única pessoa que a podia corroborar? Curt, que os poderia ter ajudado, desapareceu muito convenientemente. Que pena para o arguido. Kira também desapareceu e agora tem uma suposta nova identidade. Mas há uma pessoa que não desapareceu e que tem estado nesta sala de audiências o tempo todo. A irmã do arguido, Blessing. Porque não a ouviram falar? No fim de contas, parece que finalmente já fala. Mas não convosco, minhas senhoras e meus senhores. Mas não convosco.

Pausa para almoço: 13:05

41

14:10

ARGUIDO:

No fundo, ele tem razão. Tudo o que ele diz é basicamente verdade. Não tenho provas de nada. Ele diz que a Ki não existe. Não tenho provas para lhes mostrar que existe. E os tipos do MI5 não são suficientemente estúpidos para deixar registo da sua visita à prisão. Se soubesse que ele ia dizer estas coisas, talvez pudesse ter-lhes apresentado algumas provas em relação a ela. Podia ter trazido fotos, mas sabem que mais? Se as tivesse trazido, ele teria dito: «Como sabemos que não é simplesmente uma rapariga qualquer a quem tirou uma fotografia?» Mesmo que trouxesse a sua certidão de nascimento, ele podia dizer: «Sim, mas isso é apenas alguém que tem esse nome. Como sabemos que a conhece, sequer?» E isto podia continuar por aí fora. No fim de contas, há coisas em que temos de acreditar com base na confiança. Há coisas em que também acredito nessa base.

Acredito, por exemplo, que a Terra é redonda. Não consigo ver isso com os meus próprios olhos, mas confio no que uma imagem me mostra. Acredito que Obama é uma pessoa a sério na América, mas nunca o vi em carne e osso. Nem sequer conheço ninguém que o tenha visto pessoalmente. Vi-o na televisão. Dizem-me que foi presidente ou uma coisa assim. Não tenho a certeza disso. Não tenho a certeza de que este homem aqui seja advogado. Ele diz-me que é, e eu acredito. Por isso, agora estou no mesmo barco e estou a pedir-lhes que se sentem nele.

Acreditem com base na confiança. Há coisas em que podem acreditar nessa base.

Ki costumava ler uma data de livros de História e essas cenas. Henrique, o não sei quantos, e as suas doze mulheres e sei lá mais o quê. E nesses livros há sempre uma parte em que diz que o rei tinha um certo conselheiro e não sei quantos criados, que faziam determinada coisa aqui e determinada coisa ali, e isto era o que este tipo comia ao pequeno-almoço e blá-blá-blá. E eu sempre lhe perguntei como raio é que eles sabiam disso? Ela costumava dizer que chegavam a essas conclusões a partir de outras coisas. Encontram um quadro que retrata um tipo qualquer. A seguir, num texto algures têm a descrição de um conselheiro e depois alguém diz: «Esperem lá, é capaz de ser o tipo do quadro!» E depois há outra pessoa que diz: «Olha, tem dois patos mortos na mão! Deve gostar de caçar.» E a seguir há outro tipo que diz: «Bem, não há dúvida de que apanhou dois, por isso deve ser bom atirador.» E outro ainda: «Vejam para onde ele está a olhar, está a olhar para aquele rapazinho, deve ser pedófilo ou coisa do género.» Eu acho que isso são tretas. Acho que é uma boa história do que aquelas coisas podiam significar, mas não há provas, pois não?

Portanto, parece que estou com um problema, né? O que faz da minha história a verdadeira de tudo o que realmente se passou? Tudo o que eu disse é como nos livros de História. É como um desenho em que unimos os pontos, mas pode não ser a verdadeira imagem. Eu digo-lhes que aconteceu uma coisa e depois outra, e que foi por determinado motivo que aconteceu. Mas isso não significa que as coisas tenham realmente acontecido. Significa apenas que eu disse que aconteceu dessa maneira. E isso, provavelmente, não significa nada, no final. Por isso, a modos que estou tramado, né?

Mas a verdade é que a acusação e a forma como dizem o que dizem que aconteceu é mais ou menos igual, né? Não passa de uma teoria. No fim de contas, não podem provar que dei um tiro a Jamil porque não têm testemunhas disso. Não podem provar que o meu sangue apareceu lá da maneira que dizem porque não têm uma testemunha que diga: «Ah, foi assim que ele ficou sujo de sangue.» Não podem dizer que os resíduos de pólvora da arma se devem a eu ter disparado sobre ele ou outra pessoa, como Kira, ter disparado sobre ele com aquela camisola vestida, ou de eu estar a usá-la quando carreguei Jamil para fora da casa de *crack*. Não podem mostrar nada com certeza. Nem sequer podem provar que o que estou a dizer não aconteceu e que a forma como estou a dizer que aconteceu não é a correta. Não podem mostrar-lhes nenhuma prova de que Ki, Curt, Face ou Guilty não existiam.

Assim, em que ponto estamos agora? Tudo se resume a talvez. Talvez tenha acontecido isto. Talvez tenha acontecido aquilo. Mas de que serve isso? Não serve de nada ficarmos pelos talvez. Como a acusação disse, vocês têm de ter a certeza, e não de terem talvez a certeza.

Mas há algumas coisas de que podem ter a certeza. A primeira é que Jamil foi abatido a tiro. A segunda é que, de todas as pessoas que estão nesta sala, só eu sei com certeza como ele foi morto. Até mesmo a acusação tem de concordar com isso. Ou fui eu que lhe dei um tiro ou então estava lá quando ele foi abatido por Kira. A terceira coisa é que há trinta mil libras no meu apartamento. A acusação não é capaz de dizer qual é a sua teoria acerca da maneira como arranjei o dinheiro. A única teoria que têm é a minha ou outra qualquer que consigam imaginar. Mas que outra razão haveria para eu ter o dinheiro? Assaltei um banco? Ganhei a lotaria? Tem de ter vindo de algum lado, né?

Depois, há outra coisa. Jamil foi morto por uma razão. Normalmente, as pessoas não são mortas sem um motivo. Mais uma vez, a acusação diz que não precisa de provar o motivo ou lá o que é. Mas que sentido faz isso? Tem de haver uma razão e a única razão que têm é a que eu lhes dei: porque dizer simplesmente que alguém é um «lixo» não significa nada. Isso não é razão para matar uma pessoa.

Sei que o que lhes contei é a verdade. Mas sabem que mais? No fim de contas, talvez nada disso importe. Estou quase com vontade de me render perante isto tudo e dizer que fui eu.

Se admitisse que o matei, isso tornaria as coisas mais fáceis para vocês? Seriam capazes de sair daqui de consciência tranquila e pensar para com os vossos botões *Fizemos a coisa certa*? Pronto, então está bem, fui eu. Dei-lhe um tiro. Ele era um lixo. Chateou-me ou coisa do género e eu dei-lhe um tiro com a minha *Baikal*. Matei-o. Nas ruas. Com a minha camisola com capuz *Fabricada em Taiwan* com caracteres chineses. Pirei-me num táxi. Comprei um bilhete para Espanha e ia fugir. Não sei bem onde fui buscar as trinta milenas, mas quem quer saber disso? E não sei muito bem porque não fui para Espanha. Nem porque não fugi com as minhas trinta milenas, em vez de ficar aqui à espera que a polícia me viesse prender. E não sei bem porque deixei a arma no apartamento. Mas eles apanharam-me com a boca na botija.

Pronto, e agora? Estão contentes? Vocês sabem que vou apanhar perpétua por isto, acham que é justo? Será que ter-lhe dado um tiro torna justo prenderem-me para o resto da vida? E se fossem vocês? Mas isto nunca iria acontecer convosco, não é? Nunca iriam encontrar-se com ele à vossa porta. Não têm de lidar com traficantes de droga na vossa rua. Têm coisas melhores para fazer. Têm emprego e muitas oportunidades. O que é que eu tenho?

A única coisa que eu tinha era a Ki, e ela desapareceu. E quer acreditem ou não em Ki, podem acreditar que era uma pessoa de carne e osso. Entrou na minha vida num autocarro e mudou-a. Depois, foi-se embora. Sem mais. Entendo o que diz a acusação, mas podem acreditar que ela existe. Ou então podem acreditar que existe realmente alguém como ela, seja qual for o seu nome. Não é impossível eu ter-me apaixonado por uma miúda que mudou tudo para mim, pois não?

Mas o problema é a cena do MI5. Não conseguem acreditar nisso.

Mas escutem o que lhes digo. Se quiserem, conseguem.

Acreditam que o MI5 existe. Conseguem acreditar que o MI5 é capaz de fazer coisas duvidosas. Sabem que é uma organização secreta, mas também sabem que tem de haver pessoas que trabalham lá. Sabem que há algures no mundo algumas pessoas que pertencem ao MI5 e que este faz o seu trabalho e que, quando o faz, as coisas acontecem como eles querem e... em segredo. E vocês não querem saber os pormenores. Porra! Nem eu quero saber os pormenores. Mas, mesmo assim, querem que eles façam o seu trabalho.

Não o deixem enganá-los. Ele diz aquelas três letrinhas de uma forma que as faz parecer muito importantes. «M»-«I»-«5». E a forma como o diz faz-me pensar se o MI5 existirá sequer. Faz com que pareça que acabou de falar nos X-Men. Mas vocês sabem que o MI5 é bem real. Por isso, qual é o mal de pressionarem uma miúda qualquer pela calada, para poderem fazer o seu trabalho? Eles conhecem as suas fragilidades, sabem o que se passa com Spooks. Podem fazê-lo desaparecer e mantê-lo em segurança. Mantê-la a ela em segurança. Mantê-los incógnitos.

E se pararem para pensar sobre isso, sabem que essas coisas acontecem. Acontecem mesmo! Basta pensarem naquele russo, Litvinenko. Foi envenenado com urânio ou uma merda dessas na ponta de um guarda--chuva. Em plena luz do dia. E sabemos que isso aconteceu. Sabemos que foi assassinado. Soa a filme de James Bond e, embora saibamos que provavelmente já tinha acontecido muitas vezes antes, não queremos acreditar nisso. Estraga a nossa felicidade. Preferimos acreditar que uma senhora branca com ar de professora governa o nosso país e que aqui só acontecem coisas vulgares e enfadonhas, como o SNS ou os cortes orçamentais e sei lá mais o quê. Mas as coisas são ainda mais sombrias. Nem mesmo eu quero acreditar nisso. Quero que alguém diga que são tudo teorias da conspiração e que o nosso mundo não é nada assim. Mas é. E é mil vezes mais do que isso, porque a maior parte das cenas em que podemos acreditar são coisas de que nunca teremos conhecimento. Coisas que nunca nos será permitido conhecer.

Portanto, aqui estamos nós, caros membros do júri. Quando comecei estas alegações, nunca pensei conseguir chegar às cinco horas de Palmerston. Mas consegui falar durante dez dias, caramba! Talvez não tão bem quanto ele faria. Talvez não com as palavras subtis que os levariam a pensar numa causa maior, como ele fez.

Mesmo depois de tantos dias, não consigo estar à altura do que o procurador acabou de dizer em dez minutos. É como se ele tivesse feito explodir todo o meu discurso. É esse o poder de uma pessoa que sabe usar as palavras. Mas, no fim de contas, estou satisfeito por ter sido eu a fazer as alegações, porque percebi uma coisa enquanto lhes estava a contar tudo isto. Percebi o que queria dizer aquele tipo na mesquita, quando disse que as pessoas não são todas iguais, mas podiam ser. Não sou igual a vocês, e vocês não são iguais a mim, mas podiam ser, se tentassem.

Por isso, tentem agora. Tentem pôr-se no meu lugar.

No final de contas, está tudo nas vossas mãos.

Culpado ou inocente?

O JÚRI SAI PARA DELIBERAR.

NO TRIBUNAL CRIMINAL CENTRAL T2017229

Perante: MERITÍSSIMO JUIZ SALMON QC

Veredito:

Julgamento: 39.º dia

Terça-feira, 18 de julho de 2017

COMPARÊNCIAS

Pela Acusação:	C. Salfred QC
Pelo Arguido:	O próprio

Transcrito de um registo áudio digital por
T. J. Nazarene Limited
Estenógrafos Judiciais e Transcritores Certificados

NOTA DO AUTOR

No último quarto de século, conheci milhares de pessoas de todos os estratos sociais que tinham sido apanhadas nas malhas do sistema de justiça criminal.

Como advogado criminal, uma das coisas que rapidamente se percebe é que inteligência não é necessariamente sinónimo de instrução, nem as duas coisas são sempre intermutáveis. Encontrei tantas vezes jovens brilhantes sem nenhuma qualificação. Jovens que conseguiam fazer poesia na hora, mas que lhe chamavam *rap*. Rapazes que entendiam facilmente conceitos jurídicos complexos assim que lhes eram explicados e, o mais surpreendente de tudo, rapazes capazes de dissecar a prova nos seus casos como verdadeiros profissionais.

Isto ficou bem claro um dia, quando um jovem que eu representava estava a ser contrainterrogado sobre a localização do seu telemóvel usando tecnologia celular. O caso era sério, envolvendo uma alegação de roubo, e o advogado de acusação era muito experiente. Depressa se tornou claro que o arguido tinha dominado de tal forma os relatórios dos peritos que a Coroa não lhe podia tocar. Foi simultaneamente uma demonstração impressionante e uma lição salutar.

Depois disto, sempre tive o cuidado de manter a mente aberta em relação a todos os meus clientes. Também tentava lembrar-me que, por trás da tradicional fita cor-de-rosa que reúne os documentos de um advogado, estava a liberdade de uma pessoa de carne e osso que merecia todos os esforços na sua defesa. Um dia, há muitos anos, depois de ter concluído as alegações finais em nome de um cliente, um homem jovem acusado de traficar droga, ele veio ter comigo para agradecer o meu discurso. Lembro-me de que disse que estava grato porque sentia que não teria conseguido dizer o que era preciso da forma como eu fizera. Aquilo ficou comigo e, ao longo dos anos, fui perguntando a mim mesmo porque não podia ser o arguido a dizer o que precisava. Temos o melhor sistema de justiça criminal do mundo no que toca a julgamento com júri, e o julgamento com júri é teoricamente um julgamento pelos pares. No entanto, a realidade é que os jovens desfavorecidos do sexo masculino oriundos de meios sociais e pessoais difíceis não são normalmente julgados por pessoas como eles.

Comecei depois a pensar como seria se aqueles que são acusados de crimes fossem julgados por pessoas como eles. E, se isso acontecesse, como soariam as alegações feitas por uma pessoa dessas. Embora por vezes me sentisse emocionado pelo que os arguidos me contavam sobre as suas vidas e aquilo que me parecia ser a inevitabilidade das suas situações, não era capaz de expressá-lo da mesma forma que eles tinham feito comigo. O meu dilema era como emocionar o tribunal da mesma forma que um arguido me emocionara.

Não demorou muito a nascer a ideia de um romance em que um arguido fizesse as suas próprias alegações finais. A verdadeira vantagem era que, ao fazer isso, podia ser julgado não só por um painel de doze elementos, mas por um painel composto por todos aqueles que o pudessem escutar: um painel de leitores.

Em *Vocês não Me Conhecem*, foi importante para mim lidar com os verdadeiros problemas com que se confrontam aqueles que acabam enredados no sistema de justiça criminal. A experiência diz-me que há um número desproporcionado de homens jovens socialmente desfavorecidos, de origem negra, asiática ou de minorias étnicas que se veem apanhados nas malhas do sistema. Sei que haverá quem se possa queixar dos estereótipos presentes no livro, mas a vida em gangue é uma realidade para alguns jovens em determinadas partes do país.

Muitas vezes, homens jovens sem o apoio social habitualmente prestado pelas escolas e família são atraídos para a cultura dos gangues desde tenra idade. O gangue providencia a muitos deles um sistema paralelo de ordem, poder, segurança e estatuto onde, de outra forma, haveria muitas vezes um vazio. Quando se criam condições para o aparecimento de subculturas, mas se retira a possibilidade de desenvolvimento pela educação, em certo sentido o gangue criminoso torna-se inevitável como via pela qual as aspirações podem encontrar forma de serem concretizadas.

Eu sentia que era importante confrontar essa realidade social dos gangues. Contudo, queria ter cuidado para não glorificar os gangues fosse de que maneira fosse. A vida em gangue, na minha opinião, já é excessivamente empolada na cultura popular e não se faz o suficiente para atacar a forma como essas organizações socialmente poderosas fazem dos jovens o seu alvo. As personagens principais do livro não são membros de gangues. Habitam um espaço em que podem lançar luz sobre os desafios de resistir à pressão dos gangues. Queria que as personagens nos falassem sobre a atração que a cultura dos gangues exerce, e com a qual lidei em primeira mão, mas queria dar-lhes força para lhe resistirem.

Em *Vocês não Me Conhecem*, o arguido foi construído numa tentativa de destruir uma série de estereótipos, mas de forma empática e realista. No final, temos de confrontar de forma honesta e crítica o mundo que temos pela frente. Em última análise, as origens das personagens são menos importantes do que as perguntas que fazem:

A justiça será absoluta ou existirão diferentes tipos de justiça, dependendo de quem somos?

A moralidade será absoluta ou haverá zonas cinzentas? Como identificamos essas áreas?

Quando deve a responsabilidade pessoal ceder terreno às circunstâncias pessoais?

A culpa será absoluta ou, a bem da justiça, deveria ser vista por uma lente «circunstancial»?

O que é a verdade e será que o seu peso se altera sob a força gravitacional da miséria?

Será que rejeitamos instintivamente a noção de inocente até prova em contrário?

Quanta desvantagem enfrentará um arguido simplesmente por estar a ser acusado?

Alguma vez conseguiremos conhecer realmente alguém? E como podemos julgar aqueles que não conseguimos conhecer devidamente?

AGRADECIMENTOS

Agradeço à minha mãe, que me contou as primeiras histórias que ouvi e que me instilou o amor pela leitura, que continua a ser minha companheira constante. Sem as tuas preces e apoio, as coisas boas que fiz nunca poderiam ter acontecido.

Ao meu pai, que me ensinou a importância de ler. Qualquer coisa. Tudo. Desde que continuasse a ler.

E a ambos, em conjunto, por me terem feito acreditar, apesar de tudo, que com muito trabalho tudo era possível e tudo podia ser alcançado.

A Sadia, minha mulher. Minha vida. Minha primeira leitora. Minha segunda leitora. Minha última leitora e tudo o que está pelo meio. Escrevo para ti. Obrigado por tudo. Por leres versões infindáveis. Por todas as tuas ideias. Pela tua paciência. Mas, sobretudo, pelo teu amor e fé. Ainda me lembro das palavras que inspiraram este livro: «Limita-te a escrever alguma coisa que não seja entediante.» Espero ter conseguido isso, pelo menos em parte. Amo-te, minha querida. Não, não amo. Sim, amo.

Aos meus irmãos e irmãs, Kash, Omer, Khurrum e Aiysha. Encontro sempre o caminho de volta a casa pelo simples facto de pensar em vocês. Obrigado por me fazerem rir, mesmo quando não estou convosco.

Às pessoas maravilhosas ligadas ao universo literário.

À minha divinal agente Camilla Wray (disseste «divinal», certo?). Sem ti, este livro estava destinado à desintegração silenciosa e solitária dos *bits* e *bytes* num velho portátil. Obrigado por acreditares. Obrigado por eliminares as inúmeras imperfeições e pelo acabamento que lhe deste, pela tua capacidade de transformar algo nebuloso e baço numa coisa capaz de brilhar. Obrigado pelo trabalho incrível. E por Emad, e por teres feito com que ele o comprasse! Se a Carlsberg fizesse agentes, provavelmente fazia-te a ti... provavelmente a melhor agente do mundo.

A todos os outros que trabalham na Darley Anderson e que combinaram as suas energias para este livro. Obrigado. E um agradecimento particular a Marc Simonsson por todo o seu trabalho na vertente televisiva e cinematográfica. É tudo pessoal de primeira classe e não houve um único momento em que não me sentisse seguro nas vossas mãos.

Ao meu primeiro editor, Emad Akhtar, meu irmão espiritual. Obrigado por tudo. Tenho imensa sorte por ter podido beneficiar do teu génio nesta aventura. Sem ti, não haveria livro. Não tenho palavras para agradecer tudo o que fizeste. O olhar atento com que esmiuçaste cada linha. A amizade. As gargalhadas. Aquela capa! O manancial de calão de rua que tinhas no bolso. Quem diria! *Yaar*, se o meu livro fosse uma donzela, terias sido o seu cavaleiro. Obrigado.

À incomparável Jessica Leeke, na Michael Joseph. Obrigado pela forma tranquila e sem esforço como substituíste Emad. Fizeste-o tão bem que dá a sensação de que sempre lá estiveste. Obrigado pelas tuas ideias, pelo teu entusiasmo e por todas as coisas que sei que fazes nos bastidores, sem alarde e em segredo, mas de forma maravilhosa.

A todos os jovens brilhantes que trabalham na Michael Joseph e que fazem um trabalho tão notável e difícil de forma magistral. Um agradecimento especial à minha espantosa diretora de publicidade Laura Nicol e à talentosa e incansável Katie Bowden por todo o seu trabalho e por espalharem a sua magia de forma tão liberal e generosa. E a tantos outros, como Annabel Wilson, Emma Brown e Sophie Wilson, e a todas aquelas pessoas anónimas que tanto se empenharam para fazer nascer este livro.

A Leo Nickolls, que concebeu uma capa tão bonita e apelativa. Que génio!

A Ruth Kenley-Letts e Jenny Van der Lande, da Snowed-In Productions, que mostraram tanta fé no meu trabalho. Obrigado!

Também estou grato pela oportunidade de expressar o meu reconhecimento a Rian Malan, cujo espetacular *tour de force*, *My Traitor's*

Heart, inspirou a cena do presente livro com o Homem do Martelo. Recomendo a sua leitura, sem reservas. Lê-lo enriqueceu a minha vida de mais maneiras do que me é possível dizer.

A todos os meus primeiros leitores, amigos e colegas no tribunal e na Ordem, obrigado por terem tirado tempo às vossas vidas tão ocupadas para cederem aos meus caprichos.

A Stephan, meu irmão, meu mano. Obrigado. Pela tua fraternidade. Pela tua amizade. Pelo teu apoio. Pela tua alegria. Pela tua aleatoriedade. Pelo teu humor. Pela tua surrealidade? Toda a gente devia ter um amigo como tu, mas há poucas pessoas que o tenham. Obrigado por cada momento de entusiasmo que comemoraste comigo ao longo deste caminho. És o verdadeiro Curt.

E, finalmente, a Zozo, que consegue iluminar os recantos mais sombrios da minha vida apenas com um sorriso e uma só palavra. «Biiiinng!»

BERTRAND EDITORA

Rua Professor Jorge da Silva Horta, n.º 1
1500-499 Lisboa

Telefone: 217 626 000
Correio eletrónico: editora@bertrand.pt

www.bertrandeditora.pt